D1255409

Modus Vivendi

Godfrey Spence

Paru sous le titre original de : Port Companion

LES PUBLICATIONS MODUS VIVENDI INC.
5150, boul. Saint-Laurent 1er étage
Montréal (Québec)
Canada
H2T 1R8

Design de la couverture : Marc Alain
Infographie : Modus Vivendi
Traduction : Johanne Forget

Dépôt légal : 3e trimestre 2004
Bibliothèque nationale du Québec
Bibliothèque nationale du Canada
Bibliothèque nationale de Paris

ISBN : 2-921556-86-3

Imprimé en Chine

TABLE DES MATIÈRES

Avant-propos 6

PREMIÈRE PARTIE

L'HISTOIRE DU PORTO

Qu'est-ce qui rend le porto unique? 9

La riche histoire du porto 18

Le raisin et les vendanges 27

Les styles de portos — La hiérarchie 36

Acheter, conserver et servir le porto 48

DEUXIÈME PARTIE

LE RÉPERTOIRE DES PORTOS

Les firmes d'exportation de porto 61

Les coopératives et les single quintas 186

Glossaire 219

Adresses 221

Bibliographie 222

Index 223

Remerciements de l'auteur 224

Références des illustrations 224

AVANT-PROPOS

C'est pour moi un grand privilège d'avoir été invité à rédiger l'avant-propos de l'ouvrage de Godfrey Spence. Le livre paraît à un moment opportun. S'adressant aussi bien aux consommateurs avertis qu'aux professionnels, il est publié à un moment où le porto, sous tous ses aspects, suscite un intérêt incomparable particulièrement aux États-Unis.

À l'occasion d'une récente visite aux États-Unis, un marchand de vin m'a demandé de lui recommander un livre qui fait autorité sur le porto. Au cours des 20 à 30 dernières années, d'excellents livres ont été publiés, mais la plupart d'entre eux se concentrent sur un aspect particulier du sujet. Le savant traité de James Suckling, par exemple, intitulé *Vintage Port*, est une autorité en la matière. Le Port Wine Institute, pour sa part, a publié un ouvrage classique sur le porto, qui concerne surtout les aspects techniques de l'industrie, tandis que l'ouvrage de Sarah Bradford, *The Story of Port*, est non seulement merveilleusement bien écrit, mais comprend à ma connaissance le chapitre le plus exhaustif sur l'histoire du commerce du porto.

J'ai lu le livre de Godfrey Spence avec beaucoup d'attention, et je n'hésite pas à affirmer qu'il s'agit du livre le plus complet sur le porto, par la mine d'informations qu'il contient. Un soin particulier a été apporté au choix de l'ordre des chapitres. Alors que la plupart des ouvrages commencent par la dimension historique, le premier chapitre de Godfrey nous plonge d'emblée dans l'atmosphère de la région du Douro, dans le nord du Portugal, avec ses paysages accidentés et son climat hostile. Le premier chapitre donne le ton au reste du livre, qui est rédigé avec imagination et dans un style qui absorbe le lecteur, qu'il soit amateur ou professionnel. La plus grande partie du livre est consacrée à l'histoire et aux activités actuelles des diverses entreprises d'expédition et des plus importants fermiers engagés dans la commercialisation de leurs portos. On trouve ensuite des notes de dégustation très savantes et très exactes. Il suffit de consulter les notes concernant les portos de Fonseca Guimaraens pour s'en convaincre! Par ailleurs, j'ai été ravi d'y voir des portos de single quintas mentionnés de façon si détaillée.

On s'intéresse de plus en plus, de nos jours, à l'aspect viticulture de l'industrie du porto, que Godfrey traite de façon très approfondie. Le viticulteur est aussi sollicité que le vinificateur pour donner des conférences, des dégustations et des cours. Il y a quarante ans, la composition des variétés de raisins dans un vignoble n'avait pas l'importance qu'elle a aujourd'hui. Quand il évaluait un vignoble pour l'achat de raisins, le négociant s'assurait toujours, en visitant la vigne, que les cinq principales variétés étaient présentes, mais il n'y avait pas, comme c'est le cas maintenant, de

La vue du fleuve Douro de la Quinta do Seixo.

séparation des variétés durant la fermentation. Cette séparation donne au négociant et au vinificateur une plus grande latitude pour décider du moment opportun pour la récolte et la fermentation, de même que pour le coupage. Cela signifie-t-il que nous pourrons fabriquer à l'avenir des portos encore meilleurs que par le passé?

Nous devons toujours tendre vers l'amélioration de la qualité, mais, bien que je ne doute pas que nous en soyons capables, il ne sera jamais facile d'égaler l'exquise perfection d'un 1927, d'un 1948, d'un 1963, ou, espérons-le, d'un 1985! Cela étant dit, bien des recherches devront encore être entreprises sur les variétés de raisins dans la région de Douro. Notre époque est vraiment très propice à la viticulture!

En terminant, je tiens à féliciter Godfrey Spence pour son excellent travail. Je crois fermement qu'un livre comme celui-ci ne peut que contribuer à l'amélioration de la qualité du porto et raviver l'intérêt pour ce qui est, sans aucun doute, l'un des plus grands vins du monde.

Bruce Guimaraens
Porto
Le 19 avril 1997

PREMIÈRE PARTIE

L'HISTOIRE DU PORTO

QU'EST-CE QUI REND LE PORTO UNIQUE?

Le porto est un vin fortifié fait de raisins de premier choix cultivés dans la vallée du Douro, située dans le nord-est du Portugal. Son caractère exceptionnel dépend tant de facteurs naturels — le sol, le climat et l'orientation (la position des surfaces de culture) — que de la façon dont le vin est fabriqué. La clef de la production du porto est le vinage, qui consiste à ajouter un alcool de raisins fort, ou du brandy, au moût (jus de raisin) fermenté pour en arrêter la fermentation, en augmenter la teneur en alcool et lui conserver un certain goût sucré.

Il existe un adage dans l'industrie du porto selon lequel: «Tous les vins seraient des portos... s'ils le pouvaient.» Comme la plupart des produits prestigieux, le porto a des imitateurs. Les vinificateurs de lieux aussi divers que la Californie et l'Australie utilisent le même procédé de vinage pour produire des vins digestifs sucrés. Peu d'entre eux, cependant, atteignent la qualité des portos moyens, et encore moins des vieux vintages délicats et des tawnies mentionnés dans le présent ouvrage.

Le porto tire son nom de la ville de Porto, «Oporto» en anglais, qui est située à l'endroit où le Rio Douro, qui signifie fleuve d'or, se jette dans l'Atlantique. Le nom du fleuve vient de la couleur de l'eau, qui avait un débit rapide avant d'être retenue par des barrages ; on ne peut dire que la métaphore convienne à la région du porto, qui a pendant des siècles été l'une des régions les plus pauvres et les plus isolées de l'Europe de l'ouest. Le vin de porto était, et est toujours en grande partie, expédié de Porto, mais les vignobles qui entourent la ville ne fournissent pas, et en fait ne peuvent pas fournir de raisins pour le porto. Le vin de la région est le frais et jeune *vinho verde*; il est vif, sec et faible en alcool, tout le contraire des vins sucrés lourds destinés à un long vieillissement qui portent le nom de la ville. La différence entre les deux vins réside dans une combinaison de facteurs humains et de facteurs naturels.

LA RÉGION ACCIDENTÉE DU DOURO

La région du Douro comprend le cours supérieur du fleuve Douro, où elle forme la frontière avec l'Espagne, jusqu'à Barqueiros, quelque 70 km en amont de Porto et de la côte. Bien que le fleuve longe plusieurs autres vignobles après avoir quitté la région du porto (et qu'il traverse en fait la ville de Porto elle-même), pour les négociants de porto et les amateurs de vin «le Douro» est synonyme de vignobles de vin de porto. Le pays est accidenté; c'est une terre de collines si abruptes qu'il est impossible de travailler dans les vignobles avec des mules, et encore bien moins avec des tracteurs. Le sol n'est constitué que d'une mince assise rocheuse d'ardoise dure reposant sur du granit encore plus dur. Le sol est si pauvre en matières organiques que seules les mauvaises herbes broussailleuses résistantes, les olives et, bien sûr, la vigne peuvent y survivre. Quand on ajoute à cela une chaîne de montagnes qui sépare la région du reste du monde et un climat d'extrêmes variations entre le chaud et le froid, on se demande bien pourquoi les fermiers se sont entêtés à y planter des vignes. La réponse se trouve dans chaque bouteille de porto.

LA VILLE DE PORTO.

LES VIGNES ACCIDENTÉES, BAIGNÉES DE SOLEIL.

Le climat du Portugal, surtout dans le nord, est dominé par l'Atlantique; il est donc humide et caractérisé par des températures plutôt tempérées. Le Douro est protégé par la Serra Marão, une chaîne de collines au nord-ouest de la région, qui le protège contre la pluie, un peu comme l'Alsace en France et le Palatinat dans le sud de l'Allemagne, qui sont des régions sèches grâce aux influences des Vosges et de la Haardt. Le climat connaît des extrêmes. Il n'est pas rare qu'il neige en hiver; des tableaux historiques illustrent des élagueurs portant des manteaux de paille et de chaume pour se protéger des vents glacials. Par contre l'été les vignobles cuisent sous un soleil presque constant, et les températures atteignent les 40 °C.

TERRASSES DE PATAMAR, QUINTA DE VARGELLAS.

Le paysage du Douro est l'un des plus spectaculaires de toutes les régions de vignobles. Le fleuve Douro et ses affluents ont, au cours des millénaires, creusé des vallées profondes aux pentes abruptes, de sorte que le sol plat est rare. Les neuf dixièmes de la région sont sur un gradient plus abrupt que un sur trois. Pour réussir à travailler la vigne, les vignerons durent découper des terrasses tels des escaliers dans le roc. Chaque terrasse était supportée par un mur destiné à retenir le «sol» créé par les excavations. Les vignes cultivées sur ces terrasses, dont plusieurs existent encore, doivent être travaillées entièrement à la main.

Les terrasses très étroites se sont peu à peu transformées en terrasses plus larges avec plus de rangées et moins de murets, mais ce n'est qu'au début des années 1970 qu'on a envisagé de les reconstruire pour permettre l'utilisation de machinerie. Depuis, de nouvelles terrasses, appelées *patamares*, qui omettent les murets de soutien au profit de talus, ont connu une grande popularité. Sans les murets, de petits tracteurs peuvent circuler dans les vignobles, ce qui augmente leur efficacité. Les *patamares* d'abord implantées à la Quinta de Vargellas de Taylor en 1973, sont rapidement devenues le mode de reconstitution standard. Les murets de pierre sèche des vieilles terrasses, qui ressemblaient à des forteresses, ont été systématiquement — et en grande partie — remplacés par des talus de terre rocailleuse, et la forme du Douro viticole en a été modifiée à jamais.

Mais certains vignerons préfèrent le modèle de plantation allemand, qui suit la pente de la terre. Si la pente n'est pas trop raide (et les opinions diffèrent sur le gradient maximal), ce système, appelé *vinha ao alto*, comporte des avantages, surtout pour ce qui a trait à la mécanisation. La firme de portos Ramos Pinto fut la première à l'essayer après l'implantation des *patamares*, et l'on voit des parcelles de *vinha ao alto* dans de nombreux endroits, mais les plus impressionnantes sont celles de la Quinta da Ermavoira de Ramos Pinto dans le Douro Supérieur.

PORTUGAL

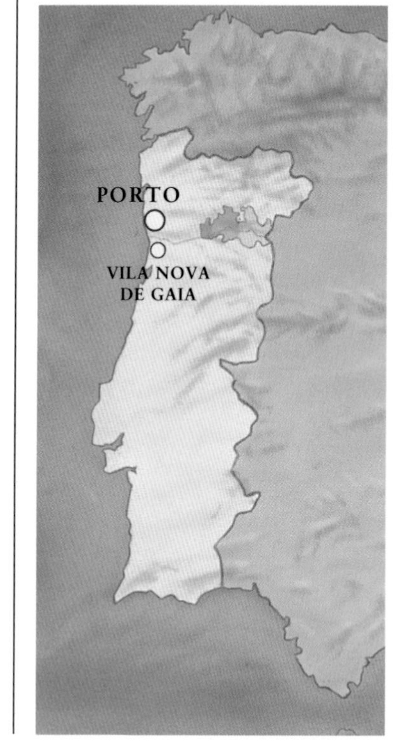
PORTO
VILA NOVA
DE GAIA

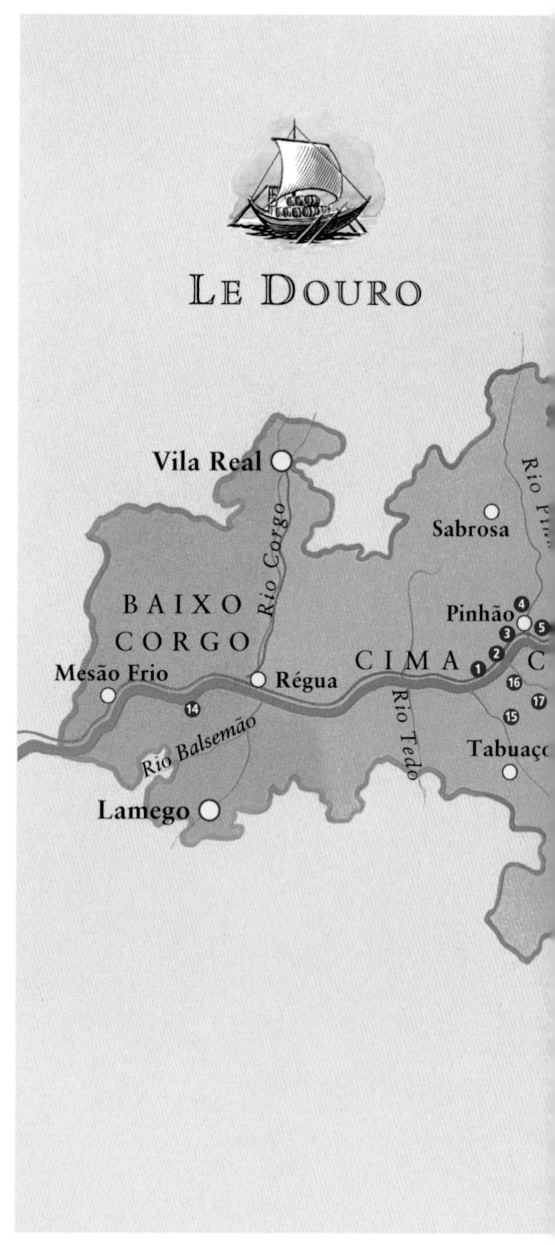
LE DOURO
Vila Real
Sabrosa
BAIXO
CORGO
Rio Corgo
Pinhão
CIMA
Mesão Frio
Régua
Rio Tedo
Rio Balsemão
Lamego

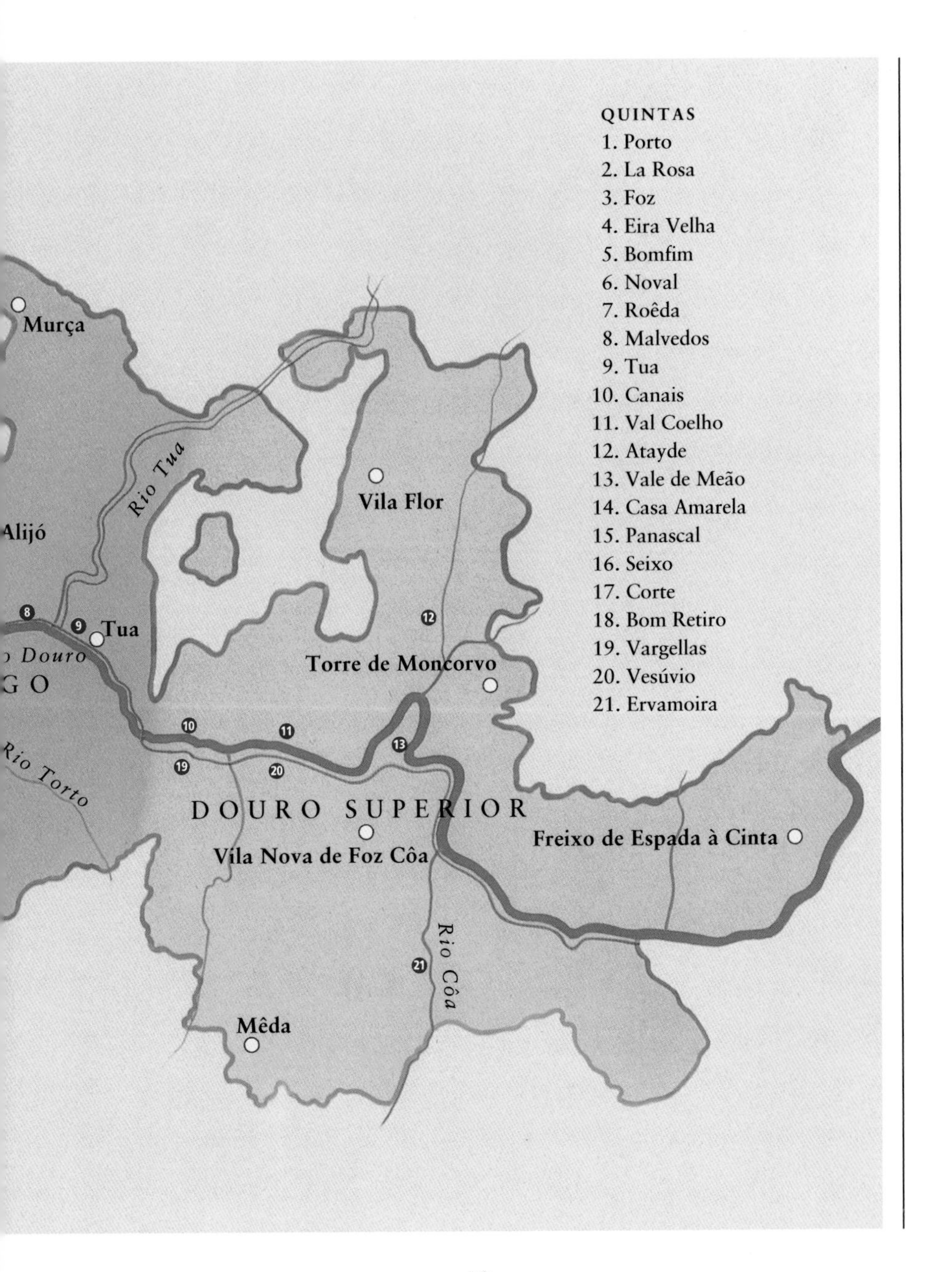
QUINTAS
1. Porto
2. La Rosa
3. Foz
4. Eira Velha
5. Bomfim
6. Noval
7. Roêda
8. Malvedos
9. Tua
10. Canais
11. Val Coelho
12. Atayde
13. Vale de Meão
14. Casa Amarela
15. Panascal
16. Seixo
17. Corte
18. Bom Retiro
19. Vargellas
20. Vesúvio
21. Ervamoira
Murça
Rio Tua
Vila Flor
Alijó
Tua
Torre de Moncorvo
Rio Torto
DOURO SUPERIOR
Vila Nova de Foz Côa
Freixo de Espada à Cinta
Rio Côa
Mêda

LA PLANTATION DANS CE PAYSAGE ROCAILLEUX DEMANDE BEAUCOUP DE TRAVAIL.

À cause du terrain, la couche arable a rarement plus de 10 cm d'épaisseur. Sous le substrat se trouve un roc sédimentaire semblable à de l'ardoise, qu'on appelle schiste. Ce roc doit être cassé avec des outils ou avec de la dynamite pour permettre la plantation de la vigne. Le schiste permet aux racines de la vigne de pénétrer très profondément, ce qui est important quand la saison de croissance est très sèche.

Officiellement, la région du Douro se divise en trois districts: le Baixo Corgo (Bas-Corgo), le Cima Corgo (Haut-Corgo) et le Douro Superior (Douro Supérieur). Les trois sous-régions n'ont en réalité qu'un intérêt théorique pour le consommateur; elles apparaissent rarement sur les étiquettes, et pas du tout à la façon, par exemple, des districts du Médoc (région de Bordeaux où l'on produit du vin rouge). Cependant, chaque district a sa caractéristique fondamentale propre, quoique d'autres facteurs aient un rôle à jouer, comme les conditions atmosphériques annuelles et la gestion du vignoble. Le Baixo Corgo est en général la région la plus humide; les raisins y sont moins mûrs, de sorte que les vins sont moins concentrés que ceux qui sont produits dans le Cima Corgo. Le Cima Corgo offre le meilleur équilibre de chaleur et de pluie, ce qui favorise la production de raisins très mûrs à la saveur concentrée. Le Douro Superior produit également des raisins de haute qualité, mais il s'y trouve relativement peu de vignobles, parce qu'il est très difficile d'accès.

LES ENVIRONS DES DISTRICTS DU PORTO

Le Baixo Corgo, ou Bas-Corgo, s'étend de la frontière occidentale de la région au confluent du fleuve Corgo, près de Régua, la capitale de la région. Le Baixo Corgo représente seulement 28 pour cent de la région, mais il est si densément cultivé qu'il comprend plus de la moitié du territoire viticole total. Ce district a le climat le moins extrême; les précipitations y sont plus élevées qu'à l'intérieur des terres et les températures maximales sont plus basses. Les vignes, soumises à moins de stress, produisent plus de fruits, de sorte que le Baixo Corgo, malgré sa superficie, fournit la plus grande partie du vin de la région.

STA. MARTA DANS LE BAS-CORGO.

Les grands domaines sont rares dans le Baixo Corgo; la plupart des vignobles sont petits et exploités à temps partiel. Il existe quelques quintas exceptionnelles qui produisent d'excellents vins de qualité supérieure, mais c'est principalement une région de vins jeunes — ruby, tawny et blanc — qui représentent 85 pour cent du marché du porto.

Au-delà du fleuve Corgo se trouve le Cima Corgo, le centre de la production des portos de qualité, où sont établies la majorité des quintas. C'est dans cette région, autour de la petite ville de Pinhão, que sont concentrés les domaines les plus magnifiques et les plus célèbres. La ville de Pinhão est située au confluent des fleuves Douro et Pinhão, dominés par la Quinta do Noval et la Quinta da Eira Velha, tandis que les quintas Bomfim, Foz et Roêda surplombent le Douro en périphérie de la ville. D'autres affluents de la région sont le foyer d'autres noms célèbres, incluant Bom Retiro et Côrte dans la vallée du Torto, et Panascal de la maison Fonseca dans la vallée du Távora. Partout où l'on regarde, on peut voir les noms des quintas les plus importantes en lettres d'or sur les murs blancs des vineries, ou peints sur les toits de tuiles rouges, aisément visibles à cause du terrain abrupt.

VIGNOBLE ABRUPTE DANS LE CIMA CORGO

À quelques kilomètres de Régua, le Cima Corgo a un climat plus sec que celui du Baixo Corgo, où les précipitations sont en moyenne 50 pour cent plus élevées. À cause de la température très chaude et sèche, les vignes doivent travailler plus fort pour augmenter la concentration de saveur dans les raisins, et donc la qualité finale du vin.

En amont du fleuve, la vallée se rétrécit en une gorge à Valeira. Un barrage est maintenant érigé sur le fleuve, qui autrefois n'était pas navigable à cause des rochers. Incapables d'utiliser le fleuve Douro, l'artère vitale de l'industrie du porto, et privés de l'accès aux terres situées au-delà de la gorge, les planteurs évitaient de cultiver des vignes de porto. Le fleuve fut finalement ouvert en 1793, et pour la première fois le Douro Superior devint propice à la production de porto. Encore aujourd'hui, à cause de son isolement historique, moins de 5 pour cent de la région est utilisée pour la culture de la vigne, mais les quelques quintas qui s'y trouvent sont généralement importantes. Plusieurs sont à l'avant-garde de l'innovation dans le domaine de la viticulture. Des expériences couronnées de succès ont déjà exercé une influence sur les quintas en aval du fleuve. Certains domaines du Douro Superior existaient déjà au XVIe siècle, et la viticulture y a pris de l'importance au début du XIXe siècle. D'autres, comme les domaines d'Ermavoira et Atayde, ne furent établis qu'au début des années 1970.

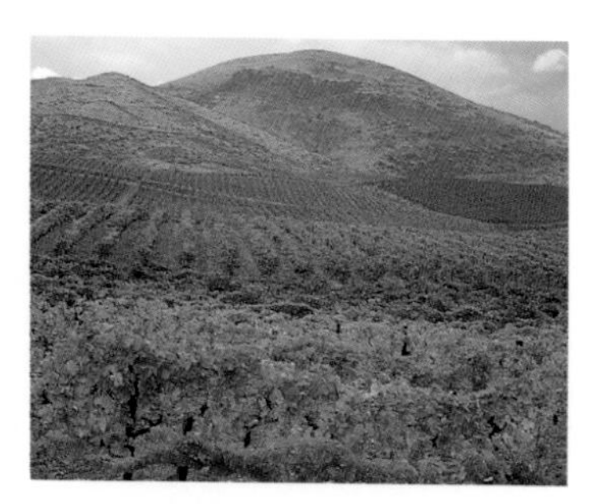

QUINTA DE ERVAMOIRA
DANS LE DOURO SUPÉRIORX

LE RÔLE DE LA QUINTA

La quinta, un terme portugais qui signifie «ferme» ou «domaine», est le cœur du Douro, terre de vigne. C'est cependant un terme nébuleux, et les définitions varient. Pour les biens nantis de Lisbonne, une quinta est un manoir situé à la campagne, généralement à Sintra ou Estoril, qui n'a rien à voir avec les vignobles du Douro. Les quintas ne possèdent bien sûr pas toutes d'immenses maisons semblables aux châteaux de Bordeaux. Plusieurs d'entre elles n'offrent que le confort le plus élémentaire. D'un autre côté, les vignobles du Douro ne sont pas tous des quintas. Ce ne sont souvent que de petites parcelles de terrain d'à peine un demi-hectare travaillées à des fins de subsistance seulement.

Comme le mot n'a pas de définition formelle, il est impossible de calculer le nombre de quintas dans la région du Douro, mais on estime qu'il y en aurait de 1500 à 2000 sur un total de 80 000 vignobles enregistrés.

Autrefois, presque tous les portos étaient constitués d'un assemblage de plusieurs vignobles pour en augmenter la complexité et assurer une permanence de style. Les quintas individuelles étaient donc rarement mentionnées. Au cours des dernières années, cependant, plusieurs portos ont été commercialisés par des quintas seules, et en conséquence le concept de quinta a commencé à être mieux compris dans l'industrie et par les connaisseurs.

MALVEDOS, UNE GRANDE QUINTA TYPIQUE.

LA CLASSIFICATION DES VIGNOBLES

Il n'y a pas dans le Douro de système de «grand cru» comme en France, mais chaque vignoble de la région est évalué selon un système de classification cadastrale. Les catégories se répartissent de A à F - la catégorie A étant la meilleure - et sont basées sur un système de points. Jusqu'à 70 pour cent des points sont accordés aux quatre variables suivantes:

Altitude (moins elle est élevée, mieux c'est)	21%
Productivité (moins elle est élevée, mieux c'est)	21%
Sol	14%
Localisation	13%

Les autres points sont attribués pour des facteurs tels l'aspect, le type de cépage, l'âge de la vigne (plus elle est vieille, mieux c'est), le mode de culture et l'inclinaison de la pente. Des points positifs et des points négatifs sont accordés. Par exemple, une vigne située à une faible altitude mérite des points, mais si elle est plantée sur du granit elle en perd.

Environ 20 pour cent des vignobles sont classés A ou B, 75 pour cent sont classés C ou D, et 5 pour cent sont classés E ou F. Les vignobles de classe A et B sont en majorité situés dans le Cima Corgo et le Douro Superior, tandis que la plupart des vignobles de classe inférieure se trouvent dans le Baixo Corgo et dans les parties les plus élevées des autres sous-régions.

DES QUINTAS DE CATÉGORIE A DANS LES ENVIRONS DE PINHÃO.

La riche histoire du Porto

Le porto est un vin qui s'est développé dans l'adversité; si l'Angleterre et la France n'avaient pas été ennemies au cours des 500 dernières années, le porto n'aurait peut-être jamais été inventé. Pendant 300 ans, à partir du mariage de la Française Éléonore d'Aquitaine avec Henri d'Anjou (Henry II d'Angleterre) en 1152, les Anglais importèrent des bordeaux de France. Quand l'approvisionnement fut interrompu en 1667 en raison des conflits incessants entre l'Angleterre et la France, les marchands de vins de Londres et de Bristol durent chercher à s'approvisionner ailleurs, et ils finirent par se tourner vers le Portugal dans la dernière moitié du XVIIe siècle.

Certains indices démontrent que, bien avant que les premiers marchands de vins ne viennent s'installer au XVIIe siècle, les Romains cultivèrent la vigne dans la région durant leur occupation 200 ans avant Jésus-Christ. Plus tard, les Wisigoths (la tribu qui a régné sur la région jusqu'au début du viiie siècle), encouragèrent la viticulture, mais quand les armées maures avancèrent vers le nord, les activités de viticulture régionales s'interrompirent. La viticulture reprit dans la vallée du Douro au XIe siècle, un peu avant que le Portugal ne devienne une nation indépendante.

À cette époque, la consommation du vin était sans doute locale. Les communications et le transport dans la vallée et avec l'extérieur sont assez difficiles, même s'il y a des routes, pour qu'on puisse imaginer qu'elles étaient impossibles à l'époque. C'est avec l'arrivée des marchands anglais et écossais au XVIIe siècle que la région a commencé à s'ouvrir et à acquérir la célébrité qu'elle connaît aujourd'hui.

Le Marquis de Pombal.

Au départ, les marchands achetèrent du vin rouge du Portugal provenant des vignes situées dans les environs de Viana do Castelo, une région populeuse et verdoyante au nord de Porto. À l'époque, les vignes étaient des arbres palissés, ce qui restreignait le mûrissement des raisins et entraînait la production de vins semblables au *vinho verde* rouge fabriqué aujourd'hui dans la région: tanniques, acides et souvent légèrement effervescents. Comme les Anglais préféraient les vins plus solides et plus sucrés, les négociants les plus aventureux commencèrent à chercher plus avant dans les terres.

L'histoire du porto tel que nous le connaissons remonte à 1678, année où deux événements coïncidèrent. Le gouvernement britannique imposa un embargo sur le commerce avec la France, ce qui força la recherche de substituts aux vins français. Puis deux Anglais qui visitaient un monastère à Lamego se firent offrir par l'abbé supérieur un vin de Pinhão plus riche et plus doux que la plupart des vins rouges du Portugal. L'abbé leur avoua qu'un peu de brandy local avait été ajouté au vin durant la fermentation, une pratique utilisée aujourd'hui dans la production de tous les portos. Il faudra attendre 50 ans avant que tous les portos soient fortifiés, mais les bases en avaient été jetées.

La poursuite de l'embargo sur les vins français favorisa le commerce du vin de porto durant la dernière moitié du XVIIe siècle, mais celui-ci prit véritablement son essor au début du XVIIIe siècle avec la signature du traité de Methuen en 1703, qui prévoyait des taux de droits de douane avantageux pour les vins portugais en échange d'un traitement similaire à l'égard des tissus anglais importés au Portugal. L'industrie fit alors un bond, qui entraîna le développement très rapide de la vallée du Douro. C'est alors que s'établirent plusieurs des firmes de vin d'aujourd'hui. Par ailleurs, des entreprises existantes qui faisaient affaires dans le textile ou le poisson commencèrent à concentrer leurs activités sur le vin. Le progrès donna cependant aussi lieu à la fraude et à l'adultération du vin au détriment des fermiers paysans sur qui reposait le commerce. Les mauvais vins ne se vendaient pas, mais l'approvisionnement augmentait. En 1754, le commerce était en si piteux état que les négociants n'achetèrent pas de vin des producteurs.

Ce fut Sebastião José de Carvalho e Melo, plus tard célèbre sous le nom de marquis de Pombal, qui trouva la solution. Ayant obtenu des pouvoirs quasi dictatoriaux du roi José I pour ses initiatives à la suite d'un tremblement de terre à Lisbonne, Pombal prit le commerce du porto en main. Il établit la Companhia Geral da Agricultura das Vinhas do Alto Douro, à qui fut conféré le monopole de l'établissement des prix du porto; elle avait également le pouvoir d'adopter de nouveaux règlements concernant la production du porto. En 1756, les dirigeants de la société commencèrent à cadastrer la vallée du Douro et à classifier les vins; ces tâches furent complétées en 1761. Les meilleurs vins furent réservés à l'exportation internationale, les vins moyens furent destinés au Brésil et les vins de moins bonne qualité furent réservés à la consommation domestique. Quoique les Toscans et les Hongrois ne soient pas d'accord, c'est souvent considéré comme la première délimitation dans le monde du vin, précédant d'environ 180 ans l'«appellation contrôlée» des Français.

LES BONS MOMENTS ET LES MAUVAIS MOMENTS

Soutenue par Pombal, la société était toute-puissante. Les prix du vin dans les auberges de Porto augmentèrent, ce qui entraîna des troubles dans la population, rapidement matée par la pendaison des agitateurs. L'adultération du vin avec des baies de sureau était très

Porto au XIXe siècle.

répandue. Pour y remédier, la société fit déraciner tous les sureaux de la région. Devant l'échec de cette tactique, tous les sureaux qui se trouvaient dans le nord du Portugal furent détruits.

L'importance de la société pour le commerce du porto est indéniable. La qualité et les origines du vin furent assurées, et durant son règne la gorge de Valeira devint navigable, ce qui ouvrit l'accès à la région du Douro Superior pour la première fois. De plus, au début du XIXe siècle, plusieurs des négociants d'aujourd'hui s'établirent à Porto. La société perdit toutefois graduellement une grande partie de son pouvoir. L'avènement d'un nouveau monarque, combiné aux guerres entre la France et l'Espagne, plaça le Portugal dans une situation désespérée et blessa mortellement la société. Celle-ci fut abolie en 1834, pour être ressuscitée temporairement quatre ans plus tard.

À cette époque, le porto était déjà devenu le vin muté que nous connaissons aujourd'hui. La pratique consistant à ajouter du brandy au moût en fermentation était bien établie, et on avait adopté les bouteilles longues vers la fin du XVIIIe siècle, ce qui permettait pour la première fois de coucher les vins dans des caves. Il n'est pas surprenant que des désaccords aient opposé de nombreux négociants sur la définition du porto. Joseph James Forrester, le futur baron Forrester, qui était par ailleurs un homme de vision, publia un pamphlet dans lequel il critiqua sévèrement ses collègues au sujet de la production de vins fortifiés. Si les commerçants y avaient porté attention, le porto aurait été relégué à la relative obscurité que connaissent de nombreux vins légers.

La bouteille droite donna naissance au Porto Vintage.

LE BARON FORRESTER.

Moins de dix ans après la critique de Forrester, le Douro devait subir deux terribles invasions. L'oïdium et le phylloxéra furent les deux fléaux de tous les vignobles d'Europe dans la deuxième moitié du XIXe siècle. L'oïdium, un champignon d'Amérique, arriva en 1852, et y dévasta les vignobles. Le traitement: saupoudrer les ceps de soufre, exigeait une dépense que plusieurs vignerons ne pouvaient se permettre, et beaucoup firent faillite. La production était à peine revenue à la normale que le phylloxéra, un puceron parasite de la vigne également originaire d'Amérique, vint causer de nouveaux dommages et détruire la production. Les effets du phylloxéra sont encore visibles aujourd'hui dans des vignobles abandonnés. On ne replanta plus jamais de vigne dans ces *mortórios*; des olives ou des broussailles poussent sur les terrasses encore soutenues par des murets de pierre construits voilà plus de 100 ans.

Ce fut une triste période pour les vignerons les coûts augmentaient et la production dégringolait. Paradoxalement, ce qui fut mauvais pour eux s'avéra avantageux pour les négociants et l'avenir du commerce en général. Comme le phylloxéra avait dévasté les vignobles français un peu plus tôt au cours du XIXe siècle, les pays assoiffés du nord devinrent un marché très propice pour le porto. Une toute nouvelle catégorie de firmes de

L'HÔTEL RAMOS PINTO SUR LA RIVE DU DOURO À VILA NOVA DE GAIA.

QUALITÉ GARANTIE PAR L'INSTITUTO DO VINHO DO PORTO.

porto vit le jour. C'est de cette période que datent les noms de Wiese et Krohn, Cálem et Ramos Pinto. Au même moment, les négociants établis commencèrent à investir dans les vignobles. Pour la première fois, le fossé entre le cultivateur et le négociant, longtemps considéré comme une source de conflits, était franchi.

Quand on examine les dernières décennies, il peut sembler que le XXe siècle ait été favorable au porto. Cependant, au cours des 50 premières années, de nombreuses crises rendirent son avenir incertain. Le commerce avant la Première Guerre mondiale était au plus mal. Les vins offerts à un prix inférieur à leur coût restaient invendus, car la demande mondiale avait chuté, et que les imitations produites dans d'autres pays nuisaient à la vente du véritable porto. Le seul événement positif pour l'industrie du porto fut la protection accordée au nom «Porto» grâce à des accords commerciaux signés avec la Grande-Bretagne en 1914 et 1916. À partir de ce moment, seul le porto portugais pouvait être vendu au Royaume-Uni sous le nom «Port»

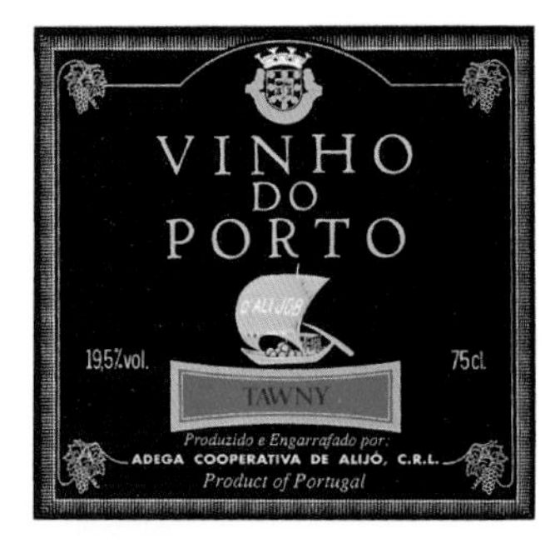

PORTO, PORT ET VINHO DO PORTO SONT TOUS DES NOMS PROTÉGÉS DANS DIFFÉRENTS PAYS.

(porto). Des mesures ont été prises pour protéger le terme portugais «Porto» aux États-Unis, quoique des vins semblables — fièrement étiquetés «Port» dans leurs marchés domestiques — continuent d'être fabriqués dans des lieux aussi éloignés que la Californie et l'Australie. Ce n'est qu'au Portugal qu'on désigne encore le porto du nom de *vinho do porto*, ou vin de porto, pour mettre l'accent sur sa nature véritable.

Après 1918, le commerce s'améliora, mais les accusations de négligence professionnelle se répandirent dans toute l'industrie du porto, tandis que les vignerons du Douro continuaient de vivre dans la plus extrême pauvreté. Ce n'est qu'en 1932, quand le gouvernement de Antonio de Oliveira Salazar imposa de nouveaux organismes de surveillance, que l'offre et la demande trouvèrent un équilibre. Pendant la Seconde Guerre mondiale, alors que l'exportation du porto devint pratiquement impossible, la crise économique a été évitée. Depuis les années 1960, des multinationales sont venues s'installer. Allied Domecq, IDV et Seagram ont toutes des distributeurs, et la tendance se maintient. Concurremment, de plus grands groupes se sont développés à Porto. Barros, Almeida et Royal Oporto regroupent de plus petites firmes, et la famille Symington, arrivée dans la région en 1882, a érigé un empire de firmes de porto.

LE PORTO AUJOURD'HUI

La tradition et l'histoire vont de pair avec l'industrie du porto: le vin, la région et ses habitants sont tous imprégnés d'un long passé commun. Les noms de firmes de porto tels Sandeman, Delaforce et Graham apparaissent toujours sur les étiquettes, et cela depuis des générations. Les raisins sont toujours écrasés avec les pieds, et les exportateurs anglais se rencontrent toujours pour déjeuner chaque mercredi (voir page 25); ils font encore circuler la carafe vers la gauche, comme ils l'ont toujours fait. Pourtant, malgré cette riche tradition, le porto a une image contemporaine.

À une époque où la tendance évolue vers des saveurs plus fades, les ventes de vodka augmentent au détriment du whisky et du brandy, et quand les questions de santé limitent la consommation de boissons très fortes, le porto continue d'être très populaire. Parmi les autres vins mutés, les ventes de sherry ont diminué considérablement, et le Marsala est plus utilisé en cuisine que servi dans les bars. Seul le porto a prospéré. Les ventes internationales ont augmenté, surtout celles des portos de première qualité.

La France est le plus important marché d'exportation depuis plus de 30 ans. On y boit le porto en apéritif,

LES VENTES DES PORTOS VINTAGE 1991 ONT ÉTÉ FLORISSANTES.

de sorte qu'on y vend des portos plus légers, plus jeunes: rubies, jeunes tawnies et blancs. Pourtant la France est également le marché où l'on exporte le plus de tawnies âgés. Les marchés les plus importants pour les portos de première qualité sont le Royaume-Uni et les États-Unis, où les ventes de Late Bottled Vintages (LBV) et de vintages augmentent chaque année. L'Angleterre a longtemps été le principal marché pour le porto vintage, mais les États-Unis ont récemment développé un goût pour cet excellent vin. Le vintage 1991 restera dans les mémoires comme celui pour lequel les ventes en Amérique ont excédé les ventes en Angleterre.

Non seulement les États-Unis ont pris goût au porto vintage de façon spectaculaire, mais les ventes des tawnies de première qualité augmentent plus vite que ne l'espéraient

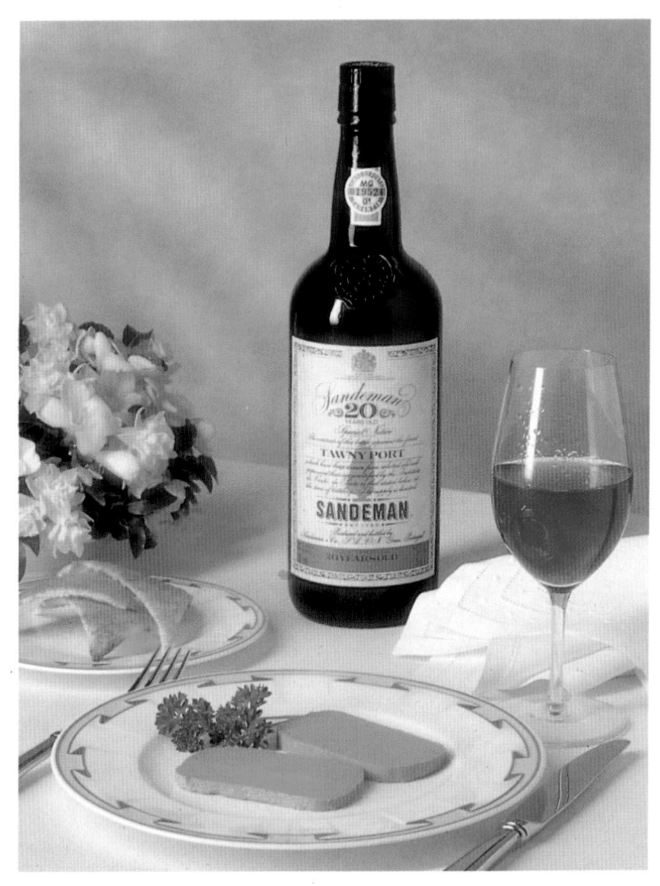

Le porto est la boisson parfaite pour les dîners-réceptions.

les directeurs de marketing les plus optimistes de Porto. Les ventes de colheitas aux États-Unis (voir les Styles de portos à la page 38) ont décuplé ces trois dernières années, et les États-Unis viennent au deuxième rang après la France pour la consommation des tawnies avec indication d'âge (des vins de 10, 20, 30, et plus de 40 ans). Les ventes à la France ont légèrement chuté, mais les ventes aux autres pays étant soit stables ou en augmentation, il est probable que les prix de ces vins exceptionnels augmentent, quand les stocks commenceront à s'épuiser.

DE TOUT POUR TOUT LE MONDE

Le porto est une boisson «hiérarchique»: les catégories sont très nettement définies du ruby au vintage character, puis au LBV, et finalement aux fins vintages et tawnies avec indication d'âge. La hiérarchie permet de choisir facilement le vin qui sied à chaque occasion. Le vin est de plus en plus apprécié de tous les groupes d'âges, mais les plus grands consommateurs ont la trentaine et la quarantaine. Il est acheté par la génération qui reçoit les amis à dîner; il est devenu l'un des signes de réussite. Et bien sûr, le porto n'est plus réservé aux hommes. On est bien loin du temps où les femmes se retiraient tandis que les hommes buvaient du porto et fumaient des cigares.

Les tendances à la consommation du vin changent constamment, et de nos jours peu de gens sont disposés à attendre que leurs vins atteignent la maturité. Le succès des vins australiens et californiens tient en partie au fait qu'ils peuvent être consommés jeunes, et de nombreux nouveaux amateurs de porto vintage aiment aussi boire des portos jeunes. Le goût sucré et fruité ressort dans les jeunes portos. Aux États-Unis les portos très jeunes sont à la mode. Goûter l'énergie du jeune porto, cependant, c'est renoncer aux complexités et aux subtilités que ces vins acquièrent avec l'âge. Le porto vintage très jeune est profond, sombre et très fruité. Après quelques années, le vin se ferme: le nez devient muet et révèle très peu de fruit, et les tanins deviennent agressifs et astringents. Ce n'est qu'après un long séjour dans des caves — 10, 15 ou 20 ans — que le vin devient l'une des plus extraordinaires boissons jamais fabriquées.

LA FACTORY HOUSE

Dans la Rua do Infante Henrique à Porto, s'élève la Factory House, monument de granite à la permanence de l'influence britannique sur l'industrie du porto. Complétée en 1790, la Factory House a été construite par l'Association des exportateurs anglais, qui regroupait des négociants anglais et écossais qui travaillaient à Porto et vendaient toutes sortes de marchandises. C'est un élégant manoir érigé dans la vieille ville, entouré de rues pavées étroites, et situé près du pont qui traverse le fleuve Douro vers Vila Nova de Gaia.

D'une part, la Factory House n'est rien de plus qu'un club très exclusif: les membres appartiennent uniquement aux firmes de porto anglaises. D'autre part, elle équivaut à une chambre de commerce, car c'est là que les exportateurs discutent de leurs problèmes

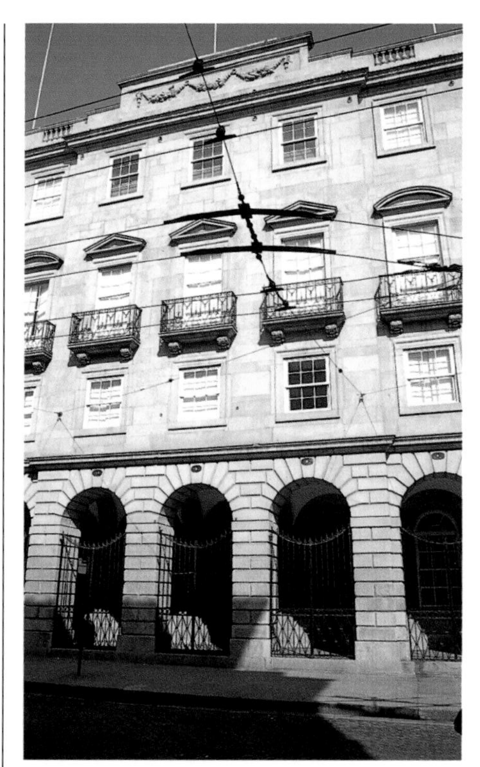

La Factory House à Porto.

communs et, sans divulguer trop de secrets industriels, s'entendent sur les moyens de les solutionner. La Factory House respecte l'étiquette rigide des Anglais à l'étranger. Elle représente une arme puissante dans la guerre des relations publiques et un lieu idéal pour recevoir des invités de l'industrie. Dans tous ses rôles, la Factory House fait autant partie de la tradition de l'industrie du porto que les terrasses, les *barcos rabelos*, les bateaux de bois historiques qui autrefois transportaient chaque goutte de vin sur le fleuve des vignobles aux chais.

Le granite dont la Factory House est construite assure une température constante, de sorte que même en plein été les gentlemen sont tenus de porter le veston au déjeuner du mercredi. C'est l'un des rituels de la vie à Porto pour les exportateurs anglais. Chaque semaine, les hauts dirigeants des sociétés membres se réunissent avec leurs invités. C'est une affaire d'hommes. Les femmes, quelle que soit leur importance dans l'industrie, doivent déjeuner ailleurs. Le repas, un buffet plutôt informel, est précédé d'un verre de sherry ou de porto blanc, accompagné d'un vin non fortifié de la vallée du Douro, et suivi de portos tawny et vintage. Le tawny sert à nettoyer le palais pour que toute l'attention nécessaire puisse être accordée au vintage, qui est toujours servi masqué. Une discussion animée s'ensuit, puisque le jeu hebdomadaire consiste à identifier le vin et l'année du vintage.

Les dîners sont servis dans la même salle à dîner, mais ils sont beaucoup plus formels. Après le repas, un verre, et seulement un, d'un tawny vénérable est servi. Avant que quiconque ait eu le temps de le finir, et certainement avant que quiconque ait remarqué l'absence de décanteuse en circulation, les portes d'une salle adjacente identique s'ouvrent. À la surprise de tout invité qui n'aurait pas fait ses devoirs, chacun se lève et, prenant avec lui sa serviette blanche amidonnée, passe les portes et va s'asseoir à la même place dans la deuxième salle. Là, à la délicate lueur des chandelles, le porto vintage est servi, loin des gênantes odeurs de nourriture.

Le raisin et les vendanges

À une époque où le chardonnay et le cabernet sauvignon sont cultivés partout (et où le pinot noir et le merlot se disputent l'argent durement gagné par le consommateur), l'absence d'indication de variété de raisin sur les étiquettes de vins de porto est un changement rafraîchissant. Le porto est, par sa nature, un vin de coupage, bien que l'attitude de certains vignerons sur le sujet peut paraître cavalière. Un producteur a déjà observé: «Peu importent les variétés de raisin ; ce sont des raisins, et on en fait du porto.» Souvent, dans les vieilles terrasses, chaque vigne est différente de la suivante. Il y a toutefois des règles. Environ quatre douzaines de variétés de raisins, noirs et blancs, sont permises, et une vingtaine sont officiellement approuvées. Malgré ces lignes directrices, des recherches ont identifié plus de dix douzaines de variétés utilisées.

Les anciens vignobles à murets de pierre sont généralement cultivés à la manière fortuite d'autrefois, mais dans la plupart des nouveaux vignobles on plante les cinq principales variétés de raisins, séparées en carrés de façon que chaque variété pousse dans une partie différente du vignoble. Les variétés de raisins croissent à des rythmes différents. La plantation en carrés permet au vigneron de traiter chaque variété au moment opportun, de récolter à la maturité optimale et de séparer la vinification. Des recherches faites par les firmes de porto de Ramos Pinto et Ferreira ont permis d'identifier les cinq variétés suivantes, qui ont été universellement adoptées comme étant les meilleures, à tel point que quand la Banque Mondiale a commencé à investir dans la vallée du Douro, elle n'accordait des subventions que pour ces seules variétés.

Le Touriga Nacional — le meilleur cépage à porto.

Le *Touriga Nacional* est presque universellement considéré comme le cépage du porto. Il produit des vins tanniques d'une couleur très intense, avec des notes de mûres au nez et un caractère puissamment fruité. Il présente un désavantage: son rendement est faible, il ne produit qu'environ 1,18 kg de raisins par cep. La structure de ses vins est très recherchée par les maîtres de chais, parce qu'il donne du corps au vin.

Le *Tinta Roriz*, mieux connu sous le nom de Tempranillo de Rioja, est largement cultivé dans toute l'Espagne et le Portugal. Il ne produit pas des vins de couleur intense, mais il a des tanins très puissants et une saveur herbacée et épicée. Le Roriz pousse mieux dans les sols riches et les climats tempérés.

Le *Touriga Francesa* est souvent cultivé dans les pentes exposées vers le sud, parce qu'il résiste bien à la chaleur et, en fait, prospère dans ces conditions. Pour la même raison, il pousse bien dans les années de sécheresse. Ses vins sont d'un style plus léger que le Barroca ou le Roriz et dégagent des notes florales, de pétales de roses.

Le *Tinta Barroca* donne des vins très colorés avec une structure et un corps fermes, un contenu en sucre très élevé et un caractère de cerise ou de mûre blanche. Le Barroca mûrit tôt et s'adapte bien aux pentes moins chaudes orientées vers le nord. C'est un candidat idéal pour la plantation en carrés.

Le *Tinta Cão*, ou le «red dog», a frôlé l'extinction dans la vallée du Douro. Son rendement est extrêmement faible (Jancis Robinson rapporte aussi peu que 0,3 kg par cep dans son livre intitulé *Vines, Grapes and Wines*), quoiqu'une meilleure sélection de clonage en améliore le résultat. Il est maintenant très populaire auprès des producteurs de vins de qualité, car il est bon pour les vins destinés à un long vieillissement.

Depuis la désignation des cinq variétés originales, quelques autres cépages ont acquis la faveur de certains producteurs. Le Tinta Aramela a conquis plusieurs amateurs, et le Sousão a un ou deux admirateurs, comme la Quinta do Noval, bien que d'autres l'évitent catégoriquement. Quelques autres cépages sont favorisés, notamment le Malvasia Preta, le Tinta Francisca (différent du Touriga Francesa), le Mourisco Tinto et la Tinta da Barca. Le porto blanc est fait, entre autres, de Malvasia Fina, de Malvasia Rei, de Rabigato, de Codega et de Viosinho.

LE TRAVAIL DANS LES VIGNOBLES

Isolée comme elle est, la vallée du Douro est une région tranquille. Les quintas emploient peu de travailleurs à temps plein. La région s'anime cependant au moment de la récolte, fin septembre, alors que les travailleurs itinérants et les villageois de la région environnante arrivent pour récolter le raisin et faire le vin. Bien qu'une grande partie du travail routinier des vignobles a été facilitée par l'arrivée des tracteurs, la récolte doit toujours se faire manuellement. Aucune cueilleuse mécanique n'a encore été conçue pour travailler dans ces terrains. Dans les grandes quintas, les vendangeurs séjournent dans des dortoirs; dans les plus petits vignobles, ce sont la famille et les amis du propriétaire qui font le travail. Au point du jour, on peut entendre se répercuter dans les vallées le son des vendangeurs, les rogas, qui se rendent au travail. Ayant devant eux une journée de travail éreintant dans

Les vendanges dans un vignoble de Vinha Ao Alto.

une chaleur torride, ils chantent en s'accompagnant d'un accordéon et d'un tambour le long des sentiers rocailleux.

Les femmes, les enfants et les vieillards cueillent les grappes et les mettent dans des chaudières, qui sont vidées dans de grands paniers appelés *gigos*, ou dans des réservoirs en acier plus modernes. Les gigos, qui pèsent jusqu'à 60 kilos quand ils sont pleins, sont hissés à hauteur d'épaule par les plus jeunes, mis en équilibre sur une coiffure de jute rudimentaire, un drap grossier et un paquet de brindilles, et transportés à la quinta. Les réservoirs suivent une voie moins prosaïque vers le chai par tracteur et remorque.

Dans les quintas plus modernes dotées d'équipement de pointe, le travail s'arrête à la tombée de la nuit. Un chai efficace demande peu de main-d'œuvre. Dans plusieurs quintas, cependant, la tombée de la nuit ne représente qu'une pause dans une journée de travail. Après le repas et un ou deux verres de vin, le foulage commence. Même aujourd'hui, la majorité des portos de première qualité est encore fabriquée foulée par pieds humains.

À l'arrivée à la quinta, les raisins fraîchement cueillis auront été grossièrement écrasés et seront chargés dans d'immenses cuves de granite, qu'on appelle *lagares*. Après un peu

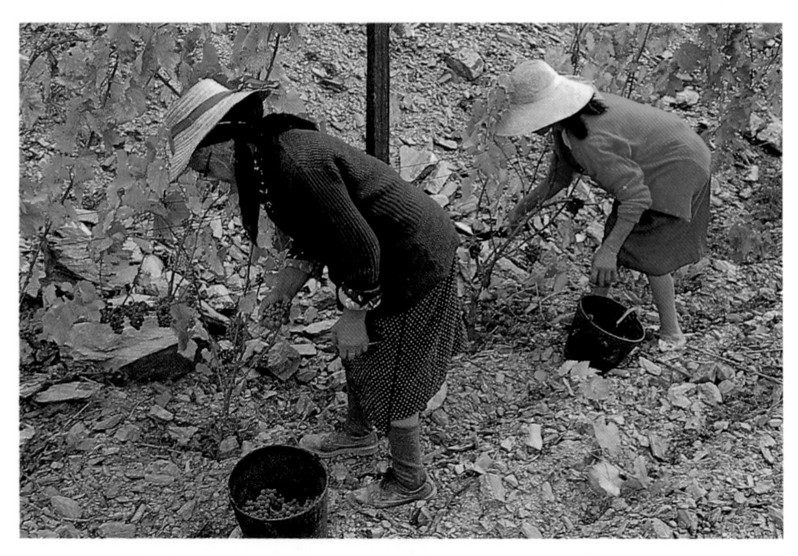

La récolte des vignes au sol représente un travail éreintant.

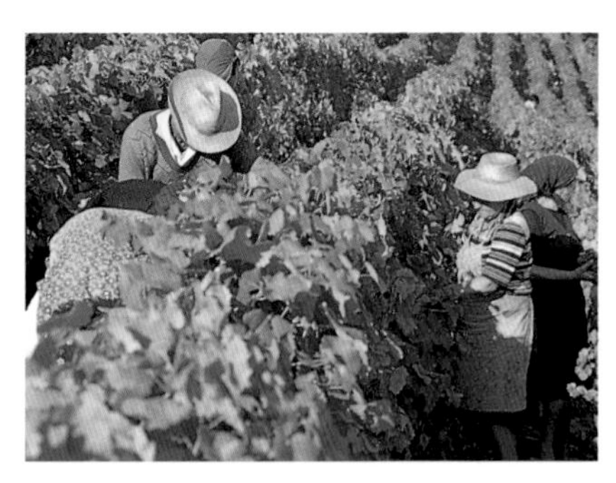

LES RAISINS SONT CUEILLIS...

de repos, les vendangeurs revêtent des shorts et entrent dans la masse de raisins qui leur va jusqu'aux cuisses, et ils y pataugent pendant quatre heures. Les deux premières heures sont consacrées au corte, ou «coupe». Le foulage est alors discipliné et systématique pour assurer la rupture des raisins. À la manière d'un sergent instructeur, le chef d'équipe scande *um-dois* (une-deux) ou *esquerda-direita* (gauche-droite) et réprimande vertement tout fouleur qui semble se relâcher. Un bruit de tambour monotone accompagne ses cris. Au bout de deux heures, c'est la *liberdade*, ou liberté, et la musique s'anime. Le dur labeur devient une fête joyeuse, tandis que les fouleurs dansent jusqu'à minuit au son du fifre ou du tambour, ou, de plus en plus, d'un lecteur de cassettes à plein volume. L'atmosphère de fête est entretenue par de régulières gorgées d'un rude brandy de la région ou de porto de la quinta. Idéalement, il devrait y avoir deux fouleurs pour chaque pipe (baril) que contient le lagar, mais c'est de plus en plus difficile à réaliser, parce que les gens optent pour des emplois moins physiques à la ville.

... PUIS CHARGÉS DANS DES GIGOS ET TRANSPORTÉS À LA QUINTA.

Les fabricants de vins de porto font face à un dilemme. Le problème est que la fermentation du porto est courte, interrompue à la moitié par l'addition d'une liqueur, bien que le vin soit censé vieillir pendant plusieurs années, des décennies dans bien des cas. L'extraction des pigments et du tanin doit être complète et rapide, parce que ceux-ci viennent de la pelure des raisins, qu'on enlève avant la vinification. Le foulage par pieds d'hommes est la meilleure méthode, mais de moins en moins de gens sont disposés à accomplir le travail. Une crise de la main-d'œuvre dans les années 1960 et 1970, largement causée par les guerres coloniales du Portugal en Afrique, a entraîné l'implantation de cuves autovinifiantes à circulation mécanique. Il s'agit de cuves de ciment qui utilisent la pression du gaz carbonique libéré par la fermentation pour faire circuler le moût en fermentation et par le fait même en extraire les pigments. L'installation de courant électrique fiable a permis à de nombreux producteurs d'adopter les cuves de fermentation plus modernes.

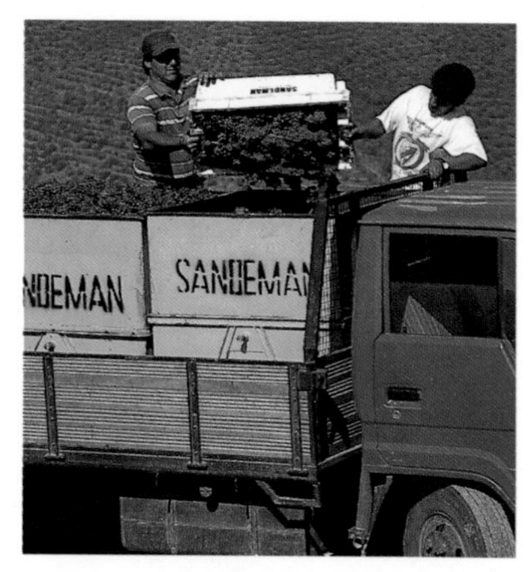

DES RAISINS FRAÎCHEMENT CUEILLIS, PRÊTS À ÊTRE TRANSPORTÉS VERS LES CHAIS.

Le riche moût à moitié fermenté est ensuite soutiré tandis qu'il est encore sucré pour être vinifié avec une eau-de-vie de vin neutre, qui tue les levures. Il en résulte un produit sucré et stable: le porto embryonnaire.

Le jeune vin est austère et tannique, l'eau-de-vie pure étant désagréable dans les premiers stades. Le porto a besoin de beaucoup de temps pour mûrir, deux ou trois ans dans le cas des rubies les plus rudimentaires, et autant de décennies pour les meilleurs vintages et tawnies. La maturation peut se faire en bouteilles ou dans le bois (chaque contenant a son propre effet sur le style du vin), et durant des périodes de temps plus ou moins longues.

ON A ENCORE RECOURS AU FOULAGE POUR LES MEILLEURS PORTOS.

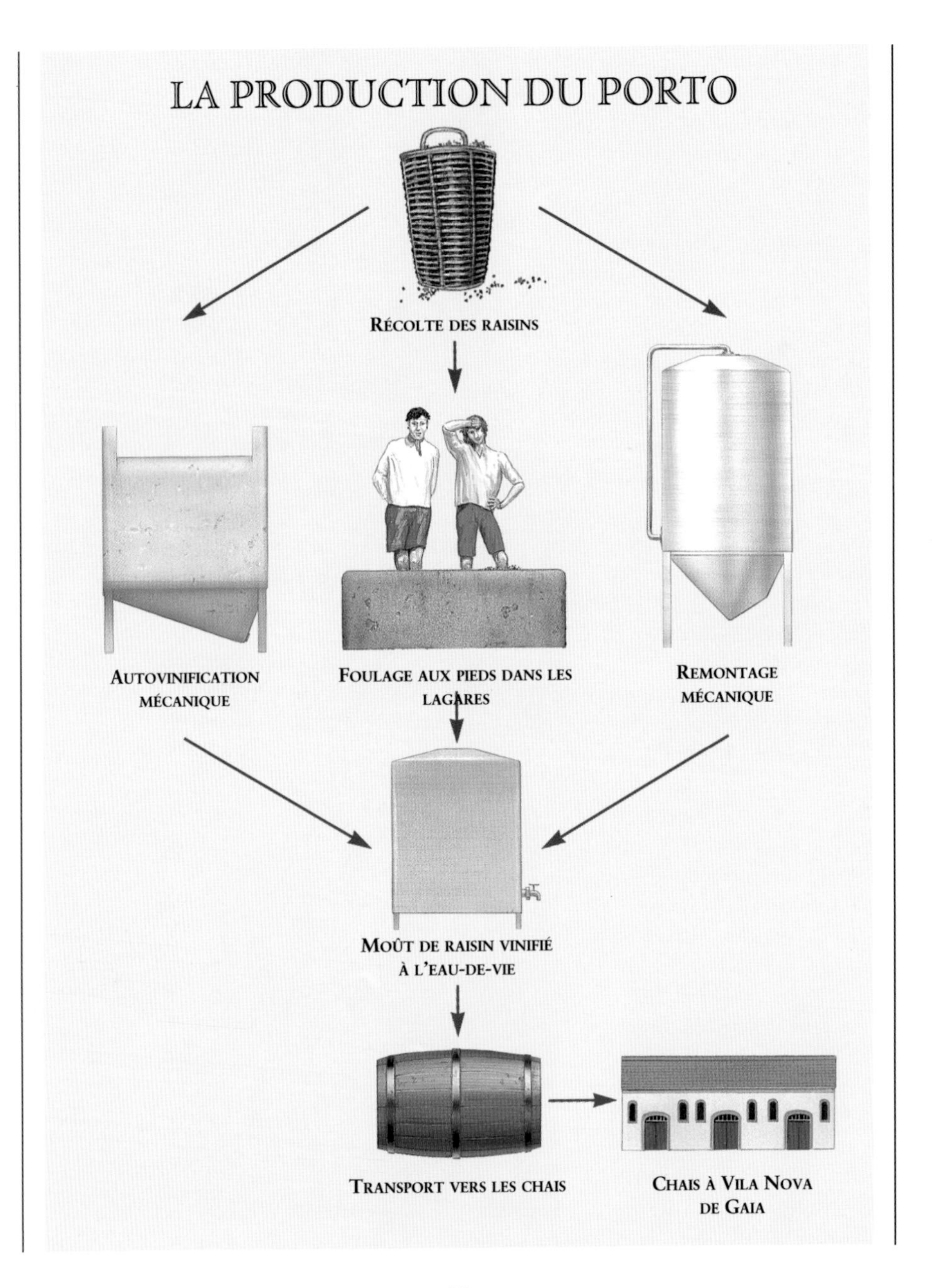
LA PRODUCTION DU PORTO
Récolte des raisins
Autovinification mécanique
Foulage aux pieds dans les lagares
Remontage mécanique
Moût de raisin vinifié à l'eau-de-vie
Transport vers les chais
Chais à Vila Nova de Gaia

LA ROUTE DES VINS DE PORTO

Pendant des siècles la région du Douro était pratiquement coupée du monde à cause de ses terrains montagneux et des difficultés de communications. Les installations hôtelières étaient rares, les touristes venaient en excursions une journée à partir de Porto, la ville la plus proche, à quatre heures de route. Le voyage en train de Porto est toujours merveilleusement pittoresque, mais le train est très lent et le service n'a jamais été fréquent. Le voyage par la route était pire que le train. Certains des vignobles les plus pittoresques étaient en effet inaccessibles pour la plupart des amateurs des vins de porto.

L'appartenance à la Communauté européenne, et plus récemment les subventions de l'Union européenne ont favorisé l'amélioration de l'infrastructure de tout le nord du Portugal. Les routes sont meilleures qu'autrefois. Le voyage de Porto à la vallée du Douro maintenant prend deux heures, à condition d'éviter l'heure de pointe à Porto.

Comme la région est devenue accessible et que le tourisme à vocation agricole, et particulièrement vinicole, exerce de plus en plus d'attrait, une Route des vins de Porto (Rota do Vinho do Porto) a été établie. Les fermes qui longent la route sont ouvertes au public et permettent de se familiariser avec la région et ses vins. Certaines quintas offrent des visites et des dégustations, et souvent il est possible d'y acheter des vins. Certaines firmes de porto, comme Sandeman, ont ouvert des musées. La maison Fonseca a mis sur pied une présentation audiovisuelle à Panascal, et d'autres quintas offrent l'hébergement. Il est facile de se loger: les chambres sont propres, accueillantes et simples, dans la tradition des *bed-and-breakfast*. On peut ouvrir les volets pour admirer les collines en terrasses, et respirer l'air frais, délicieusement parfumé d'une odeur de bois qui est encore le principal combustible en cuisine.

Il ne faut pas oublier que les maisons des quintas sont petites et n'ont souvent que quelques chambres. Il est essentiel de réserver à l'avance, surtout durant la haute saison. L'été est très chaud dans la vallée du Douro, tandis que le printemps et l'automne sont plus agréables et valorisent la région. Le printemps, les collines sont couvertes de fleurs sauvages; l'automne la région s'anime des sons et des odeurs des vendanges.

Si une quinta est sur la Route des vins de porto, c'est mentionné dans le Répertoire. Cependant, comme le tourisme vinicole est nouveau dans la région, les possibilités d'hébergement s'améliorent et le nombre de quintas qui se joignent à la Route augmente chaque année. On peut obtenir des renseignements détaillés sur les quintas qui en font partie auprès des bureaux de tourisme portugais ou de l'IVP (Instituto do Vinho do Porto) à Porto. Plusieurs des chais de Vila Nova de Gaia et des hôtels de Porto ont des informations à jour sur le sujet, et il est possible de s'adresser aux bureaux de la Rota do Vinho do Porto (voir page 221).

LA MATURATION ET LES CHAIS

La vinification a lieu à l'automne, et, le printemps suivant, la plus grande partie du vin est transférée dans les entrepôts des expéditeurs, ou chais, à Vila Nova de Gaia. Là, sur la rive sud du Douro à l'opposé de Porto — presque sur la côte Atlantique —, le climat tempéré convient mieux à la maturation longue, lente et même régulière. Le vin entreposé dans la vallée du Douro acquiert un goût particulier grâce aux températures élevées de l'été qui accélèrent la maturation du vin.

Historiquement, les vins étaient transportés sur le fleuve dans les barcos rabelos, les bateaux à fond plat qui sont devenus la marque de fabrique de Porto et de l'industrie du porto. Jadis, les intrépides bateliers bravaient les rapides du fleuve Douro, gonflé par les pluies de l'hiver, pour transporter leur cargaison de porto des vignobles chaque printemps. De nos jours, ces bateaux sont conservés uniquement à des fins publicitaires et ne prennent la mer qu'à l'occasion de courses organisées en été, de la barre du Douro jusqu'au pont Dom Luis. Le débit rapide du Douro a été domestiqué pour réduire les inondations, autrefois fréquentes à Porto, et pour produire de l'hydroélectricité. Le fleuve n'est donc plus navigable. Aujourd'hui, les vins sont transportés à Vila Nova de Gaia à travers le Marão par camions-citernes.

MAISONS AUX TUILES ROUGES
À VILA NOVA DE GAIA.

C'est difficile de travailler à Gaia. Les vieux chais sont construits sur une colline abrupte qui surplombe Porto. Vila Nova de Gaia est tout aussi délimitée que le Douro, et jusqu'en 1986, seuls les vins qui y mûrissaient étaient officiellement désignés «porto». Quand le Portugal s'est joint à la Communauté européenne en 1996, de nouveaux règlements ont été adoptés pour mettre fin au monopole des expéditeurs de Gaia sur les ventes de porto. Depuis, les quintas indépendantes ont pu exporter leur vin directement, sans devoir faire affaires avec les expéditeurs et sans avoir de chais à Gaia. Après des débuts timides, beaucoup de ces vins sont maintenant accessibles. Pour plus de détails, voir le Répertoire des portos, à la page 186.

À Gaia les routes sont étroites et pavées, mais la circulation est dense. Les employés des chais et les touristes tentent de franchir les pentes abruptes et les virages serrés en gardant à l'esprit qu'au prochain détour peut se trouver un camion stationné pour prendre un chargement de porto. Les chais situés sur la rive, dont Cálem, Sandeman et Romos Pinto, sont les plus accessibles, mais ils sont plus exposés aux inondations. Plusieurs chais, particulièrement ceux qui sont sur les quais, offrent des visites guidées suivies d'une dégustation destinée à faire connaître la région et les vins. Quand c'est possible, le Répertoire donne les heures d'ouverture et les numéros de téléphone.

Les longs chais aux tuiles rousses de Gaia abritent des milliers de vieux fûts de chêne de forme allongée, qu'on appelle «pipes», une déformation du mot portugais pipa. On n'utilise jamais de bois neuf. Le chardonnay et le chêne neuf sont peut-être une combinaison parfaite, mais personne ne voudrait d'un porto qui empesterait la vanille. De plus grandes cuves de bois peuvent être utilisées surtout pour les portos rouges qui demandent un lent vieillissement. Plus la cuve est petite, plus l'effet sur le vin est important, à cause de la plus grande surface de bois qui entre en contact avec le vin. Les tawnies sont conservés dans des pipes, les rubies dans de grandes cuves contenant des milliers de gallons. Les nombreux portos du marché varient selon la qualité du vin, selon qu'il s'agit du produit d'une seule année ou d'un mélange de plusieurs, et selon le procédé de vieillissement.

LA PIPE DE PORTO

De nos jours, peu de gens peuvent se permettre de mettre en cave une pipe de porto pour une nièce ou un neveu préféré, mais le terme est encore très répandu, bien qu'il soit souvent mal compris par les profanes. Une pipe est un simple baril, mais l'industrie utilise aussi la pipe comme étalon de mesure. Il y a deux dimensions possibles, ce qui est source de confusion. Pour le propriétaire, le rendement d'un vignoble se mesure en pipes de 548 litres, mais pour les vendeurs et les responsables du marketing, la mesure est de 534 litres ou 712 bouteilles. Les cuves utilisées pour la maturation varient entre 548 et 650 litres. Les pipes ont une forme inusitée: elles sont plus longues et plus étroites que la plupart des barils utilisés ailleurs. La raison, comme pour tant d'autres choses dans le Douro, est historique. Autrefois, quand le vin était transporté sur le fleuve dans les barcos rabelos, les pipes étaient transportées du fleuve aux chais et des chais au fleuve sur des chariots à bœufs le long de sentiers tortueux et très abrupts. Les barils étroits furent adoptés parce qu'ils convenaient mieux au terrain.

DES PIPES DE PORTO MÛRISSANT DANS UN CHAI.

Les styles de Porto – La hiérarchie

LES PORTOS COURANTS, RUBY, BLANC ET TAWNY

La majorité des portos produits sont jeunes et bas de gamme, les rubies, les blancs et les tawnies. Le ruby est un vin jeune et corsé coupé selon un style maison. Les vins non millésimés mûrissent dans le bois, mais pas nécessairement dans des pipes, et sont vendus quand ils sont vieux de trois ans. Les portos étiquetés «vintage character», ou parfois «réserve», sont des rubies de meilleure qualité. Ils sont mûris dans de grands barils ou des pipes pendant quatre à six ans.

Le porto blanc est fait de raisins blancs. Dans les dernières années, les styles ont divergé: certains producteurs ont opté pour les vins pâles et vifs semblables aux vins apéritifs qui sont fabriqués comme des vins blancs mais vinifiés juste avant la fin de la fermentation. Ce style titre en général 20 % vol. et les plus légers 16 et 17 %. Le style plus traditionnel a une couleur et un goût plus intenses: il est fabriqué dans des lagares comme les portos rouges et est mûri jusqu'à 10 ans dans des pipes. On fabrique des styles traditionnels secs et sucrés, mais en général seuls les portos secs sont indiqués sur les étiquettes (parce qu'on présume que le porto est sucré). Ramos Pinto et Churchill Graham produisent des spécimens remarquables de porto blanc sec traditionnel. Le porto blanc, bien frais, constitue un apéritif intéressant. Il peut également être transformé en boisson rafraîchissante avec de la glace et de la limonade ou du soda tonique.

Le jeune tawny est un style de vin plus léger que le ruby. Il est fait d'un mélange de ruby et de blanc, ou son processus de vieillissement est accéléré par l'entreposage des vins dans des chais dans le Douro lui-même.

Ce sont des vins de tous les jours. Rarement exceptionnels, ce sont des vins qu'on apprécie, mais qui ne donnent matière ni à débat, ni à discussion. Pour le connaisseur, les vieux tawnies et les vintages sont plus intéressants, alors que des facteurs tels que la provenance et la maturation sont mis en évidence.

LES OLD TAWNIES

Les portos qui mûrissent dans des pipes de bois pendant des périodes prolongées perdent leur couleur rubis originale et, grâce à une délicate oxydation dans les cuves, prennent une couleur brun-roux, tawny (c'est-à-dire roussâtre en anglais). Plusieurs vins sont fabriqués et vendus sous différents noms. Le style dépend du temps passé dans les fûts, de même que de la qualité du vin original. Les vins initialement fruités et rouge rubis ont tendance à conserver un certain goût fruité après 10 ans, et ils développent un goût de noix et de fruits séchés quand ils atteignent 20 ans. Après 30 ans, les vins acquièrent un caractère mûr d'épices, ont toujours un goût de noix et dégagent des relents de figues ou de dattes séchées, qui s'intensifie jusqu'à ce que les vins aient passé 40 ans dans le bois.

Seuls quelques «old tawnies» sont encore fabriqués. Ces vins, qui étaient autrefois un produit de base chez tous les marchands, ont largement été remplacés par les tawnies avec indication d'âge, qui se vendent mieux qui les tawnies tout simplement «vieux». Le vieillissement prolongé dans des fûts permet aux pigments de se transformer en un brun topaze, tandis que le nez s'associe plus aux noix, au zeste de citron et aux fruits séchés. L'âge exact de ces vins est impossible à déterminer, mais il varie de 8 à 25 ans, selon le producteur

LA COULEUR DU PORTO VARIE DE FAÇON SPECTACULAIRE, DES PÂLES PORTOS BLANCS AUX RICHES VINTAGES FONCÉS.

et la marque. Le Cockburn's Director's Reserve, un vin de coupage d'environ 12 à 15 ans d'âge, et le William Pickering de Berry Bros. & Rudd Ltd. sont d'excellents exemples.

Du fait que les consommateurs sont moins disposés à laisser le marchand choisir leur vin, l'indication des âges et des dates sur l'étiquette est devenue de rigueur, d'où le succès croissant des portos tawnies avec indication d'âge. Seules quatre catégories sont permises: 10, 20, 30 et plus de 40 ans. Les grands producteurs, soucieux de protéger la réputation de leur maison, excèdent la moyenne d'un an ou deux. Les vieux tawnies sont différents des portos vintages, mais d'une qualité équivalente, parce qu'ils proviennent des meilleurs vignobles. De plus, ils sont souvent produits par foulage, puis mûris lentement dans la fraîcheur de Gaia, ou de plus en plus dans les quintas.

Il existe un autre type de tawny appelé *colheita*. Colheita signifie «récolte», et, par extension, «vintage». Les colheitas ne sont pas des portos millésimés. Ces vins, provenant de la récolte d'une seule année, sont mûris dans des pipes pendant plusieurs années avant d'être embouteillés, ce qui fait d'eux des tawnies vintages. Les plus jeunes colheitas sont embouteillés dans leur huitième année, mais plusieurs ne sont pas mis en bouteilles avant plusieurs années encore. Pour éviter la confusion avec le porto millésimé, l'étiquette doit clairement indiquer que les vins ont été mûris en fûts. Les colheitas peuvent être excellents, comme le démontre le Répertoire des portos, mais le vin doit être excellent au départ. Le mûrissement ne transforme pas le mauvais vin en bon vin.

LE VINTAGE ET SES SEMBLABLES

Les amateurs de vin du monde entier doivent une fière chandelle aux producteurs de porto: le concept de la maturation du vin de cru a commencé avec le porto. La technique de l'entreposage du vin dans du verre inerte, qui favorise le vieillissement prolongé nécessaire pour les vins les plus fins, a été redécouverte par les exportateurs portugais et anglais qui vivaient au Portugal à la fin du XVIIIe siècle. Ceux-ci remirent en vogue une pratique qui avait disparu depuis que les Romains avaient cessé d'utiliser des amphores scellées (des contenants en céramique pour conserver le vin).

Dans le monde anglophone, le vintage, ou porto millésimé, est au sommet de la hiérarchie des portos. Il est le produit d'une année exceptionnelle, et en général il provient des meilleurs vignobles. L'un des vins à la vie la plus longue qui soit produit, le porto vintage, est embouteillé quand il a deux ans Il continue de mûrir lentement en réduisant pendant des décennies. Très ample et fruité avec d'énormes proportions de tanin quand il est jeune, le meilleur vintage n'atteindra pas son sommet avant 20 ans. Durant la maturation en bouteille, le vintage forme un dépôt important. Il doit par conséquent être décanté. La décision de «déclarer» un vintage appartient à l'expéditeur ou au propriétaire de la quinta, bien qu'elle doive être ratifiée par l'Institut du vin de Porto (Instituto do Vinho do Porto).

Les portos millésimés, ou vintages, ont toujours été considérés comme des vins de porto de toute première qualité, mais parce qu'il faut les laisser mûrir et ensuite les décanter, et aussi parce qu'ils sont très chers, ce sont des vins qu'on sert dans les grandes occasions. Pour d'autres occasions, le Late Bottled Vintage (LBV) est tout indiqué. Les LBV, qui sont d'un vintage spécifique, mais produits pratiquement chaque année, sont vieillis en fûts pendant quatre à six ans avant d'être embouteillés. A ce moment, ils sont filtrés et stabilisés à un degré plus important que les portos millésimés. Taylor a été la première firme à commercialiser le LBV, à créer un marché dont les autres producteurs tentent d'acquérir leur part. Les LBV modernes, comme ceux de Graham et de Taylor, sont vieillis pendant six ans et destinés à être consommés dès leur mise en vente. Un style traditionnel existe également, qui est embouteillé après quatre ans et continue de s'améliorer; il forme un dépôt et doit être décanté.

Le crusted port a toujours été une spécialité de l'industrie britannique. Celui-ci, qui n'a jamais été reconnu par les autorités de Porto, est un ruby de grande qualité, produit de l'assemblage de quelques cépages et embouteillé jeune, souvent par des négociants en vin du Royaume-Uni. Il forme un dépôt, ou une croûte, pendant qu'il mûrit et il doit être décanté. À l'heure actuelle l'avenir du crusted port est en péril à cause de l'embouteillage obligatoire au Portugal. Comme le crusted port ne peut pas être embouteillé au Portugal, il peut s'agir d'une espèce en voie de disparition.

LE TERROIR-ISME ET LES SINGLE QUINTAS DANS LE DOURO

En Bourgogne, les meilleurs vins viennent théoriquement des meilleures parcelles de terre; à Bordeaux, des meilleurs domaines, chacun étant soigneusement délimité et entretenu par le propriétaire du château. La raison, dit-on, c'est le terroir, un terme qui signifie «sol», mais qui a une acception beaucoup plus large. Le terroir est la combinaison du sol, dans ses éléments chimiques et physiques, du drainage ou de la rétention d'eau, de l'aspect et du climat particulier au vignoble. Que le vignoble soit orienté vers le nord ou le sud, qu'il soit abrupt ou plat, qu'il soit situé près de l'eau ou de la forêt, voilà autant d'éléments qui influent sur le terroir et, à un degré plus ou moins grand, sur le vin.

La plupart des exportateurs conviennent depuis longtemps que la qualité des meilleurs portos millésimés, ou vintages, vient de la complexité que permet

ON TROUVE DE PLUS EN PLUS DE VINS DE QUINTAS PARTICULIÈRES.

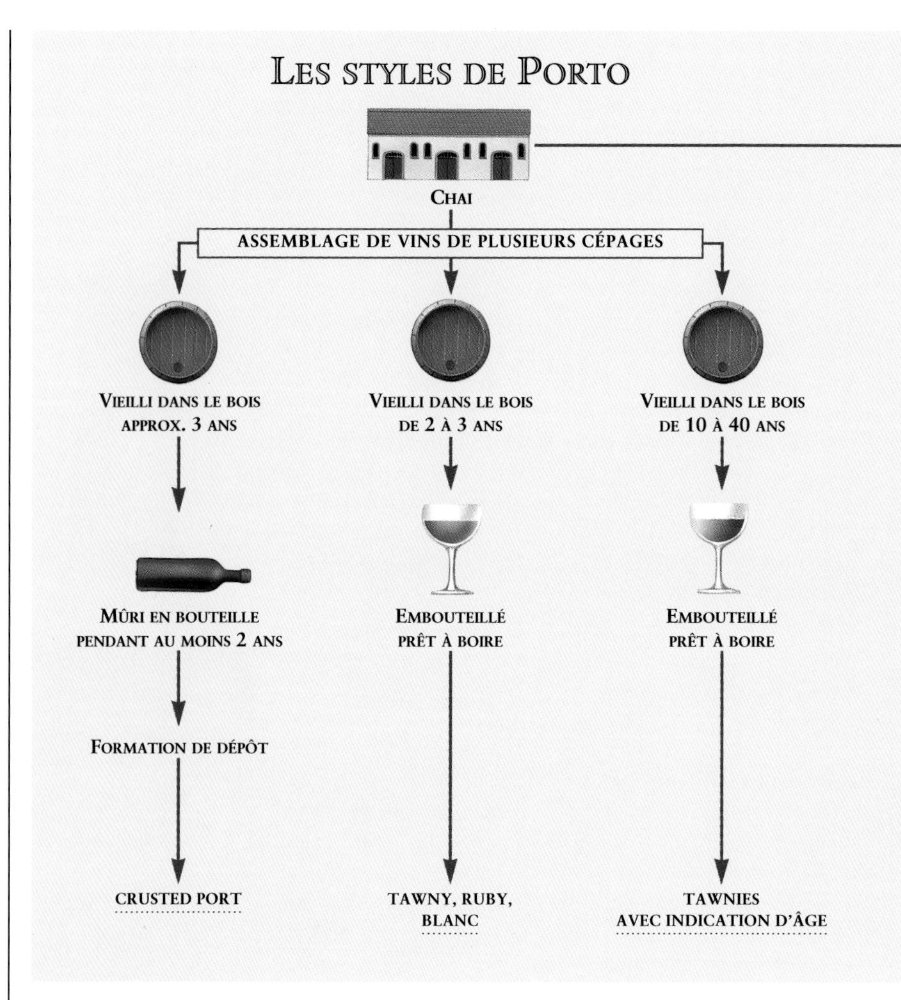

l'assemblage de vins de plusieurs quintas dans la production du vintage de la maison. Jusqu'à tout récemment, peu de portos millésimés donnaient des indices sur la provenance du vin, à part le nom de l'exportateur et l'année de la récolte. Ce n'était pas toujours le cas: le vin de la Quinta de Vargellas a été établi durant la première moitié du XVIIIe siècle. Cependant, sauf la Quinta do Noval, les vins d'une seule quinta étaient l'exception plutôt que la règle.

Depuis peu, on accorde plus d'importance aux quintas. Tous les styles existent, des rubies aux vintages, sans oublier les tawnies. Le règlement de 1986 sur l'exportation du

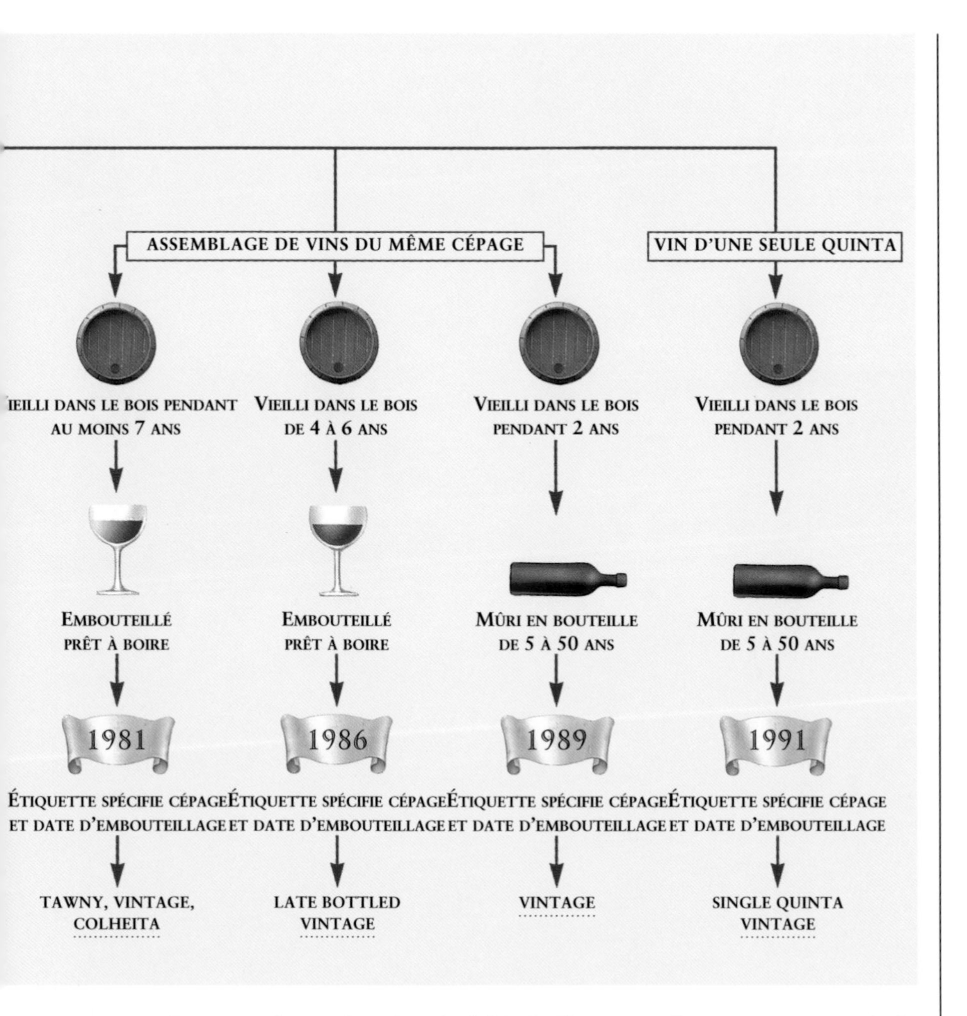

porto, qui permettait aux domaines individuels d'exporter directement sans avoir de chais à Vila Nova de Gaia, a incité les quintas indépendantes à vendre leurs vins directement plutôt que par l'intermédiaire de firmes d'exportation. À cause du temps nécessaire à la maturation, certains de ces single quintas commencent tout juste à être mis en vente. Ces vins reflètent aussi bien la personnalité du domaine et son terroir que le style de la maison. C'est peut-être plus apparent dans le cas des portos single quinta vintages. Ces vins, qui portent souvent la bannière d'un vignoble du négociant, sont normalement offerts dans les années où on ne déclare pas de «full vintage» (années où le vin forme l'épine dorsale de l'assemblage du millésime). Cependant, comme dans le cas du porto vintage, on n'en produit pas chaque année. Les vins de single quinta sont fréquemment mis en vente dès qu'ils sont prêts à boire, contrairement au vintage principal du négociant.

On peut juger de l'importance des vins de single quinta aux nombreux exemples cités dans le présent livre. Beaucoup de single quinta vintages et de vieux tawnies sont actuellement mis en marché, parce que les producteurs et les consommateurs recherchent plus de variété dans les vins qu'ils boivent.

La Quinta de Vargellas de Taylor.

LA DÉCLARATION DE MILLÉSIME

Contrairement au bordeaux et au bourgogne, le porto vintage n'est pas produit chaque année. Ce n'est que quand les conditions sont favorables, tant en ce qui a trait au climat qu'au marché tout aussi variable, qu'un millésime est «déclaré». En moyenne, les facteurs de réussite sont réunis seulement trois fois par décennie pour les négociants les plus importants. Il faut cependant admettre que certaines maisons font des portos millésimés beaucoup plus souvent, mais la réputation de ces maisons est généralement moins bonne à l'égard des vintages.

La décision de déclarer un millésime revient entièrement à la maison intéressée, qui ne reçoit aucune instruction d'autorités supérieures. Les autorités, en l'occurrence l'Instituto do Vinho do Porto, doivent ratifier la décision, comme elles le font pour tous les vins. Mais, elles ne peuvent pas insister pour qu'une année particulière soit déclarée année de vintage. Certains négociants peuvent par conséquent omettre de déclarer des vintages certaines années qui le sont généralement. C'est ainsi que les acheteurs potentiels chercheront en vain un 1977 de Cockburn, alors qu'il existe des 1967 et 1975 (des années qui ne furent pas exceptionnelles). La plupart des sociétés ont déclaré un vintage en 1991, mais d'autres, dont certaines des plus respectées, ont préféré 1992. Par contre, 1994 a été déclarée année de millésime presque à l'unanimité.

L'année parfaite pour le porto vintage commence par un hiver humide. Les étés sont chauds et secs, de sorte que les réserves d'eau accessibles aux vignes sont essentielles, parce que l'irrigation est prohibée. Un temps chaud, ensoleillé et légèrement venteux est désirable au moment de la floraison à la mi-juin, mais à partir de ce moment un soleil chaud est nécessaire — chaud, mais pas trop. Si la température est trop élevée ou que le sol est trop sec, la vigne se ferme pour préserver sa précieuse réserve d'eau, ce qui interrompt la photosynthèse et par conséquent arrête l'accumulation de sucre dans les fruits, de sorte que les raisins ne mûrissent pas. En général, la chaleur est nécessaire pour faire mûrir tous les fruits. Mais, paradoxalement, dans le Douro les années très chaudes peuvent faire diminuer le taux de sucre dans le raisin.

Si l'automne est trop pluvieux, le raisin ne mûrit pas suffisamment et il est dilué. Cependant, on reconnaît depuis longtemps qu'une courte période de pluie peu abondante juste avant la récolte peut être très bénéfique. Les récoltes de 1991 et 1994 ont été améliorées par des averses à la mi-septembre, qui ont rafraîchi les fruits, les ont gonflés et leur ont donné un dernier regain pour le mûrissement. On raconte que George Sandeman avait écarté l'année 1866 comme millésime, parce qu'il avait constaté que les fruits se ratatinaient sur les ceps. Cependant, entre le moment où il a examiné les vignobles et celui où il a rapporté ses constatations, les pluies vinrent, et les raisins en furent améliorés: les commentateurs de l'époque déclarèrent que ces vins faisaient partie des meilleurs vintages de tous les temps. Un négociant de porto anglais ne devait jamais revenir sur sa parole: Sandeman n'a pas déclaré de millésime cette année-là.

UNE ÉVALUATION DES PLUS RÉCENTS VINTAGES

1960 Généralement déclarée (par 24 négociants), cette année a été sous-estimée, mais les vins font bonne figure. Cependant, rien n'indique un grand potentiel futur. Les vins vont conserver leur qualité pendant quelques années encore s'ils sont entreposés correctement, mais ils ne s'amélioreront pas.

1963 Ce vintage, déclaré par 25 négociants, est l'un des plus exceptionnels de l'après-guerre. Les vins plus légers sont prêts depuis un certain temps; les plus corsés ont atteint leur sommet au milieu des années 1990. Les vins se boivent bien, et les meilleurs n'ont pas commencé à décliner.

1966 Les 66 ont été injustement comparés à l'exceptionnelle cuvée 63 pendant trop longtemps, et les ventes en ont souffert. Les vins de ce millésime, déclaré par 20 négociants, sont généralement d'une très haute qualité. Tous les vins sont maintenant prêts à boire, et les meilleurs, notamment les Fonseca et Dow, ont une longue vie devant eux.

1967 La récolte de 1967 fut loin d'être bonne. Les vins déclarées par cinq négociants, ont déjà atteint leur sommet ou sont sur leur déclin. Les stocks devraient être consommés.

1970 Depuis le début des années 1990, cette année, déclarée par 23 des plus importants négociants, a représenté le vintage de choix pour les négociants de porto. Les vins de ce vintage classique et persistant sont maintenant prêts à boire, mais ils continueront de bien vieillir au cours du XXIe siècle. Comme l'embouteillage obligatoire à Porto a été instauré au début des années 1970, le vintage 70 fut le dernier à être expédié en gros au Royaume-Uni pour y être embouteillé par les marchands de vin de Bristol ou de Londres.

1972 C'est l'une des années les plus médiocres des vintages de l'après-guerre. Déclarés vintages par deux négociants seulement, les vins ont déjà commencé à décliner.

1975 Cette année a été déclarée par 17 des principaux négociants, surtout pour des raisons politiques. Ce fut le *verão quente*, ou «l'été chaud», qui suivit la révolution de 1974, où ce qui restait du régime de droite de Salazar fut remplacé par les Communistes. Certains vins se boivent encore bien — particulièrement les Cálem, Dow et Fonseca — mais plusieurs ont déjà commencé à décliner.

1977 Avec l'année 1963, c'est l'un des plus exceptionnels vintages d'après-guerre. Les meilleurs vins de ce vintage, déclaré par tous les principaux négociants sauf trois, seront sans doute prêts à boire à la fin des années 1990. Cependant, ils ne seront probablement pas à leur meilleur avant la deuxième décennie du XXIe siècle. Des dégustations récentes ont démontré que les vins de moindre importance sont maintenant prêts à boire.

1978 Ce ne fut pas une grande année. Les vins offrent à peu près la même qualité qu'en 1967 et 1975. Ils ont été déclarés par seulement deux négociants et quelques deuxièmes étiquettes ont été produites (des vins plus légers qui sont mis en vente à maturité, quand un vintage n'est pas déclaré). Les vins se boivent bien mais comportent peu de potentiel futur.

1980 D'abord sous-estimés comme vintages les vins ont une qualité comparable à ceux de 1960 ou 1970, bien qu'ils manquent de structure et n'aient donc pas l'endurance des 83 ou 85. Les prix sont assez bas, de sorte qu'ils représentent un bon choix pour les personnes qui veulent un porto arrivé à maturité sans payer le prix du vintage 1970.

1982 Les producteurs se sont partagés entre 1982 et 1983: certains ont déclaré un vintage en 1982, et les autres l'année suivante. Rétrospectivement, ceux qui ont choisi 1982 ont fait une erreur. C'est un vintage léger, qui est prêt à boire. Aucun n'a beaucoup de potentiel au-delà des années 1990.

1983 Bien meilleure que 1982, à laquelle on la compare inévitablement, l'année 1983 a produit de grands vins puissants d'une structure ferme et d'un formidable goût fruité, qui lui assurent une longue vie. Ces vins, pas encore prêts, sont pour la plupart dans un état très fermé et ne seront à leur meilleur que quand le XXIe siècle sera bien amorcé.

1985 Déclarés vintages par la plupart des principaux négociants et considérés meilleurs que le vintage 1983, ces vins sont de meilleurs candidats à long terme. Ce serait un crime d'ouvrir plusieurs d'entre eux avant 2010. Suivant quatre millésimes assez rapprochés, les 1985 furent suivis d'un long écart avant que d'autres déclarations se produisent. Il a fallu attendre 1991 avant qu'une autre déclaration générale ait lieu, bien que quelques producteurs aient déclaré un vintage en 1987.

1987 Ce vintage n'est pas comparable au 85. Déclarés vintages par quelques négociants seulement, les vins sont très légers, mais certains sont néanmoins attrayants.

1991 En 1991, la plupart des négociants (à une ou deux exceptions notables qui ont préféré l'année suivante) ont déclaré un vintage. Ce fut la première déclaration générale depuis 1985, à la grande satisfaction de l'industrie. Ce seront de bons vins à consommer à moyen et long terme.

1992 Cette année fut déclarée par seulement quelques négociants, pour la plupart ceux qui n'avaient pas déclaré de vintage 1991. Dans les premières dégustations, ce sont plutôt les styles des maisons que les niveaux de qualité qui distinguent les deux années, ce qui les rend difficiles à comparer.

1994 Une autre année qui fut l'objet d'une déclaration générale, 1994 a eu un climat exemplaire. Les pluies abondantes de 1993 ont continué durant l'hiver; le temps froid au moment de la floraison a réduit le nombre de grappes de raisins, ce qui a en fin de compte amélioré la qualité. Les dégustations initiales ont révélé des vins très amples, fermes et persistants, plus complexes que les 91.

1995 La décision de déclarer 1995 année de vintage a été rendue publique au printemps de 1997. Un certain nombre de producteurs étaient déjà enthousiastes au moment des vendanges, de sorte qu'on peut attendre quelques single quintas. Les vintages authentiques sont moins probables, parce qu'ils sont trop rapprochés des 91 et 94.

1996 Ce fut une année fraîche et humide. La plupart des raisins furent récoltés à environ 11 degrés de Beaumé (l'échelle utilisée pour mesurer le contenu de sucre dans les raisins ou le vin), comparé à 13 ou 14 habituellement. Très peu de producteurs furent satisfaits des vins. Niepoort, par contre, a fait ses vendanges très tard. À ce stade, la température avait changé pour le mieux et des raisins tout à fait mûrs furent récoltés. Il est très probable que des vintages Niepoort ou Passadouro soient déclarés.

LES ÉTIQUETTES DE PORTOS

Les étiquettes de portos sont faciles à comprendre, si l'on connaît les principaux styles de vins produits. La plupart des étiquettes de tous les portos de première qualité indiquent comment le vin a été fait, et donc le style auquel on peut s'attendre.

Les étiquettes de porto vintage sont simples. Outre les renseignements obligatoires exigés dans divers pays, l'étiquette comprend le nom de la firme, l'année et la désignation «Vintage Port». Il faut accorder une attention spéciale aux colheitas, parce que bien qu'ils ne ressemblent en rien au vintage, les étiquettes peuvent être semblables à s'y méprendre. Si vous désirez un véritable porto vintage, assurez-vous que l'étiquette porte la mention «Vintage Port». Les colheitas ne peuvent pas utiliser le terme vintage, et l'on trouvera la mention «mûri en fût». Il faut également éviter de confondre les Late Bottled Vintages (LBV) avec les véritables vintages. Il importe de lire l'étiquette attentivement.

À l'autre bout de la gamme, les étiquettes des rubies et des portos blancs indiquent le style de porto. Il faut noter que le porto blanc sans autre indication de style est mi-sucré et se rappeler que le terme «Vintage Character» désigne un ruby de qualité supérieure et non un porto vintage.

Les étiquettes de tawnies peuvent être un peu moins claires. L'étiquette des jeunes tawnies porte la mention «Tawny». La confusion survient à l'égard des tawnies avec indication d'âge. Par exemple, un tawny vieux de dix ans peut être étiqueté: «10 Years Old Port», et le consommateur doit déterminer à quel style il appartient. Seuls les vins de 10, 20, 30 et de plus de 40 ans sont permis.

Un mot surutilisé dans l'industrie du porto et susceptible de semer la confusion est le mot «Réserve». Ce terme, qui indique toujours un vin supérieur à la moyenne, est appliqué aussi bien aux portos rouges et aux tawnies. Par exemple, le Cockburn's Special Reserve est un ruby de qualité supérieure et le Romariz Reserva Latina est un tawny de grande qualité. Dans les deux cas, il n'existe aucune autre indication pour éclairer l'acheteur. Vous devez vous en remettre à votre marchand de vin ou vous assurer d'avoir le présent livre sous la main pour vous y référer.

TAWNY AVEC INDICATION D'AGE DE SINGLE QUINTA

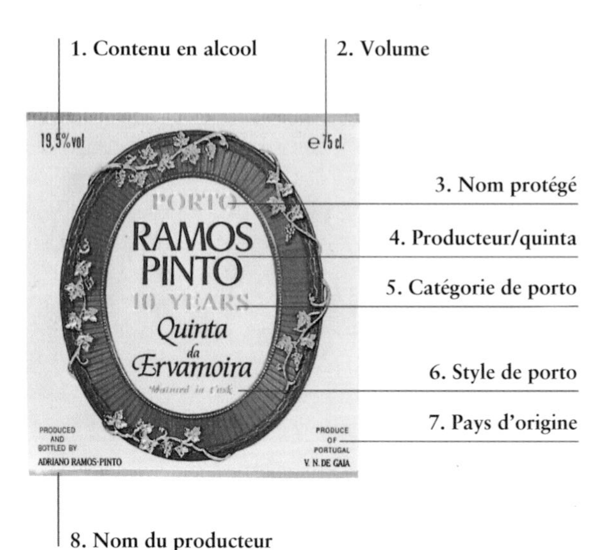

1. Contenu en alcool – le contenu standard du porto est de 20 %, bien qu'il puisse varier entre 19 et 21 % d'alcool par volume.

2. Volume – pour les États-Unis, cette mesure doit être en millilitres (ml). Pour les pays de l'Union européenne, les millilitres et les centilitres (cl) sont permis.

3. Nom protégé – le nom «Porto» est internationalement reconnu et protégé. Au Royaume-Uni, le nom «Port» est protégé de manière similaire.

4. Producteur/quinta – si le nom d'une quinta figure sur l'étiquette, le vin doit provenir de raisins cultivés uniquement dans cette quinta.

5. Catégorie de porto – ce vin est un tawny avec indication d'âge. Ce qui est déroutant, c'est qu'on est censé savoir qu'un porto de 10 ans est un tawny, et non un rouge. Certains producteurs donnent des informations plus explicites sur leurs étiquettes.

6. Style de porto – la mention du long vieillissement dans le bois est une indication sur le style.

7. Pays d'origine – le vrai porto ne peut venir que du Portugal.

8. Nom du producteur – le nom du producteur devrait toujours figurer sur l'étiquette.

ACHETER, CONSERVER ET SERVIR LE PORTO

Les magasins d'alcools ont tous des portos en stock, et la gamme qu'ils offrent illustre les grosses ventes: des rubies, des tawnies courants et un ou deux LBV pour faire bonne mesure. De plus en plus, les détaillants augmentent les sélections de leurs marques propres, de sorte qu'ils ne se contentent plus d'offrir un simple ruby, mais tout un assortiment, incluant des LBV, tawnies et même des vieux tawnies. Ces portos sont souvent beaucoup moins chers que les grandes marques, et le rapport qualité-prix est bon. Un porto bon marché est rarement une bonne affaire. Les magasins «bon marché» sont susceptibles de prendre des raccourcis, de sorte qu'il est préférable de payer un peu plus pour une marque ou une étiquette d'un détaillant différent. Un examen attentif de l'étiquette révélera que plusieurs vins portant la marque du détaillant portent aussi le nom du négociant qui l'a produit. Évitez le piège qui consiste à croire qu'un LBV portant la marque du détaillant et indiquant qu'il s'agit d'un produit de la firme X est le même vin que le LBV vendu sous le nom de cette même firme. Les acheteurs de marques de détaillants cherchent à épargner de l'argent: ils utilisent donc des vins moins bons.

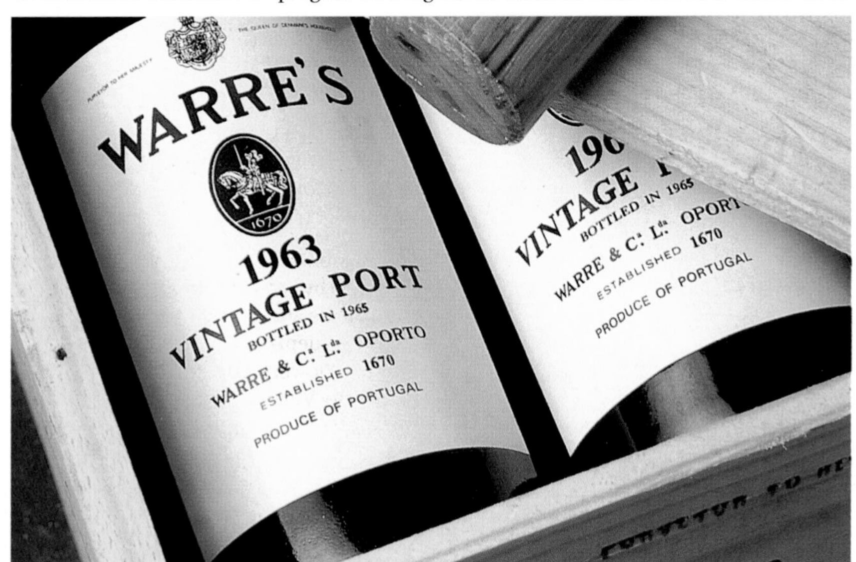

LES PORTOS VINTAGES DE QUALITÉ SUPÉRIEURE SONT VENDUS DANS DES CAISSES DE BOIS.

Les meilleures cuvées sont réservées pour les produits qui portent la marque de la firme.

Les magasins de vins spécialisés ont généralement en stock une variété de bons tawnies et de vintages, et ils peuvent commander des vins particuliers si vous souhaitez acheter une caisse entière (12 bouteilles). Les détaillants sont les principaux acheteurs des portos vintages dès leur mise en vente. Une petite quantité de vins est en vente immédiatement, mais la plupart seront vieillis dans des conditions parfaites et vendus des années plus tard. Pour le consommateur, acheter un porto vintage à maturité est relativement coûteux, mais s'il peut faire confiance au marchand il a au moins la certitude de se procurer des vins qui ont été conservés dans des conditions optimales.

Les marchands renouvellent leur stock de vieux vins à des ventes aux enchères, auxquelles les consommateurs peuvent assister. Dans ce cas, il est possible d'acheter des vins au prix «marchand», c'est-à-dire à un tiers de moins que le prix de vente au détail, mais cela comporte certains désavantages. L'achat de 10 caisses de porto peut paraître énorme, sauf si vous vous regroupez avec quelques amis. Les ventes aux enchères peuvent être risquées. Si le vin n'est pas au point, il n'y a pas de recours. Le mieux est d'assister à la dégustation préalable et de vous informer de l'endroit où le vin a été entreposé. Avant d'y aller, décidez ce que vous voulez acheter et combien vous voulez payer, et tenez-vous-en à ce chiffre. N'oubliez pas non plus qu'outre le prix de vente de base, l'acheteur doit payer une prime et des taxes.

L'ENTREPOSAGE ADÉQUAT

On imagine le porto dans des bouteilles poussiéreuses rangées pendant des décennies dans des caves de domaines imposants pleines de fils d'araignées, dans des carafes de cristal. Les producteurs aiment entretenir cette image bonne pour les ventes. La réalité est tout autre: la plupart des portos sont prêts à boire dès l'embouteillage, et il ne sert à rien de les entreposer.

UNE CAVE SOMBRE EST NÉCESSAIRE POUR UN ENTREPOSAGE À LONG TERME.

Les portos vieillis en bouteilles constituent l'exception: les vintages, LBV traditionnels et crusted ports. Ces vins auront avantage à séjourner en cave pour un temps plus ou moins long, et votre compte en banque s'en trouvera également mieux, parce que les jeunes vintages sont habituellement beaucoup moins chers qu'à maturité. La cave idéale est fraîche et sombre, à température constante (la constance est plus importante que la température spécifique), et elle est à l'abri des vibrations: ce n'est pas une bonne idée d'entreposer du vin près d'une chaudière de chauffage central.

Les bouteilles devraient être couchées sur le côté pour que le bouchon demeure humide, la marque blanche ou l'étiquette vers le haut. (Les portos vintages étaient autrefois marqués d'un peu de peinture blanche à l'embouteillage, mais cette pratique est aujourd'hui très rare.) Le fait de placer la marque blanche ou l'étiquette vers le haut assure que le dépôt, qu'on appelle aussi la «croûte», se forme toujours du côté opposé de la bouteille, ce qui simplifie la décantation. Idéalement, les vins devraient toujours être mis en cave avant que le dépôt se forme et ne devraient en être retirés que pour être décantés, parfois 20 à 30 ans plus tard dans le cas des meilleurs vins. La croûte qui se forme dans les bouteilles est une grosse masse plutôt ferme et homogène qui reste compacte et, étant plus lourde que le vin, tombe proprement au fond de la bouteille.

Les vieux tawnies et colheitas sont généralement conçus pour être consommés dès qu'ils sont mis sur le marché, bien que certains pourront demeurer en bon état pendant un an ou deux s'ils sont conservés dans un endroit frais. Il peut arriver que des tawnies vieillis très longtemps en bouteille s'avèrent délicieux, mais c'est risqué, car la plupart perdent graduellement du goût.

D'autres portos — les rubies, les tawnies et les LBV contemporains qui sont fermés avec un bouchon de liège — devraient rester debout pendant la courte période où ils sont en stock. Ces vins se conserveront pendant quelques mois, peut-être même un an ou deux après leur embouteillage, mais ils ne sont pas faits pour être entreposés. Il est beaucoup mieux d'acheter ces vins à la bouteille plutôt qu'à la caisse, pour qu'ils puissent être dégustés à leur fraîcheur optimale.

Peu de gens de nos jours peuvent consacrer l'espace nécessaire à la création d'une cave à vin adéquate. Dans la cave l'espace est généralement trop précieux pour être utilisé à l'entreposage du vin. Il devient plutôt une autre salle de séjour, un débarras, ou la pièce où se trouve la machine à laver, le système de chauffage ou l'établi. Certaines options s'offrent aux collectionneurs de vins. Quelques négociants offrent un service de conservation à un coût peu élevé. Les vins sont entreposés dans des conditions contrôlées de température et d'humidité, et les vins conservés sont assurés pour leur valeur de remplacement. Des caisses peuvent en être retirées au besoin, et le commerçant s'occupe de la livraison. Ce service n'est offert que pour des quantités imposantes, parce que le coût d'administration de petites quantités de bouteilles est prohibitif.

Pour des quantités plus modestes, quand on peut y mettre le prix, il existe des unités spéciales d'entreposage. Elles ressemblent en fait à des réfrigérateurs modérés — munis de porte-bouteilles — qui maintiennent une température adéquate. On trouve des détails sur le sujet dans les petites annonces de la plupart des magazines sur le vin.

Cependant, même cette option peut aller au-delà des moyens de la plupart des gens, mais cela ne signifie pas que vous ne pouvez pas entreposer votre porto convenablement. Si vous ne pouvez pas créer des conditions idéales de conservation, essayez de réduire le les influences négatives. La chaleur et la lumière sont les principales ennemies du vin. Une armoire sombre est préférable à un porte-bouteilles dans la cuisine. Pour maintenir une température constante, choisissez un endroit tempéré plutôt que le garage ou le grenier, où la température peut être froide en hiver et très chaude en été. N'oubliez pas les règles de base. Gardez les bouteilles sur le côté, l'étiquette tournée vers le haut et dans leurs propres boîtes de bois (si vous avez acheté du porto vintage à la caisse). Vous devriez tout de même réussir à conserver vos portos en assez bonne condition.

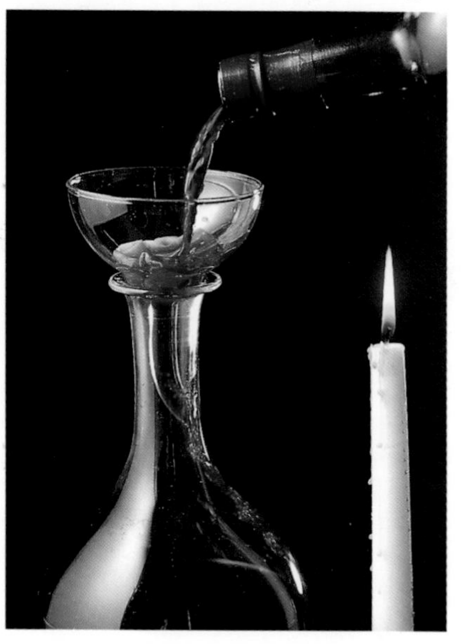

LA DÉCANTATION DU PORTO VINTAGE EST UN PROCESSUS SIMPLE.

DÉMYSTIFIER LA DÉCANTATION

Bien des gens sont intimidés par le concept de décantation, qui semble un rituel de l'ordre de la magie noire pratiqué dans des caves sombres, à la lueur des chandelles, avec des équipements qui auraient leur place dans une salle de torture. Les tire-bouchons complexes et les pinces chauffées au rouge, les chandelles à décantation en acajou et en cuivre et les entonnoirs argentés sont appropriés mais aucun n'est essentiel.

Décanter consiste à verser le vin dans une autre bouteille de manière à laisser le dépôt derrière. Sous sa forme la plus élémentaire, il suffit d'un instrument pour ouvrir la bouteille et une autre bouteille propre, bien que la plupart des gens préfèrent utiliser une belle carafe. Après avoir sorti la bouteille de la cave, il faut la placer debout dans la pièce où elle sera décantée 24 heures avant de l'ouvrir. Ceci permet au dépôt de tomber proprement au fond de la bouteille. Quelques heures avant de servir, il faut essuyer soigneusement le goulot et retirer le bouchon. Le vin peut alors être versé délicatement de la bouteille à la carafe en un mouvement lent, calme et continu. Il ne faut pas vous arrêter en plein milieu, parce que cela peut brouiller le dépôt. En plaçant une chandelle ou une autre source de lumière brillante derrière la bouteille, vous pourrez voir jusqu'où le dépôt s'est déplacé. Quand il atteint le goulot, cessez de verser.

Les pinces à porto sont utiles pour les bouteilles très vieilles, si vous soupçonnez que le bouchon peut être trop vieux et friable pour supporter le tire-bouchon. La méthode consiste à faire chauffer les pinces jusqu'à ce qu'elles soient rouges, à les serrer autour du goulot et à les y laisser quelques secondes. Essuyer soigneusement le verre chauffé avec un linge humide après avoir retiré les pinces. Cela entraînera une rupture nette du goulot avec peu d'éclats de verre, qui seront de toute façon enlevés dans le processus de décantation.

Si vous ne décantez pas, vous devez retirer la partie supérieure de la capsule de bouchage à l'aide d'un couteau bien aiguisé, puis enlever le bouchon. Aucun outil spécial n'est nécessaire pour refermer ces bouteilles. Le bouchon de liège est idéal. Il ne faut pas oublier que des bouchons peuvent être défectueux.

Un problème potentiel commun à tous les vins est qu'ils peuvent être bouchonnés, c'est-à-dire avoir un goût de moisi. L'ennui, est que le problème peut toucher une bouteille dans un lot, ou le lot complet, et que personne ne peut le savoir avant que le bouchon soit retiré. Une bactérie peut réagir aux substances chimiques utilisées pour stériliser le bouchon et produire un goût très désagréable, qu'on peut décrire comme moisi, chimique ou légèrement chloré. Quand un vin est bouchonné, il n'existe aucun moyen de changer le goût, et la solution est de rapporter la bouteille où vous l'avez achetée.

UN TIRE-BOUCHON ORDINAIRE ET UNE PAIRE DE PINCES À PORTO.

Certains producteurs utilisent des bouchons enfoncés qui s'enlèvent avec un tire-bouchon, mais qui sont difficiles à réinsérer. Il existe divers types de bouchons réutilisables, mais les décanteuses, bien qu'elles ne soient pas strictement nécessaires, sont beaucoup plus attrayantes.

L'industrie du vin reconnaît que les bouchons comportent des problèmes, et tous les marchands qui se respectent reprennent les vins défectueux. Si votre marchand ne le fait pas, achetez votre vin ailleurs. Cependant, conserver un vin pendant 20 ans pour découvrir qu'il est imbuvable est l'un des risques de la consommation. Si le commerçant de qui vous avez acheté le vin est encore en affaires, il devrait encore remplacer la bouteille, quoique vous risquez d'avoir de la difficulté à prouver que vous avez acheté le vin à tel endroit.

COMMENT SERVIR LE PORTO

La plupart des portos peuvent être servis directement de la bouteille dans laquelle ils ont été achetés. Les rubies et les LBV contemporains devraient toujours être servis à la température de la pièce (mais pas trop chauds, parce qu'ils vont paraître très forts en alcool), et les tawnies à la température de la pièce ou, comme au Portugal, frais. Un verre de tawny frais, vieux de 10 ou 20 ans, nettoie merveilleusement le palais. Les négociants en porto s'en servent souvent comme rince-bouche pour chasser le goût de la nourriture avant de servir un vintage.

Le porto blanc, qu'il soit sec ou sucré, devrait être servi frais. Plus le vin est léger et sec, plus sa température devrait être froide. On peut même le mélanger avec du soda tonique, de la limonade ou de l'eau gazéifiée. Après une journée de chaleur et de poussière dans les

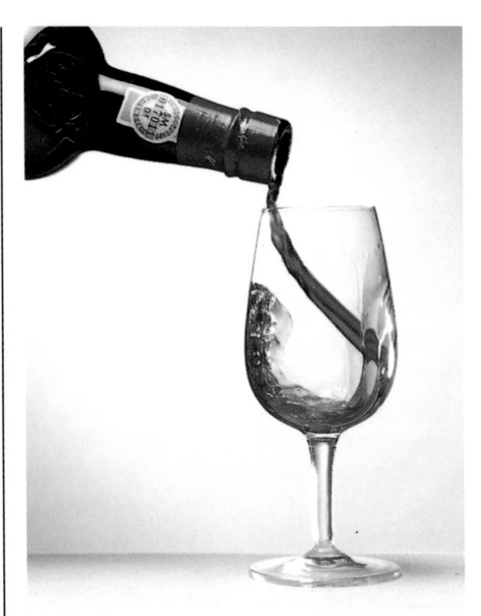

La plupart des portos n'ont pas besoin d'être décantés.

vignobles du Douro, rien ne revigore plus les travailleurs qu'un bon verre de porto blanc avec du soda tonique et des glaçons. Cela peut paraître une hérésie, mais puisque les fabricants de porto le boivent ainsi, qu'y a-t-il à redire? Il existe une version moderne de la boisson qui a rendu le porto si populaire autrefois: le porto citron que les femmes buvaient dans les pubs anglais lors de la Première Guerre mondiale, bien qu'en ce temps-là on utilisait du ruby ordinaire, tandis que les hommes sirotaient des ales.

LES VERRES, LES DÉCANTEUSES ET LE SERVICE

Parce que sa teneur en alcool est plus élevée que celle des vins, le porto doit être servi dans des petits verres. Les bouteilles de vin ordinaires permettent de servir six verres; on en versera 10 à 12 d'une bouteille de porto. Les petits verres à pied de Paris ou les petits verres de Savoie conviennent très bien au porto, de même que les verres à dégustation certifiés par l'International Standards Organisation (ISO). Quand Riedel, le verrier australien, s'est penché sur le porto, il a conçu deux types de verres: un pour le vintage et l'autre pour le tawny. Les deux se ressemblent, mais l'un est légèrement plus haut que l'autre. Ils sont aussi fort semblables à la version ISO, dont les verres coûtent

Les verres de Savoie, les petits verres à pied et les verres ISO conviennent tous au porto.

moins cher. Le pire verre pour le porto est celui que l'on trouve le plus souvent dans les restaurants et les clubs, le verre Elgin. Non seulement ce verre est trop petit, mais sa forme ne convient pas à l'appréciation du vin, car les côtés sont tournés vers l'extérieur, ce qui fait perdre le bouquet, qui a pourtant toute son importance.

Quel que soit le verre utilisé, on ne devrait pas le remplir à plus des deux tiers, moins de préférence, pour pouvoir faire tourner doucement le vin le long des parois du verre et en savourer la saveur. Il est préférable de prendre une petite quantité et de remplir votre verre de nouveau que de gâcher le goût à cause d'un verre trop plein.

Traditionnellement, le porto circule vers la gauche. Dans une occasion formelle, l'hôte remplit le verre de l'invité placé à sa droite, son propre verre, puis la carafe circule autour de la table dans le sens des aiguilles d'une montre, chaque invité se servant. Plusieurs théories ont été formulées sur cette tradition: on a invoqué le sens de l'orbite de la terre, et même l'occultisme. La raison est en fait très simple. La majorité des gens étant droitiers, il est plus facile de passer la carafe vers la gauche. Chaque invité doit rafraîchir son verre et passer la carafe immédiatement. La carafe ne devrait être déposée que devant l'hôte. Il existe des décanteuses dont la base est de forme arrondie. Elles ne peuvent donc être déposées que dans un panier spécial, ce qui assure la circulation ininterrompue de la carafe.

LA DÉGUSTATION DU PORTO

La dégustation du porto ne diffère pas de celle des autres vins. Le but en est le même: évaluer la qualité et la maturité du vin et, peut-être le plus important, déterminer s'il vous plaît. La dégustation est essentielle au contrôle de la qualité, une vérification permettant d'assurer que le vin est en bon état.

On ne verse que peu de vin dans le verre. Trop le remplir — à plus du tiers — nuit à la dégustation, parce qu'il est plus difficile de faire tourner le vin dans le verre. En comparant plusieurs vins, il est important de remplir tous les verres au même niveau. De cette façon, l'évaluation de la couleur ne sera pas influencée par la quantité.

La dégustation implique la combinaison de trois sens: la vue, l'odorat et le goût. La première étape consiste à regarder le porto. On tient le verre à angle au-dessus d'une surface blanche, et on regarde le vin d'en haut, pour vérifier sa clarté. Le vin doit être éclatant. S'il est terne ou brouillé, il est peut-être mauvais. La longue maturation en bouteille entraîne la formation d'un dépôt qui n'est pas nocif, mais le porto lui-même devrait être clair. Vous observerez une gradation de couleur du centre vers le bord: dans le cas des portos rouges, plus le bord est large et brun, plus le vin est mature.

Pour ce qui est de la couleur, le porto est violet, presque noir pour les jeunes vintages, et devient rubis et grenat à maturité. Les vieux tawnies peuvent être roussâtres ou bruns, tandis que les portos blancs peuvent avoir la couleur d'un vieux tawny ou être jaune citron très pâle, selon l'âge. La plupart des portos sont destinés à être bus dès qu'ils sont embouteillés et ont généralement une couleur uniforme. Cependant la couleur du porto vintage change avec le temps.

L'odorat est probablement l'aspect le plus important de la dégustation. L'odorat et le goût sont étroitement liés. Il n'y a qu'à penser au peu qu'on goûte quand on est enrhumé. En fait, le palais confirme les saveurs détectées par le nez. Faites tourner le vin dans le verre pour libérer ses arômes, et respirez doucement, mais profondément. L'odeur du porto devrait être agréable. Toute trace de moisissure ou de vinaigre indiquera que le vin est mauvais. Les imperfections sont possibles, même dans le cas des meilleurs vins, particulièrement si le bouchon était défectueux ou si les conditions d'entreposage étaient loin d'être parfaites.

Le climat dans lequel le raisin est cultivé et la haute teneur en alcool donnent au porto un nez prononcé, riche et charnu. Les arômes qui se dégagent devraient vous inciter à goûter. Les portos rouges tendent à libérer des arômes fruités, avec des touches de fruits noirs et même de chocolat qui prédominent quand ils sont jeunes. Les tawnies ont généralement un arôme de noix assez prononcé.

Le nez, comme l'apparence, peut indiquer l'âge du vin. Dans le cas des vintages, les arômes de fruits du début céderont la place à un bouquet vieilli. Les fruits s'estompent, mais des couches de saveur additionnelles se développent avec des accents complexes d'épices et d'herbes, ce qui rend le vin d'autant plus intéressant.

Non seulement le palais devrait confirmer le nez, mais il devrait révéler la structure du vin. Au goûter, la première sensation détectable est le sucre. Presque tous les portos sont sucrés, mais il y a des degrés. Le goût sucré doit être équilibré par l'acidité, qui est une dimension importante pour tous les vins, mais d'importance vitale dans le cas des vins

UNE CARAFE ÉLÉGANTE AVEC DES VERRES.

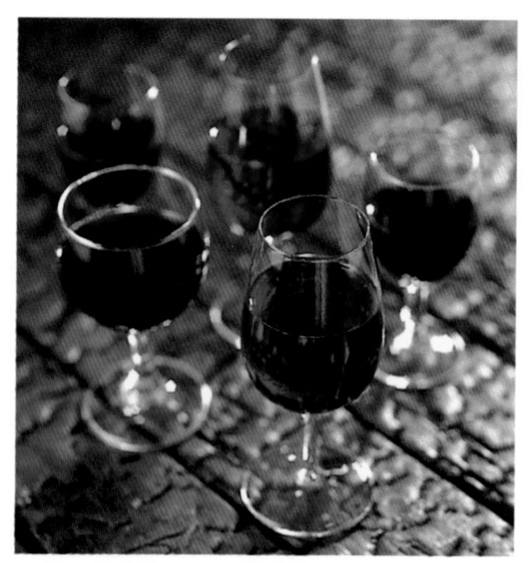

UNE SÉLECTION DE VERRES À PORTO.

sucrés. L'acidité équilibre le goût sucré et empêche le vin de donner mal au cœur. L'acidité se manifeste comme une sensation rafraîchissante dans la bouche.

Le tanin, une composante extraite des peaux de raisin durant la fabrication du vin, fait contraste. Tandis que l'acidité fait saliver, le tanin l'assèche. On peut sentir le tanin sur les dents, les gencives et la langue. Le tanin peut sembler donner un goût austère aux jeunes vintages, mais c'est un agent de conservation essentiel qui permet au vin de durer pendant des décennies. À mesure que le vin vieillit, les tanins s'adoucissent et le vin devient plus équilibré. Le dépôt qui se forme pendant que le porto mûrit est largement composé de tanin et de pigments.

Différentes parties de la bouche détectent les divers aspects du goût. Il est important de prendre une bonne gorgée et de la faire tourner dans la bouche, de la «mâcher» de façon que toutes les parties de la bouche entrent en contact avec le vin. De plus, le fait d'aspirer de l'air en pinçant les lèvres permettra de libérer des saveurs additionnelles, bien que cela puisse produire un bruit mal vu en société. Le vin devrait ensuite être craché.

La dégustation du porto augmentera vos connaissances et votre satisfaction et vous aidera à goûter chaque once de saveur et de plaisir du vin que vous buvez. Parce que la mémoire est faillible, de nombreux amateurs enthousiastes écrivent des notes de dégustation pour chaque vin qu'ils goûtent. Ils mettent ainsi au point une véritable encyclopédie d'évaluations de vins. Un livret de cave peut être utilisé pour inscrire la liste des vins en stock et noter vos impressions, ce qui permet d'avoir un registre des vins que vous avez goûtés à telles dates et avec telles personnes. Cela vous aidera à surveiller l'évolution d'un vin et à savoir quand il est prêt à boire, ce qui est essentiel pour protéger votre investissement.

Les dégustations professionnelles ont lieu dans des conditions neutres — à la lumière du jour, avec des surfaces blanches propres, et à l'abri des odeurs — et avant le déjeuner, quand le palais est au plus frais et l'esprit le plus alerte. (Évidemment, ce n'est pas le moment pour la consommation en société. Le porto est généralement servi à la fin d'un dîner, tard le soir.) Bien que l'environnement ne puisse être complètement aseptisé, et qu'il est difficile d'éviter les odeurs de nourriture et d'eau de Cologne, quelques détails peuvent aider. Les nappes et les serviettes blanches et les verres de forme convenable, pas trop pleins, amélioreront considérablement le plaisir que vous pourrez tirer du vin.

LA DÉGUSTATION DU PORTO

Évaluer la couleur et l'apparence.

Faire tourner le vin pour libérer les arômes.

Sentir le vin.

Goûter le vin.

Aspirer de l'air pour libérer des saveurs additionnelles.

LE GLOSSAIRE DE LA DÉGUSTATION

Astringence Les vins rouges corsés, y compris les portos, contiennent souvent des quantités considérables de tanin, qui, avec l'acidité et les fruits, donne au vin sa structure. Un vin qui a une structure solide est souvent qualifié d'«astringent».

Bouderie Les vins peuvent traverser une phase de «bouderie» au début de leur maturation, durant laquelle ils ne révéleront pas leur plein potentiel.

Caractère La saveur du vin, détectée principalement par le nez.

Corps Le poids et la consistance du vin dans la bouche. Le corps n'est pas forcément lié au contenu d'alcool. La plupart des portos sont corsés dans la hiérarchie générale des vins, mais, comme pour la teneur en sucre, il y a des degrés d'intensité.

Couleur La couleur du porto varie selon le style, passant du violet riche et foncé au rouge, sans oublier le tawny ou le blanc. En général les portos perdent de la couleur et deviennent plus bruns. Les portos blancs pour leur part acquièrent de la couleur et prennent de belles teintes dorées.

Disque Le bord du vin dans le verre tenu à angle au-dessus d'une surface unie. Le disque indique la véritable couleur du vin.

Muet Certains vins, particulièrement les jeunes, traversent une phase de leur développement où ils sont «muets», ou «fermés». Il est alors difficile d'en détecter le caractère et l'arôme par le nez.

Nez L'odeur du vin. C'est ce qui révèle le caractère du vin et donne certains indices sur sa maturité.

Persistance La période de temps durant laquelle on peut encore goûter le vin après l'avoir avalé. En général, plus le vin est persistant, meilleur il est.

Rancio (Beurre rance) Nez très vieux et mature, analogue au très vieux cognac. Le vin peut acquérir une odeur un peu semblable à celle des champignons ou des feuilles mortes. C'est un style et non un défaut.

Tanin Diverses substances chimiques extraites des peaux de raisin qui produisent une sensation de sécheresse dans la bouche. Elles peuvent sembler austères et rigides quand le vin est jeune, mais elles sont importantes pour la conservation du vin.

LE MARIAGE DU PORTO ET DE LA NOURRITURE

De plus en plus de gens s'intéressent au mariage du vin et de la nourriture. On met aujourd'hui en doute les règles simplistes qui consistaient à servir du vin blanc avec du poisson et du vin rouge avec de la viande, et on les applique avec nuance. De nos jours, on est plus disposé à essayer de nouvelles combinaisons, souvent avec des résultats surprenants. Il faut une solide constitution pour boire du porto tout au long d'un repas, mais il se marie aisément avec plusieurs aliments.

Traditionnellement, le porto est servi avec du fromage Stilton, parce que la saveur forte du vin répond bien au goût relevé du fromage. C'est le secret de la combinaison de la nourriture et du vin: l'intensité de la saveur doit être la toute première considération. Le mariage du porto et du Stilton fonctionne avec un porto rouge corsé, mais les vénérables vintages aux saveurs fragiles peuvent être facilement dominées par un fromage trop fort. Dans ce cas, un fromage plus doux, comme un bon Cheddar, convient mieux. Dans la vallée du Douro, un fromage de la région de texture semblable à l'Edam, est servi avec une gelée de coing: la combinaison des saveurs sucrées-âpres complète le goût sucré du porto. Le porto, malgré son goût sucré, accompagne généralement fort mal les desserts. Il est rarement très sucré et comparé au goût des desserts il peut paraître léger et acidulé.

LE PORTO BLANC ACCOMPAGNE TRÈS BIEN LES HORS-D'ŒUVRE.

Les fromages et les desserts viennent après le repas. Que choisit-on avant et après celui-ci? Une sélection de hors-d'œuvres se marient bien avec un tawny ou un porto blanc bien frais. Notons les jambons salaisonnés, comme le jambon de Parme ou de Serrano, les salamis épicés et autres saucissons semblables. Le caractère de noisette des vieux tawnies accompagne très bien les amandes rôties légèrement salées, une autre spécialité du Douro.

Les vieux portos blancs (peu nombreux) et les tawnies font concurrence au sherry et au madère comme vins d'accompagnement pour les soupes, particulièrement les consommés. Une combinaison étonnante est celle du jeune vintage avec un bifteck saignant, ainsi que le suggère un producteur de porto. Les protéines dans la viande adoucissent les tanins dans le vin, et les saveurs fortes s'harmonisent très bien.

Tentez des expériences. Une myriade de plats savoureux contiennent une forme quelconque de sucre, qui s'équilibre avec le goût du porto. Ne vous laissez pas impressionner par le contenu en alcool du porto. Plusieurs cabernets et chardonnays contiennent 13 ou 14 pour cent d'alcool, et pourtant ils peuvent être consommés en bien plus grandes quantités.

LE PORTO ACCOMPAGNE AISÉMENT PLUSIEURS METS, PARTICULIÈREMENT LES FROMAGES.

DEUXIÈME PARTIE

LE RÉPERTOIRE DES PORTOS

Le répertoire couvre les firmes d'exportation de porto, les coopératives et les single quintas. Les informations sur les sociétés nous ont été transmises par les firmes au moyen de questionnaires et d'entrevues. D'autres sources publiées (voir la Bibliographie à la page 222) ont été utilisées pour obtenir des renseignements généraux, sur les quintas. Des voyages de recherche dans la vallée du Douro ont été inestimables. L'information donnée ici est le plus à jour possible, considérant les délais de publication, mais il ne faut pas oublier que les sociétés et les vignobles sont achetés et vendus, que les mélanges et les chais changent et que les gammes de produits varient.

Légendes

Quintas dont la société est propriétaire.

Indique si la société s'approvisionne en raisins/vins. Quand c'est possible, indique à quelle proportion de la production annuelle correspondent ces sources.

Une dégustation «verticale» concerne un échantillonnage de vins d'une même gamme de vintages du même producteur. Dans le cas de la dégustation «horizontale», il s'agit de goûter ensemble des vins d'une même année fabriqués par différents producteurs. Pour la rédaction du présent ouvrage, les vins du même âge ont été goûtés ensemble dans la mesure du possible. Ainsi, par exemple, les vintages 1991 ont été l'objet d'une dégustation horizontale; les tawnies 10 ans ont été goûtés en lots, de même que les LBV. Cela permet de donner une meilleure impression de la place qu'occupent les vins du producteur dans le spectre global de qualité.

La plupart des échantillons nous ont été fournis pour la rédaction du livre, de sorte qu'ils étaient, en théorie, dans le meilleur état possible. Les dégustations ont eu lieu à Londres et au Portugal, et elles ont toutes été effectuées en 1996 et 1997. Les vins changent, particulièrement les vins millésimés: les vintages non matures vont évoluer et il faut tenir compte de la maturation éventuelle. Même les vins non millésimés peuvent changer, à cause d'un entreposage prolongé et inadéquat, ou d'une modification délibérée du coupage. Il faut acheter les portos avec prudence et ne pas conserver les bouteilles à bouchons de liège trop longtemps.

Chaque entrée du Répertoire comprend des informations en encadré. On indique s'il est possible de visiter les chais et les quintas. Les vins recommandés sont bons considérant leur type, mais ne sont pas nécessairement les meilleurs du producteur. Finalement, chaque société obtient une appréciation globale, qui représente un guide général sur la qualité de ses vins. La section concernant les firmes d'exportation de porto contient des renseignements utiles sur la production: si la société est propriétaire de quintas et si elle s'approvisionne en raisins ou en vins auprès d'autres quintas.

APPRÉCIATION GÉNÉRALE

★ *Les sociétés produisent des vins généralement bons, fiables, mais qui n'ont pas tendance à soulever l'enthousiasme.*

★★ *Les sociétés produisent des vins de qualité supérieure.*

★★★ *Il s'agit d'un excellent producteur.*

SECTION 1

Les firmes d'exportation de Porto

Au Portugal, l'industrie du vin s'est toujours composée d'un grand nombre de viticulteurs et d'une poignée de négociants qui vendent le vin. Alors qu'à Bordeaux on cherche le nom du château, dans le cas du porto le nom de l'exportateur est encore de toute première importance, et cela pour des raisons historiques. Le Portugal est régi par le droit des successions hérité de Napoléon, selon lequel, à la mort du propriétaire d'un vignoble, son bien est réparti entre ses héritiers, plutôt que d'être légué à son fils aîné. En conséquence, le nombre de parcelles et de propriétaires de vignobles augmente sans cesse.

Il existe actuellement plus de 85 000 vignobles distincts inscrits dans la région du Douro, et la plupart sont beaucoup trop petits pour fournir suffisamment de vin pour justifier l'installation d'une cave de vinification entière, avec l'investissement considérable que cela exigerait. C'est pourquoi la plupart des viticulteurs vendent leur raisin, ou le vin qu'ils ont fabriqué de la façon la plus artisanale qui soit, c'est-à-dire par foulage, aux expéditeurs, ou aux coopératives (voir page 186).

Les exportateurs ont des contrats à long terme avec les viticulteurs, qui datent de générations, et qui ont souvent été conclus sans autre formalité qu'une poignée de main. À l'époque des vendanges, un haut représentant de la firme d'exportation ira visiter chaque ferme où la société s'approvisionne pour voir comment la récolte évolue et pour parler des problèmes survenus dans l'année, invariablement devant un verre de très vieux tawny provenant de la réserve privée du propriétaire. Autrefois, quand les membres des firmes d'exportation voyageaient à cheval, ils ne pouvaient visiter que trois ou quatre fermes en une journée. Maintenant que la voiture est devenue le moyen de transport habituel, ils peuvent en visiter une douzaine.

En plus d'acheter du vin des quintas, les firmes d'exportation possèdent des propriétés prestigieuses, pour la plupart les plus grandes fermes du Cima Corgo et du Douro Superior. Ces vignobles sont l'épine dorsale des mélanges de vintages de l'exportateur, et dans les années qui sont bonnes-mais-pas-parfaites ils servent souvent à produire un single quinta vintage. Les vins de single quintas produits à partir des quintas de l'exportateur sont ici énumérés sous le nom de l'exportateur, plutôt que sous celui de la quinta.

Aida Coimbra Ayres De Mattos E Filhos, Lda.

Rua de Alcântara, 221
4300 Porto, Portugal

La famille de Ayres de Mattos a fait de Galafura, près de Régua, sa demeure il y a de cela sept générations. Elle descend d'une famille qui vivait dans la région dans les années 1600. Les vins de la famille ont gagné des prix depuis 1900, mais les lois adoptées durant le siècle l'empêchaient de vendre ses vins directement. La situation a changé quand les règlements ont été modifiés en 1986.

> **INFORMATION**
>
> **VISITES** *Sur réservation seulement.*
> *Tél. (351-2) 481540 (Bureau de Porto).*
>
> **VINS RECOMMANDÉS**
> *20 ans, Colheita de 1958.*
>
> **APPRÉCIATION GÉNÉRALE** ★★

La famille, qui s'est toujours occupée d'agriculture et de viticulture, est propriétaire d'un certain nombre de quintas: la Quinta da Costa, la Quinta das Condessas, la Quinta da Laceira, la Quinta de Fojo dans le Douro, et une autre près de Penafiel.

La principale quinta de porto est la Quinta da Costa, juste à l'intérieur du Cima Corgo. Elle côtoie quelques autres vignobles, incluant un vignoble appelé Valriz, qui est à l'origine du nom de la marque. La société est connue sous le nom de Porto Valriz. De Valriz, les visiteurs peuvent voir l'un des panoramas de la partie inférieure de la région du Douro, et voir l'une des quelques bornes feitoria qui existent encore. Il s'agit de bornes de granite indiquant la délimitation d'une région, qui remontent au temps de Pombal. Le vignoble est relativement petit, environ 27 arpents, et au milieu se trouve une ancienne *armazem*, ou cave de vinification, portant la date «MDLXXV» (1575). Une esquisse de cet édifice figure sur les étiquettes de la société.

Le vignoble actuel est beaucoup plus récent, parce que la terre a complètement été replantée dans les dernières années selon une combinaison de deux techniques modernes, le patamares et la vinha ao alto. Le vin est fabriqué à l'Adega do Rosca, littéralement la «cave du soûlard», qui appartient à la société et est située près de Régua. Tout le vin est produit par autovinification. Il est ensuite mûri dans la région du Douro dans de vieilles cuves énormes en bois de châtaignier. Une petite quantité de très vieux vin, de plus de 100 ans, est conservée pour l'assemblage et pour les invités très spéciaux. La production commerciale se compose presque exclusivement de tawnies, soit avec indication d'âge ou colheitas. La maison fabrique également un porto blanc léger à 17 pour cent d'alcool par volume.

ADEGA DO ROSCA — TYPIQUE DE PLUSIEURS CAVES VINICOLES DU DOURO.

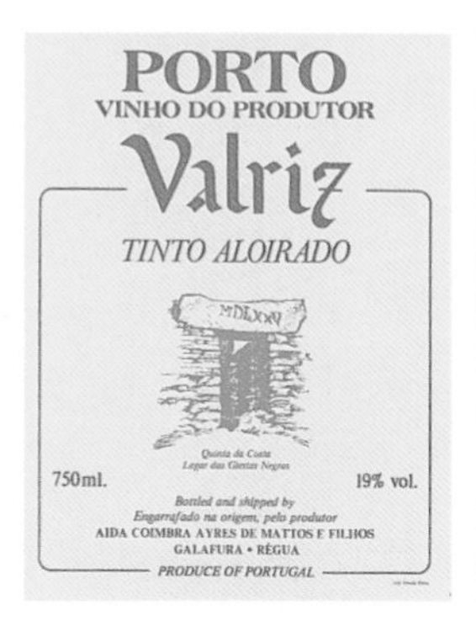

Notes de dégustation

10 ANS D'AGE De couleur rouge-brun vif, d'apparence jeune. Nez prononcé de raisins et de prunes, légèrement alcoolisé, avec une touche de jambon fumé. Sucré et alcoolisé au palais avec un goût de fruit raisonnable, le vin est un peu cuit et soulève légèrement le cœur. Bonnes persistance et consistance.

COLHEITA DE 1958 Ce vin, embouteillé en 1984, avait passé 26 ans en fût et 12 ans en bouteille au moment de la rédaction. Nez léger, délicatement herbeux, avec des touches de fumée de bois et d'amandes grillées. Mi-sucré avec une acidité très fraîche et mordante. Palais fin et délicat, pourtant concentré et persistant.

VIEUX TAWNY

20 ANS D'AGE Comme pour son équivalent de 10 ans, la société a — ce qui est rare — dévoilé les détails de l'assemblage. Dans ce cas, il s'agit d'un assemblage de vintages de 1970 et 1969. De couleur ambre roux, pas totalement clair, le vin est un peu brouillé, ce qui indique qu'il n'a pas été suffisamment filtré. Nez chaud et cuit, mais très agréable. Pas aussi sucré que le 10 ans, avec un meilleur équilibre d'acidité et de fruit. Palais concentré et mûr, avec une bonne finale, bien qu'un peu alcoolisée.

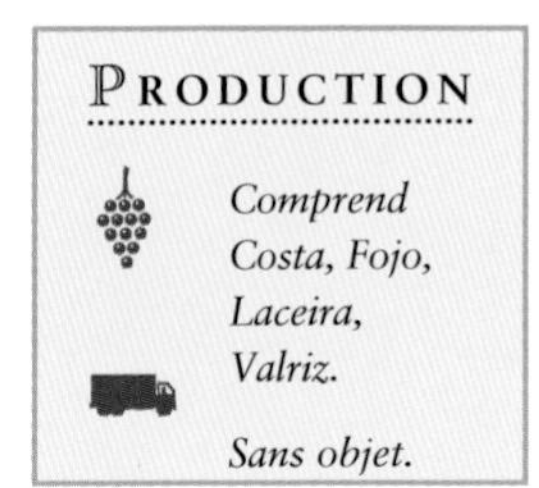

Production

Comprend Costa, Fojo, Laceira, Valriz.

Sans objet.

Sociedade Agricola Barros

Rua Sporting Club de Coimbrões, Apartado 101, 4401 Vila Nova de Gaia Codex, Portugal

Les vins de cette société sont vendus sous le nom «Vista Alegre», qui est la marque d'exportation de la Sociedade Agricola Barros, ou Société agricole Barros. Cette société est totalement distincte de la société Barros, Almeida & Ca. Vinhos, S.A. Comptant parmi les nouveaux portos à faire leur apparition sur les étagères, les vins Vista Alegre ne furent mis sur le marché qu'en 1994. La production de vin par la société et ses ancêtres, cependant, remonte à environ cinq générations.

La famille Barros est depuis longtemps propriétaire de terrains dans le Douro. Ses domaines — à Pinhão, Tabuçao (dans le Távora, au sud du Douro), Santa Marta (près de Régua) et Sabrosa (au sommet de la vallée de Pinhão) — ont été repris par la Sociedade Agricola Barros, société nouvellement formée, en 1973. Les actionnaires de la société sont des descendants directs des propriétaires originaux, de sorte que le changement a donné naissance à une nouvelle société à partir d'un holding de la famille Barros, qui poursuit sa participation dans l'affaire.

La société possède quatre domaines: la Quinta da Vista Alegre (d'où vient le nom de la marque), la Quinta de Valongo, la Quinta de Vilarinho et la Quinta da Lameira. Ces domaines fournissent environ les quatre cinquièmes de la production annuelle d'environ 300 000 litres, et le reste est acheté. Des lagares sont utilisés pour une petite quantité de vin, tandis qu'on a recours au remontage pour la majorité de la production. Il y a quelques autovinificateurs, mais ils sont utilisés seulement en cas de production excédentaire. La maturation des vins a lieu dans la région du Douro, et les chais sont situés dans les quintas et à Régua. La société est donc l'une des rares dont les activités sont concentrées dans le Douro.

INFORMATION

VISITES *Oui, à la Quinta da Vista Alegre et aux chais à Régua. Tél. (351-2) 3707252.*

VINS RECOMMANDÉS *Reserve Port.*

APPRÉCIATION GÉNÉRALE ★

PRODUCTION

Lameira, Valongo, Vilarinho, Vista Alegre.

Un cinquième de la production

Notes de dégustation

RESERVE PORT Un vieux tawny, vieilli entre cinq et huit ans dans le chêne avant d'être embouteillé. De couleur brun-pelure d'oignon pâle, avec un nez charnu de pâte d'amande et de noix cuites. Sucré, à la manière légèrement collante des portos mûris dans le Douro, avec une acidité équilibrée, une bonne consistance et un fini agréable.

20 ANS Couleur brun noisette mi-intense. Nez léger, fortement alcoolisé avec fruits séchés et fumée de bois. Vin sucré qui soulève un peu le cœur, mais à saveur corsée et agréable, bien que de caractère un peu cuit.

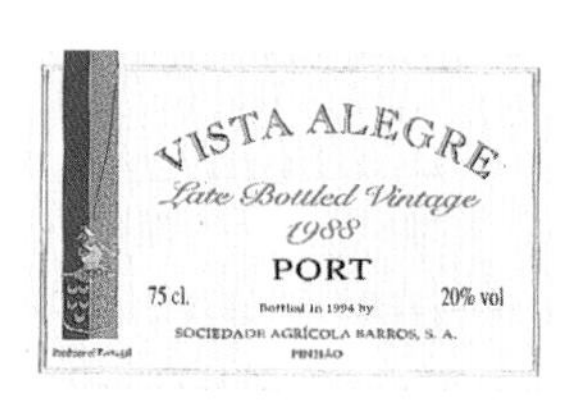

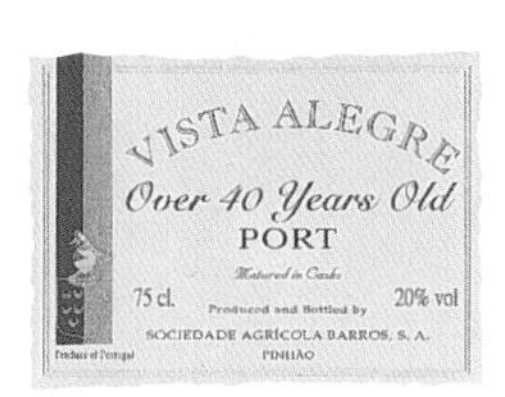

Barros, Almeida & Ca. Vinhos, S.A.

**Rua D. Leonor de Freitas, 1802,
Boîte postale 39, 4401 Vila Nova
de Gaia Codex, Portugal**

Barros, Almeida est l'un des plus gros exportateurs de porto portugais: il se charge d'environ six pour cent des exportations totales de porto. Cependant, il n'est pas très connu, principalement à cause de la diversité de ses marques. Il fait actuellement affaires sous quatre noms: Barros, Almeida & Ca. Vinhos, S.A.; C.N. Kopke & Ca. Lda.; H. & C.J. Feist Vinhos, S.A.; et Hutcheson, Feurheerd & Associados Vinhos S.A. (voir les entrées distinctes). La société a pris de l'ampleur grâce à ses acquisitions, et elle possède un certain nombre de sociétés et leurs marques. Rocha, Douro Wine Shippers, Vieira de Souza, A. Santos Pinto et Almeida font toutes partie du groupe, bien que depuis 1996 la dernière ait été incorporée à Hutcheson, Feurheerd & Associados Vinhos, S.A.

Information

Visites *Oui, aux chais. Tél. (351-2) 302320.*

Vins recommandés *Colheita 1966.*

Appréciation générale ★★

La société Almeida em Comandita, fondée en 1913 par Manoel de Almeida, c'est une société d'exportation de porto. Almeida s'est associé à Manoel Barros, qui aurait commencé à travailler pour la société comme commis de bureau, mais aurait épousé Matilde de Almeida, la sœur du fondateur de la société, et serait ainsi rapidement devenu associé. La société a alors adopté le nom qu'elle porte encore aujourd'hui.

Après que Barros se fut joint à la société, celle-ci a adopté une approche plus ferme. Une gestion prudente durant les années 1920, maintenue jusqu'à la Dépression des années 1930, a permis à Barros d'acheter d'autres sociétés en difficultés. En dépit des problèmes causés à l'industrie par la Seconde Guerre mondiale, la société s'est maintenue à flot, et peu de temps après la fin des hostilités elle a repris ses acquisitions et a acheté C.N. Kopke & Ca. Lda., à l'époque la plus ancienne firme de porto.

Barros possède un certain nombre de quintas dans la région du Douro. La plus importante est São Luiz, qui est presque exclusivement utilisée pour la marque Kopke. En plus de posséder des vignobles imposants, São Luiz est le principal centre de vinification des sociétés Barros: il comble environ la moitié des besoins de la société.

Il n'est pas surprenant, considérant la taille de la production de Barros, que leur principal produit soit les ruby et tawny courants, qui sont vendus aux Pays-Bas, en France et en Belgique, où on les boit comme apéritifs. Outre les vins de base, la société produit de vieux tawnies et colheitas, qui datent du milieu des années 1930. Leurs vintages ne sont pas aussi bons. Barros et les sociétés du groupe ont tendance à déclarer fréquemment des vintages, mais les vins en général sont légers et mûrissent rapidement, même ceux des meilleures années.

Production

Comprend Alegria, Dona Matilde, Mesquita, São Luiz.

95% de la production annuelle.

Notes de dégustation

COLHEITA 1966 Couleur brun-roux pâle. Nez charnu, frais et mûr de noix et de vieil alcool. Un soupçon de fumée et d'épice compose un nez complexe et assez intéressant. Mi-sucré avec une acidité élevée, mais équilibré, de consistance moyenne, avec une concentration élevée de saveurs matures. Un excellent vin.

VINTAGE 1985 Rouge grenat pâle, déjà la couleur d'un vin à maturité, malgré la concentration du vintage. Bouquet mûr de fruits noirs, d'alcool et d'épice avec un peu de fumée que l'on trouve dans un certain nombre de vins de la famille Barros. Un palais léger, mi-sucré, aux tanins mûrs et un goût fruité passablement concentré. Un vin élégant qui est à son meilleur actuellement. Bien qu'il puisse se maintenir encore pendant quelques années, il ne s'améliorera pas davantage, ce qui est inhabituel pour un vintage si exceptionnel et vénérable.

Sociedade dos Vinhos Borges e Irmão, S.A.

Av. Da République, 796, Apartado 66,
4401 Vila Nova de Gaia Codex, Portugal

Toute personne qui visite le Portugal connaît le nom Borges, pas à cause du porto, mais de la banque: la Banco Borges & Irmão, du même groupe que la société de porto. Borges — le fabricant de porto — est l'un des plus importants producteurs du Portugal, il possède des quintas et des marques de vins dans plusieurs parties du Portugal. Les autres marques internationales de la société comprennent les Gatão Vinho Verde et Trovador Rosé.

L'entreprise Borges, à l'origine une société de commerce qui vendait des produits divers a été fondée en 1880 par deux frères, António et Francisco Borges. Le commerce du vin est devenu plus important dans les années 1890, mais ce ne fut que durant la première décennie du XXe siècle qu'ils ouvrirent un chai à Vila Nova de Gaia. À cette époque, ils achetèrent leurs premières quintas, la Quinta da Soalheira et la Quinta do Junco.

La Quinta da Soalheira, littéralement la «chaleur de midi», est située dans la vallée de Rio Torto. Elle est éloignée de la grande route et difficile d'accès. Les lagares qui s'y trouvent ne sont pas utilisés, parce que les raisins sont actuellement vinifiés à la Quinta do Junco. Les tawnies 10 ans portent la marque de «Soalheira» (mais non, cependant, Quinta da Soalheira). La Quinta do Junco et la Quinta da Casa Nova, achetées par Borges en 1926, sont dans la vallée de Pinhão, en amont de Eira Velha et Foz. Les vins de qualité supérieure, les vieux tawnies et les vintages viennent de ces trois quintas. Junco est le principal centre de vinification pour les quintas de la société. Les vins qui ne sont pas faits dans les lagares sont fabriqués par autovinification. Contrairement à Soalheira, les quintas de la vallée de Pinhão furent incluses dans la délimitation originale de la région du vin de porto en 1756.

Les vintages de Borges ont tendance à être légers et sont destinés à être consommés très jeunes. Les tawnies sont un peu plus intéressants.

INFORMATION

VISITES *Le chai de Gaia accueille les visiteurs. Il est ouvert du lundi au vendredi. Il faut réserver. Tél. (351-2) 302320.*

VINS RECOMMANDÉS *Soalheira 10 ans d'âge.*

APPRÉCIATION GÉNÉRALE ★

Notes de dégustation

BLANC Jaune citron très pâle, plus pâle que la majorité des portos blancs, et d'apparence très jeune. Nez plutôt neutre de pommes et autres fruits verts. Palais sec avec une bonne acidité, qui rend le vin rafraîchissant. Cependant, la saveur de fruit lui fait défaut. Une bonne base pour les cocktails.

LATE BOTTLED VINTAGE 1992 Rouge pourpre-rubis très profond avec un nez jeune de fruits noirs, cassis et mûres sauvages. Sucré, acidité équilibrée et légers tanins. Consistance légère à moyenne, pas aussi plein que ce que la couleur ou le nez pouvaient laisser présager. Un LBV moderne destiné à la consommation à court terme.

SOALHEIRA 10 ANS D'AGE Couleur brun roussâtre intense et nez plein, riche et vénérable de figues séchées et de prunes. Mature, mais avec encore un peu de fruit. Très sucré, avec une acidité tout juste équilibrée. Saveur corsée et texture assez visqueuse, qui fait que le vin soulève un peu le cœur après le premier ou le deuxième verre.

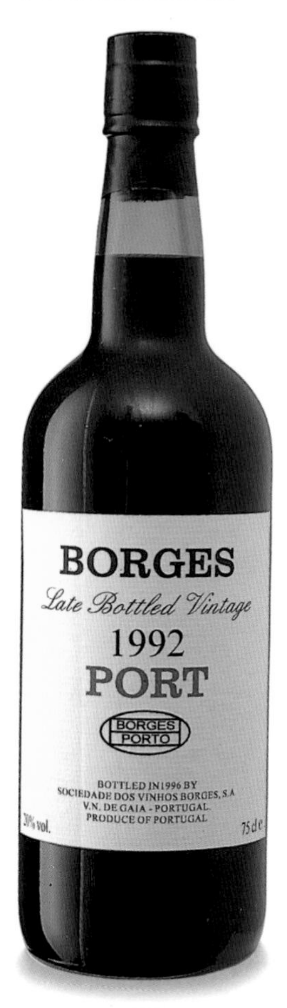

NOTES DE DÉGUSTATION

RUBY

RUBY Rouge rubis moyen avec un nez léger et jeune de fruits rouges et d'alcool. Sucré et légèrement poisseux au palais, pas aussi frais que le nez suggère. Consistance et persistance moyennes.

BLANC

BLANC (voir page 72)

VIEUX TAWNY

SOALHEIRA 10 ANS D'AGE (voir page 72))

PRODUCTION

 *Casa Nova, Junco, Soalheira.*

 *Sans objet.*

LBV

LATE BOTTLED VINTAGE 1992 (voir page 72)

VINTAGE

VINTAGE 1994 Vin de couleur intense avec un nez à dominante d'alcool, plutôt comme un jeune cognac. Moyennement ou très corsé, mi-sucré avec des tanins assez fermes, mais sans concentration de fruits imposante. Un vin raisonnable à moyen terme.

J. W. Burmester & Ca. Lda.

Rua de Belomonte, 39–1°
4000 Porto, Portugal

Burmester est une maison moins connue qui vaut la peine d'être découverte. Une société assez petite, spécialisée dans les quantités limitées de vieux tawnies de qualité supérieure. Comme l'entreprise appartient encore à la famille qui l'a fondée, elle peut se permettre d'être méticuleuse dans le maintien de la qualité et de la tradition.

La société a officiellement été établie en 1750, mais l'histoire de Burmester remonte en fait 20 ans plus tôt, à 1730. Comme pour la majorité des anciennes firmes, le porto n'était pas la seule ressource. Il est devenu son produit principal en 1750. La famille Burmester a fait commerce dans l'assurance, la navigation, le transport et la banque, et a participé à la fondation de la National Westminster Bank au Royaume-Uni.

INFORMATION

VISITES *Médias et membres de l'industrie seulement.*

VINS RECOMMANDÉS *Tawnies avec indication d'âge, LBV traditionnels*

APPRÉCIATION GÉNÉRALE ★★

Un des ancêtres de la famille actuelle était burgmeester (maire) dans sa ville d'origine, c'est-à-dire Möelln, près de Lübeck, dans le nord de l'Allemagne. La famille s'est enfuie en Angleterre au XVe siècle pour échapper aux persécutions religieuses. Ce fut la section britannique de la famille qui plus tard, en 1730, s'associa avec un Anglais appelé John Nash. Ensemble, ils fondèrent la firme Burmester Nash au Portugal et créèrent deux établissements, un à Londres et l'autre à Porto. Deux frères étaient à la tête de l'entreprise, Edward à Londres et Frederic à Porto, bien qu'au moment de l'invasion napoléonienne tous deux se retirèrent à Londres.

JOHANN WILHELM BURMESTER.

Johann Wilhelm Burmester prit la direction complète de la firme en 1861 et, devenu seul propriétaire, il lui donna alors le nom qu'elle porte encore aujourd'hui. Ses petits-enfants comptent parmi les dirigeants actuels.

Historiquement, Burmester achetait ses raisins dans la vallée de Pinhão et dans les environs de la paroisse de Sabrosa. En 1991, la firme a acheté la Quinta Nova de Nossa Senhora do Carmo, un vignoble de «catégorie A» à

Sabrosa, qui comble maintenant près de la moitié de ses besoins. Ce vignoble historique s'étend sur environ 297 arpents, et l'on cultive les cinq principaux raisins à porto sur environ 111 arpents. Les fournisseurs traditionnels continuent de vendre leur raisins à Burmester, qui préfère utiliser des raisins pour faire son propre vin, plutôt que d'acheter du vin. Un peu moins de un cinquième des vins est fabriqué par foulage.

Le chai de Burmester est situé en plein cœur de Vila Nova de Gaia, non loin de celui de Taylor. Ici, la propreté est de rigueur dans tout l'édifice.

PRODUCTION

Nova de Nossa Senhora do Carmo.

Deux tiers de la production annuelle.

Les tawnies de Burmester sont parmi les meilleurs sur le marché. Généralement de style plus léger que certains autres, les vintages semblent convenir à la consommation à court terme, bien que le 1963 fasse encore très bonne figure. Burmester, comme tant d'autres, prétend que son LBV fut le premier créé, puisqu'elle l'a produit en 1964 (et que les règlements permettant le style furent publiés en 1962). Le LBV Burmester appartient au style traditionnel qui forme un dépôt et doit être décanté. Le vintage 1964 existe encore sur le marché, bien qu'en petites quantités. Les vintages plus récents comprennent les 1982 et 1985.

LA QUINTA NOVA DE NOSSA SENHORA DO CARMO.

NOTES DE DÉGUSTATION

10 ANS Couleur rouge rubis d'intensité moyenne, plus semblable à un bourgogne mature qu'à un tawny, d'apparence très jeune. Nez de noix grillées et de marmelade d'oranges foncée, très légèrement cuit. Palais très sucré, mais avec une acidité purifiante. Consistance riche, homogène et visqueuse, avec une longue finale.

PLUS DE 40 ANS Couleur ambre-roux profonde avec un vieux bouquet intense et chargé de noisettes. Très légèrement alcoolisé. Mi-sucré avec une acidité assez faible et un palais riche, rond et homogène de noix et d'écorces séchées.

COLHEITA 1937 Brun intense avec un disque jaune vif, comme un vieux madère. Nez âcre et mûr de caramel et de fudge, très inhabituel dans un porto; sucré et très plein. Les années ont concentré les saveurs, ce qui lui a donné un goût complexe.

LATE BOTTLED VINTAGE 1992 Nez massivement plein et très jeune chargé de cassis et de menthe. Très sucré avec tanins fermes, acidité équilibrée, et longue persistance. Un vin exceptionnel (bien que le goût sucré peut soulever le cœur après quelques verres), qu'il y aura lieu de conserver encore quelques années pour le goûter à son meilleur.

LATE BOTTLED VINTAGE 1964 Ce vin de la qualité d'un vintage a séjourné en fûts pendant cinq ans plutôt que deux. De couleur rouge grenat, d'apparence mûre, avec un nez mûr mais fruité, avec un peu d'alcool et d'épices. Palais soyeux avec un léger soupçon de tanin résiduel et une persistance extrêmement longue et délicate.

VINTAGE 1991 Couleur rubis de moyenne à intense, avec un nez très ouvert et prononcé de fruits sucrés mûrs et de mélasse. Style riche, sucré, avec un peu de fruits, des tanins en quantité modérée et une acidité équilibrée. Pas désagréable maintenant, mais sera bien meilleur dans cinq ou dix ans. Pas un grand vin à long terme.

NOTES DE DÉGUSTATION

VIEUX TAWNIES

10 ANS (voir page 76)

20 ANS Couleur roussâtre, orange-rouge moyen, avec un caractère de noix au léger parfum de fruits et des soupçons de fumée et de caramel. Mi-sucré; alcool très discret et longue finale de noix. Un des très bons tawnies 20 ans goûtés.

PLUS DE 40 ANS
(voir page 76))

COLHEITA

COLHEITA 1987 Goûté parallèlement au tawny 10 ans, ce vin est un peu moins complexe, avec un nez de caramel et de fruits comportant des traces de noix rôties. Très sucré et assez épais dans la bouche. Un porto très savoureux.

COLHEITA 1937 (voir page 76)

LBV

LATE BOTTLED VINTAGE 1992
(voir page 77)

LATE BOTTLED VINTAGE 1985 Il est intéressant de comparer le LBV et les vintages de la même maison et de la même année, particulièrement parce que ce LBV a passé un temps raisonnable en bouteille. Le LBV est, comme on peut s'y attendre, plus épanoui: grenat plutôt que rubis, avec un nez plein complètement mûr d'épices et de fruits séchés, sans les traces de prunes qui caractérisent les vins plus jeunes. Les tanins sont plus doux que dans le vintage, et le vin est plus léger, mais les deux sont des vins de bonne qualité dans leurs catégories respectives.

LATE BOTTLED VINTAGE 1964
(voir page 77)

VINTAGE

VINTAGE 1994 Couleur rubis de moyenne à intense avec un nez riche, mûr et très ouvert pour un vin aussi jeune. Sucré et mûr au palais avec un goût de prunes et des tanins relativement doux. Vin destiné à la consommation à moyen terme, plutôt qu'à un long mûrissement.

VINTAGE 1991 (voir page 77)

VINTAGE 1985 Couleur rubis d'intensité moyenne avec de très légères traces de maturité; pas aussi profond que certains autres. Nez riche et intense de chocolat noir et de prunes, avec un peu de fumée de bois. Plus que mi-sucré, mais avec suffisamment d'acidité pour l'équilibrer, et une forte structure tannique, plus importante que ce que la couleur laisse présager. Fruits assez puissants et concentrés. Très bon vin pour la consommation de moyen à long terme.

VINTAGE 1970 Un des vins les plus légers de ce millésime exceptionnel; déjà très mûr, avec un nez de raisins et de dates. Sucré, avec une acidité modérée, des tanins négligeables et une bonne concentration de fruits au palais. Bon maintenant, bien qu'il soit plus léger que d'autres; sans potentiel d'amélioration future.

VINTAGE 1963 D'intensité faible à moyenne, clairement mûr, avec un nez d'épices et de raisin. Palais de mi-sucré à sucré avec des tanins très doux; un palais soyeux issu d'un long vieillissement. Ce vin est bon, il ne s'améliorera pas, mais il ne devrait pas décliner bientôt.

A. A. Cálem & Filho, Lda.

Rua da Reboleira, 7-4000
Porto-Portugal

Le porto n'est qu'un des nombreux intérêts de la société Cálem (dont le nom se prononce approximativement «Car-laign», plutôt que «Kale-em»). Elle possède également des intérêts dans de nombreuses entreprises de fabrication d'autres vins portugais, et elle exploite le commerce local des voitures de sport Ferrari. L'actuel président, Joaquim Cálem, est le descendant direct des Cálem qui ont fondé la firme de porto en 1859.

INFORMATION

VISITES *Les chais accueillent des visiteurs tout au long de l'année. Tél. (351-2) 2004867.*

VINS RECOMMANDÉS *Vintage 1970 et 1994, colheitas.*

APPRÉCIATION GÉNÉRALE ★★

On dit souvent que le cœur de la région du Douro se situe dans les environs de Pinhão. Si c'est le cas, Cálem est dans une position idéale, parce que la source de ses meilleurs vins est la Quinta da Foz. Foz en portugais signifie «confluence», ou embouchure du fleuve, et cette quinta est située à l'endroit où le fleuve Pinhão se jette dans le Douro. La taille de la quinta a été réduite pour permettre le passage de la voie ferrée, et de nos jours les invités qui dînent sur la terrasse de la quinta sont surpris par l'apparition d'un train du Douro, qui passe si près qu'on se croirait sur le quai de la gare. Le porto Quinta da Foz est vendu comme single quinta vintage dans les années-non-exceptionnelles.

La Quinta da Foz avoisine les quintas Sagrado, Santo António et Vedial, qui appartiennent aussi à Cálem. Celles-ci, tout comme Foz, ont été l'objet de rénovations importantes, les vieilles terrasses ayant été démolies pour être remplacées par des patamares. Quand les installations seront pleinement opérationnelles, cet ensemble de vignobles sera en mesure de fournir à la firme plus de 300 pipes de vin de catégorie A et sera l'un des très rares domaines qui aura la capacité de produire autant en un seul lieu.

Ces importantes quintas ne fournissent qu'environ un dixième de la production totale. Cálem, gros

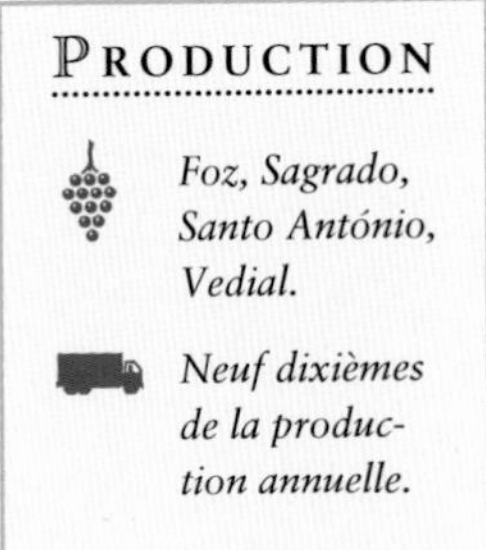

producteur, doit acheter des raisins de plusieurs viticulteurs. Les vins de la quinta sont foulés par pieds d'hommes, mais la plupart des raisins achetés sont traités à Santo Martinho de Anta, non loin du célèbre palais Mateus, à environ 25 km de là. C'est une cave vinicole moderne, d'accès facile pour les camions de raisins, équipée de cuves de remontage en acier inoxydable et de cuves d'autovinification en ciment, qui fabriquent encore plus de la moitié du vin.

À la fin des années 1980 et au début des années 1990, la fabrication du vin et le coupage étaient dirigés par Jeremy Bull, qui travaillait autrefois pour Taylor, où il a passé la majeure partie de sa carrière. Jeremy est maintenant à la retraite, mais son influence continue de se faire sentir, particulièrement dans le vintage 1994, dont il a assumé la fabrication (mais pas le coupage). Ce vintage fait très bonne figure.

Cálem s'est spécialisée dans les colheitas et a produit d'excellents vintages, mais la majorité des ventes de la société se situent dans les catégories de portos «courants», selon la qualification de l'IVP. Le plus gros marché de Cálem est le Portugal lui-même, où elle vend la plus importante marque indépendante, Velhotes.

Comme Sandeman, Cálem est l'un des premiers exportateurs que les touristes visitent, parce que leur chai est le premier que l'on rencontre après avoir traversé le tablier inférieur du pont Dom Luis. Autrefois, cet emplacement facilitait le transport du vin des bateaux au chai — il n'y avait pas de chemin pavé abrupt pour atteindre Cálem, seulement un petit trajet de l'autre côté de la route. Profitant de sa position, Cálem a organisé une vaste campagne de relations publiques pour offrir des visites guidées du chai. Les visiteurs peuvent constater les désavantages réels de l'emplacement: on leur fait voir des marques d'inondation sur les murs du chai, quelques-unes plus hautes que la hauteur de la tête, et quelques-unes très récentes. Les supports pour les pipes dans la partie inférieure du chai sont munis de crochets et de chaînes qui permettent de les ancrer si des inondations sont annoncées.

QUINTA DA FOZ.

NOTES DE DÉGUSTATION

10 ANS D'AGE Couleur orange-brun de moyenne à intense, d'apparence encore assez jeune. Nez plein composé de fruits séchés et d'alcool, pas aussi mûr que certains autres 10 ans, mais avec un palais plein et sucré, une acidité équilibrée et une bonne persistance. Un vin très bien fait, quoique sans complexité.

COLHEITA 1987 Orange topaze pâle, très brillant. Nez léger et frais, qui ne révèle pas grand-chose. Il y a cependant tout ce qu'il faut dans le palais. Des saveurs pleines et puissantes de pâte d'amande et d'huile d'amande, mi-sucré avec une acidité très mordante, qui est toutefois équilibrée.

LATE BOTTLED VINTAGE 1990 Rouge rubis intense, nez plein de gâteau aux fruits, assez jeune mais complexe. Palais sucré et frais, avec des tanins fermes et mûrs et une grande persistance. C'est un LBV à consommer dès l'embouteillage. (Entreposé accidentellement pendant quelques années, il perd considérablement de sa saveur.)

NOTES DE DÉGUSTATION

QUINTA DA FOZ 1992 Rouge-violet très intense avec un nez fermé. Palais plutôt plein avec une énorme structure tannique, tirant sur le sec. Très fruité, avec des prunes et de la vanille. Bonne persistance. Pas aussi bon que le 1994. Un vin à court terme.

VINTAGE 1994 Couleur violet très intense. Nez plein et très ouvert, bien que légèrement alcoolisé, fruits noirs très intense au nez et au palais. Charnu, avec une structure très ferme. Bonnes consistance et persistance; un vin qui sera excellent dans les années à venir. A conserver. (La bouteille illustrée est un échantillon de dégustation.)

VINTAGE 1970 Couleur encore très jeune, moins développée que plusieurs 1970. Rouge rubis intense avec une touche de maturité sur le disque. Nez très ouvert et intense de fruits et d'épices, avec juste un soupçon d'alcool. Palais plein et plus mûr, mi-sucré avec une acidité mordante et un tanin encore ferme. Une très longue finale.

NOTES DE DÉGUSTATION

RUBY

FINE RUBY Intensité moyenne, couleur vive rouge rubis, saveurs de fruits merveilleusement jeunes: fruits rouges délicats, comme des cerises et des framboises, plutôt que les fruits noirs habituels. Palais mi-sucré et bien équilibré. Bon pour son type (l'échantillon venait tout juste d'être embouteillé et était très frais). Cette sorte de vins ne se conserve pas et perd assez rapidement sa fraîcheur.

VINTAGE CHARACTER C'est un ruby sérieux, de couleur grenat assez intense, avec un nez de fruits et d'épices qui montre une certaine maturité. Mi-sucré et rond, avec des tanins délicats et une acidité équilibrée, et une très bonne persistance pour un vin de ce niveau. De manière très opportune, Cálem a commercialisé ce vin dans une bouteille de petit format, sous la marque «Port for Two» (Porto pour deux).

BLANC

FINE WHITE Porto blanc pâle avec un nez jeune, quoique indéfinissable: légèrement fruité et floral, mais difficile à déterminer exactement. Style moyennement sec avec une acidité équilibrée et une persistance raisonnable.

TAWNY

VELHOTES Âgé d'environ cinq ou six ans, de couleur grenat rubis pâle, avec un nez et un palais frais et fruités. Mi-sucré et moyennement charnu avec une acidité équilibrée. Un style de porto agréable, qui se boit bien.

VIEUX TAWNY

10 ANS (voir page 81)

COLHEITA

COLHEITA 1987 (voir page 81)

COLHEITA 1962 Très brun, comme prévu. Nez intense et mûr de vieux bois, d'épices et de noix, avec en outre une légère qualité de moisi. Sucré, sans soulever le cœur, bonne acidité, et grande concentration de saveur. Excellent.

LBV

LATE BOTTLED VINTAGE 1990 (voir page 81)

SINGLE QUINTA VINTAGE

QUINTA DA FOZ 1992 (voir page 82)

QUINTA DA FOZ 1990 Ce vin est moins séduisant que certains des autres vintages, à cause de la présence de fruits légèrement cuits au nez et au palais. Il a cependant une bonne concentration de fruits légèrement poisseux et une structure modérément puissante qui lui permettront de se conserver pendant quelques années.

VINTAGE

VINTAGE 1994 (voir page 82)

VINTAGE 1991 Intensité moyenne: nez ouvert et mûr de chocolat et de fruits frais. Consistance plus que moyenne, palais propre et rafraîchissant avec une bonne persistance. Fort agréable en ce moment, ce vin aura besoin d'environ dix autres années pour être à son meilleur. Il ne se conservera toutefois pas aussi longtemps que le 1994.

VINTAGE 1985 Ce vin semble traverser une phase très muette. Il fut presque impossible de déterminer les caractéristiques du nez, et le palais a semblé très léger, presque austère. Pourtant, la concentration est là. La couleur est encore très intense, et des tanins fermes lui donnent une structure puissante.

VINTAGE 1970 (voir page 82)

Churchill Graham, Lda.

Rua da Fonte Nova, 5
4400 Vila Nova de Gaia, Portugal

La plupart des sociétés — et des producteurs — décrits ont de longues traditions. Même les portos de single quintas, sur le marché depuis peu, ont des histoires qui remontent à des centaines d'années. Par contraste, Churchill Graham fait figure de petit nouveau.

Johnny Graham, de la famille qui possédait la firme d'exportation anglaise W. & J. Graham & Co., prit en 1981 la décision de quitter son emploi auprès de Cockburn pour fonder sa propre entreprise de porto. (Il n'y avait pas eu de nouvelle entreprise britannique de porto depuis 50 ans.) Graham voulait produire du porto à la manière traditionnelle, en mettant l'accent sur la qualité, plutôt que la quantité. Il s'est heurté au groupe Symington à propos de l'utilisation du nom «Graham» sur les étiquettes, parce que Graham est l'une des meilleures marques de Symington. La solution fut de baptiser la société du nom de Churchill Graham, mais de commercialiser les vins sous l'étiquette «Churchill», qui est le nom de sa femme, Caroline Churchill.

INFORMATION

VISITES *Visite des chais sur réservation, et seulement pour des petits groupes. Tél. (351-2) 3703641.*

VINS RECOMMANDÉS *Blanc, Traditional LBV.*

APPRÉCIATION GÉNÉRALE ★★

Au début la société avait des moyens financiers très restreints. Elle achetait tout son vin et le faisait mûrir dans un petit chai qu'elle louait du groupe Taylor-Fonseca. La qualité des vins s'est rapidement révélée, et l'entreprise mérite d'avoir du succès.

Churchill ne possède pas encore de quintas, mais elle achète ses raisins de trois vignobles de qualité supérieure. L'épine dorsale du coupage de Churchill vient de la Quinta da Manuela, un vignoble orienté vers le sud-ouest dans la partie supérieure de la vallée du Pinhão. Le deuxième est la Quinta do Agua Alta, orientée vers le sud, sur la rive nord du fleuve Douro à Ferrão, et le troisième est la Quinta do Fojo, située dans la vallée du Pinhão.

Comme la société n'a été fondée que depuis peu de temps, il n'y a pas de vieux Churchill sur le marché. Un tawny 10 ans vient d'être mis en marché, mais jusqu'à maintenant seuls des blancs et des rouges, des vintages, et des LBV ont été mis en vente. Il est intéressant de noter que des dégustations répétées de certains des premiers vintages ont révélé un degré de variation important entre les bouteilles. Certains étaient assez fugaces, au point que le caractère en était masqué.

NOTES DE DÉGUSTATION

BLANC De couleur ambre intense, avec un nez plein et riche d'écorces séchées et de miel. Le palais est sec, avec des fruits intenses et une très longue persistance. Meilleur frais, mais pas trop froid, parce que la saveur en serait engourdie. Intéressant comme apéritif, ou pour accompagner un dessert pas-trop-sucré.

VINTAGE QUINTA DA AGUA ALTA 1987 De couleur encore très intense, avec une odeur piquante de prunes et de figues et un vague soupçon de cuir. Commence à être mûr, mais est encore jeune. Il peut mûrir encore quelques années.

1991 VINTAGE Vin de couleur très intense avec un nez légèrement alcoolisé de prunes de l'Islet mûres. Style ouvert, assez délicat, avec un tanin assez ferme, qui permettra au vin de se conserver à moyen terme.

NOTES DE DÉGUSTATION

BLANC

BLANC (voir page 85)

LBV

TRADITIONAL LBV 1990 Excellent rapport qualité/prix. Plus charnu et plus complexe que la plupart des LBV du même prix. De couleur encore très intense, presque noir au centre avec un disque pourpre-rubis étroit. Ce vin au goût de prunes a une structure tannique suffisante pour lui permettre de vieillir encore un peu, bien qu'il soit exceptionnellement bon à boire dès maintenant.

SINGLE QUINTA VINTAGE

VINTAGE QUINTA DA AGUA ALTA 1987 (voir page 85)

VINTAGE QUINTA DO FOJO 1986 Déjà assez pâle, avec des soupçons de fruits rouges au nez; mi-sucré, avec seulement un peu de tanin résiduel. Johnny Graham qualifie ce vin de «joli» (pretty), un qualificatif rarement donné au porto, mais juste en l'occurrence. Agréable maintenant. Peu susceptible de s'améliorer davantage.

VINTAGE

VINTAGE 1994 Couleur et consistance d'intensité moyenne, avec un caractère moins charnu, plus austère, légèrement moins fruité que certains, mais avec un tanin ferme et une bonne persistance. Un vin à moyen terme pour ceux qui veulent un style de porto moins audacieux, mais plus élégant.

VINTAGE 1991 (voir page 85)

VINTAGE 1985 Un des plus populaires de Churchill jusqu'à maintenant. Très riche et mûr, avec la dominante fruitée du vintage, mais avec une structure tannique qui lui permettra de vieillir. Il est éminemment bon à boire maintenant, mais il gagnera à séjourner en cave longtemps.

JOHNNY GRAHAM.

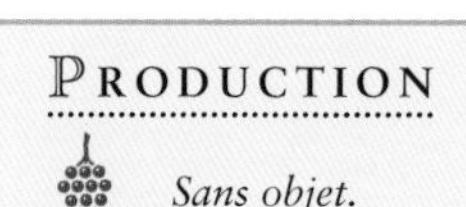

PRODUCTION

Sans objet.

Fournisseurs: Agua Alta, Fojo, Manuela.

Cockburn Smithes & Ca. S.A.

Rua das Corados, 13, Apartado 20
4401 Vila Nova de Gaia Codex, Portugal

Établie en 1815, la société Cockburn est très peu connue au Portugal. Cependant, Cockburn est la première marque pour le marché du Royaume-Uni, où elle occupe le tiers du marché pour tous les portos vendus, ce qui est cinq fois plus élevé que son plus proche rival.

Les exportations ont toujours été importantes pour Cockburn. Le premier bureau de Londres a été établi par les fils du fondateur, seulement 15 ans après que la société eut été fondée. Robert Cockburn, le fils d'un juge écossais, a à l'origine fondé son entreprise sous le nom de Cockburn Wauchope & Co., nom qui fut conservé jusqu'en 1854, alors qu'un des membres de la famille Smithes, Henry, s'est associé à Porto. Celui-ci est bientôt entré au bureau de Londres, mais son jeune frère, John T. Smithes, est resté au Portugal. Les Smithes furent chargés de la dimension portugaise de l'entreprise, jusqu'à ce que John Henry Smith se retire en 1976. Il est toutefois demeuré consultant de la société pendant encore 12 ans. John Smithes a toujours été tenu en haute estime par les viticulteurs avec qui il faisait affaires et par ses compétiteurs, qui le considéraient comme la personne ayant le palais le plus délicat de toute l'industrie.

Information

Visites *Les chais peuvent être visités du lundi au vendredi entre 9h30 et 17h. Téléphoner à l'avance. (Les visiteurs qui se déplacent en taxi feront bien de noter que Cockburn n'est pas très bien connu; les chauffeurs de taxi de Porto essaieront de vous amener plutôt à l'un des chais situés sur les quais.) Il est possible de visiter les vignobles dans le Douro. Sur réservation. Tél. (351-2) 3794031.*

Vins recommandés
La plupart des vintages.

Appréciation générale ★★★

La troisième famille dans l'histoire de Cockburn est celle des Cobbs. Frederick Cobb s'est associé au bureau de Londres en 1863, et en 1939 Reggie Cobb dirigeait la filiale de Porto conjointement avec John Smithes. Le personnel actuel ne compte aucun descendant des familles Cockburn ou Smithes, mais Peter Cobb, le neveu de Reggie, est encore un des directeurs de Cockburn.

En 1962, Cockburn est passée sous le contrôle de Harvey de Bristol, négociant en vins et exportateur de sherry, un an après que cette dernière eut acquis Martinez Gassiot. Les deux sociétés ont fusionné et sont gérées comme une même entreprise. Mais, chacune a sa gamme

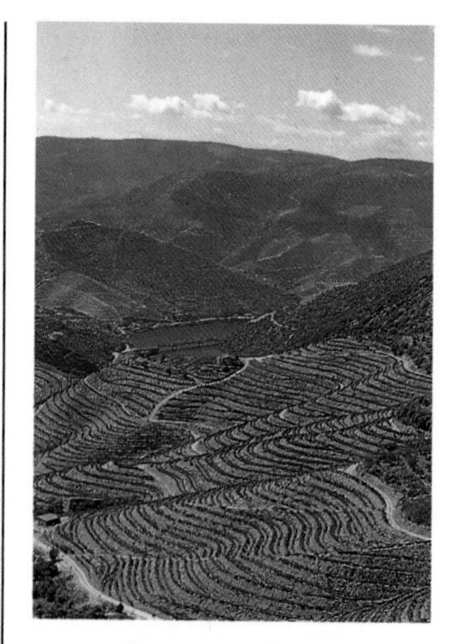

QUINTA DOS CANAIS.

de vins, qui sont commercialisés séparément. Harvey et Cockburn font partie de Allied Domeck Spirits and Wines — l'une des plus importantes sociétés dans l'industrie mondiale des boissons, ce qui permet à Cockburn d'avoir accès à un réseau international de distribution.

Pendant plusieurs années, l'épine dorsale des vintages de Cockburn a été la Quinta dos Canais, une ferme spectaculaire dans la partie inférieure du Douro Superior, un peu après Valeira et juste à l'opposé de la Vargellas de Taylor. Une grande quinta, qui était autrefois le lieu de parties de chasse et de bals somptueux, Canais est difficile d'accès par la route. Les visiteurs sont amenés par bateau, ce qui rappelle l'époque où le fleuve était vital pour l'industrie. Canais a été achetée en 1942 par Sr. Sobral, qui vendait son vin à Cockburn. En 1989, il a pris sa retraite, et Cockburn a acheté la propriété pour protéger son approvisionnement. Près des deux tiers des vignes avaient plus de 25 ans, et étaient sur de vieilles terrasses. Un programme de reconstitution a été mis sur pied à la fois pour augmenter la production de 100 à 300 pipes et pour diminuer les coûts en installant des patamares.

La Quinta do Tua, dans le Cima Corgo, appartient à la société depuis plus longtemps. Maintenant l'un des «centres vinicoles» de Cockburn, où l'on traite les raisins achetés d'autres vignobles, la Tua a été achetée par Dona Antónia Ferreira en 1889, après que sa récolte eut été anéantie par le phylloxera. Peu après l'avoir achetée, John Smithes a commencé à expérimenter des méthodes de greffage et d'élagage, de même que différentes variétés de raisins. Tua est donc considérée comme l'un des plus importants vignobles expérimentaux de la région.

QUINTA DO TUA.

Il y a une demi-douzaine d'autres vignobles dans les livres de la société, mais le plus impressionnant pour n'importe quel étudiant en viticulture est Atayde. Atayde, qui s'étend vers la frontière espagnole, est dans une large vallée, ce qui permet de planter les vignes sans terrasses. Comme la région est assez plate, la mécanisation est possible à un point qu'il serait impossible d'envisager ailleurs. On a même expérimenté des techniques de récolte mécanisée (mais sans grand succès). Ce vignoble est particulièrement sain, parce qu'on y a planté du matériel génétique exempt de virus.

Environ 10 pour cent du vin produit est foulé par pieds d'hommes, particulièrement dans les cas où le raisin est acheté de petits vignerons. Ce qui est inusité, c'est que Cockburn engage des techniciens à temps plein de Gaia pour superviser la fabrication du vin dans chaque quinta pendant la durée des vendanges, ce qui assure l'obtention du meilleur produit possible. Les cuves d'autovinification, qui sont très appréciées de plusieurs, ne sont pas du tout utilisées. La société est d'avis que l'autovinification retire au fabricant son contrôle. Les 90 pour cent de vin qui restent sont donc produits par remontage, c'est-à-dire par pompage mécanique. Cependant, d'autres méthodes ont été essayées.

Le «vinimatic» rotatif, un appareil qui mélange le moût en fermentation et les peaux de raisin en un mouvement semblable à celui d'une bétonnière, a eu un succès limité, mais la thermoextraction, par laquelle les raisins sont chauffés brièvement pour aider à extraire les pigments, est utilisée pour certains rubis.

Cockburn excelle dans la fabrication de vins en grosses quantités pour un marché de masse fiable. Le ruby, le tawny et le vintage character de marque Special Reserve sont d'excellents exemples de leur catégorie. Cockburn fabrique également de relativement petites quantités de vins de qualité supérieure, de vintages et de tawnies avec indication d'âge, qui peuvent compter parmi les meilleurs.

Cockburn a pris de très étranges décisions concernant la déclaration de vintages par le passé. Elle a préféré 1967 à 1966, et n'a jamais vendu de 1977, qui fut une année classique pour les vintages. Plus récemment, elle a largement suivi le reste de l'industrie, en déclarant les vintages 1983, 1985 et un single quinta vintage de Tua en 1987, un autre en 1991, puis un single quinta de Canais en 1992, et un vintage en 1994.

LA MARQUE VEDETTE DE COCKBURN, LE SPECIAL RESERVE.

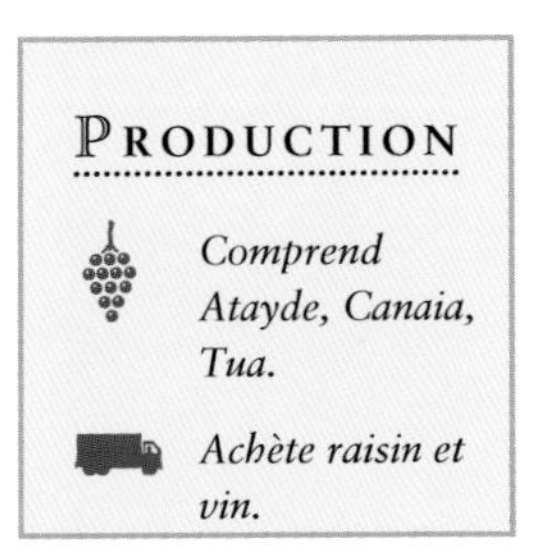

NOTES DE DÉGUSTATION

SPECIAL RESERVE C'est la marque vedette de Cockburn, qui porte le slogan: «Always special, so why reserve it» (Toujours spécial, alors pourquoi le réserver). Il est l'un des plus vendus de tous les marchés de Cockburn. Plus jeune et fruité que plusieurs vintage characters, avec un nez de prunes cuites et un soupçon de confiture de fruits, sans qu'on le sente jamais cuit.

10 ANS D'AGE De couleur orange-fauve, encore assez rouge, avec un nez plein et fruité de figues, de raisins et d'amandes; un peu plus alcoolisé que les portos rouges. L'écart de qualité entre le fine tawny et celui-ci est énorme, pour une différence de prix relativement peu élevée.

LATE BOTTLED VINTAGE ANNO 1992 Lors de la rédaction, le vintage passait de 1990 à 1992. Le 1990 a un disque brun, et le séjour en bouteille est manifeste. Des dégustations ont révélé un bon vin, mais qui donne des signes de fatigue. Le 1992 a une intensité moyenne; il est très jeune, a des saveurs de fruits rouges, et ses tanins sont faibles.

NOTES DE DÉGUSTATION

RUBY

SPECIAL RESERVE (voir page 90)

TAWNY

FINE TAWNY Le fine tawny ne présente habituellement aucun intérêt, car c'est un simple mélange de portos blanc et ruby. Acheté frais, puisqu'il n'est pas destiné à vieillir, le Cockburn est mi-sucré avec assez de saveur pour le situer au-dessus de la plupart des vins de sa catégorie. Fruité de manière rafraîchissante; rose pâle avec un nez de framboise et de caramel. Ce n'est pas un grand vin, mais c'est un très bon exemple de son type.

VIEUX TAWNY

10 ANS D'AGE
(voir page 90)

LBV

LATE BOTTLED VINTAGE ANNO 1992 (voir page 90)

SINGLE QUINTA VINTAGE

VINTAGE QUINTA DO TUA 1987 Encore très fermé. Caractère de prunes mûres avec un peu de chocolat. Un excellent vin pour consommation à moyen terme: il sera probablement mûr dans la première décennie du XXIe siècle.

VINTAGE

VINTAGE 1994 Couleur modérément profonde, avec une intensité de nez supérieure à la moyenne et un caractère de prunes et de mûres. Le palais est plus généreux que le nez; il est plus charnu et plus mûr que prévu. Un peu plus que mi-sucré, avec un tanin ferme et une acidité équilibrée. Ce vin se boira encore très bien dans 25 ou 30 ans. L'un des meilleurs de 1994.

VINTAGE 1991 Un vintage décevant pour un Cockburn: légèrement végétal et pas à la hauteur des standards habituels.

VINTAGES 1985 et 1983 De ces deux vins concentrés, le 1985 est préféré: il est ample et plein, mais avec la richesse âcre du vintage qui le rend un peu trop buvable maintenant. Les deux vins devraient se conserver jusqu'à 2000 à 2010.

VINTAGE 1975 Ceux-ci devraient avoir été consommés à présent. Ce ne furent jamais de grands vins, et ils ont atteint leur sommet. Ils ne s'amélioreront pas, et vont commencer à se désintégrer sous peu.

VINTAGE 1970 Fait encore bonne figure et maintenant à pleine maturité. De couleur grenat avec un nez mûr et délicat, et un palais modérément ferme. Pas le meilleur de 1970, mais bon.

VINTAGE 1967 Seulement quelques exportateurs ont préféré 1967 à 1966. Etrangement, Cockburn était l'un d'entre eux. Les vins sont encore séduisants, bien que plutôt délicats et fragiles. Ils devraient être consommés maintenant.

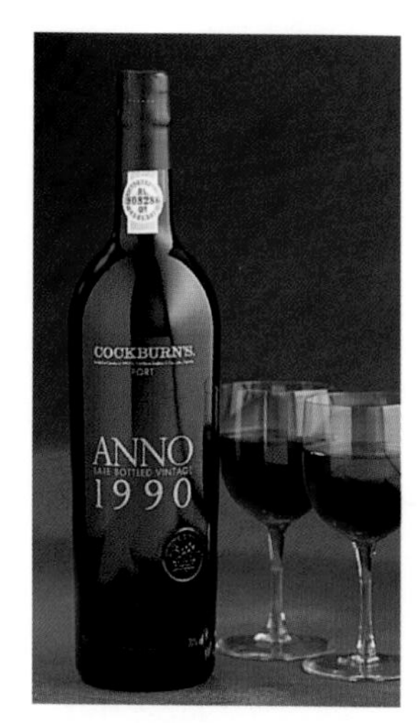

COCKBURN APPELLE SON LBV: «ANNO».

Croft & Ca. Lda.

Largo de Joaquim Magalhães, 23
Apartado 5, 4401 Vila Nova de
Gaia Codex, Portugal

Avec son histoire qui remonte à 1678, Croft est l'une des plus vieilles firmes de porto. La famille Croft, qui venait à l'origine du Lancashire, en Angleterre, remonte à plus de sept siècles. Elle a commencé à s'intéresser au commerce du vin quand elle s'est associée, par mariage, à la famille Thomson, de York, qui faisait déjà des affaires avec le Portugal.

Le premier Croft à participer à l'industrie fut Thomas, qui avait épousé Frances Thomson. Ce fut leur troisième fils, John, qui fonda la firme de porto. John n'a pas eu de descendance, mais ses neveux s'associèrent tous à la firme, ce qui a permis au nom de se perpétuer.

INFORMATION

VISITES *Pour les membres de l'industrie seulement.*

VINS RECOMMANDÉS
Distinction.
20 ans.

APPRÉCIATION GÉNÉRALE ★★

La famille Croft compte nombre de personnes influentes. John Croft a écrit un traité sur les vins du Portugal (A Treatise on the Wines of Portugal), qui a été publié en 1788. Ce fut un ouvrage classique demeuré le livre le plus important sur le sujet jusqu'au XXe siècle. Son fils, également nommé John Croft, fut d'une aide inestimable à Wellington durant la Guerre péninsulaire, ce qui lui valut d'être nommé baron.

La gloire et les titres ne procurent pas la fortune. Celle-ci vient plutôt d'un dur labeur et d'un sens des affaires aiguisé. Les Croft étaient à la fois travailleurs et avisés. Dès le début du XIXe siècle, Croft était l'un des quatre principaux exportateurs de porto. Dès cette époque, elle avait commencé à explorer d'autres marchés que l'Angleterre: l'Amérique, la France et les pays du Benelux étaient déjà des clients importants. Le commerce international se poursuit, avec des marques vendues dans le monde entier, principalement grâce au fait que la société fait partie d'un important groupe spécialisé dans les boissons. En 1911, Croft a été acquise par Gilbey, qui est devenue depuis une filiale de International Distillers and Vintners (IDV).

La Quinta da Roêda, la quinta vedette de la société, a été décrite comme le diamant inséré dans l'anneau d'or qu'est le fleuve Douro. Elle est située immédiatement à l'est de la ville de Pinhão, en plein cœur du Cima Corgo. La quinta a été établie en 1811 et achetée par Taylor en 1844; elle est passée à Croft en 1875. Sa réputation depuis l'époque de Taylor a été excellente, et elle a produit quelques single quinta vintages. Il s'agit d'un immense vignoble en terrasses, mais sa pente est moins abrupte que d'autres, de sorte que sur certaines des terrasses les plus larges on se croirait dans un vignoble traditionnel.

La maison de la quinta, une version réduite du style de bungalow des cultivateurs de thé de la Quinta do Bomfim, est située sur les pentes inférieures, près du fleuve. La maison est séparée du fleuve par des parterres gazonnés et la cave vinicole. C'est là que les raisins sont traités, ceux de la quinta et ceux qui sont achetés de Ribalonga et Vale de Mendiz. Les lagares sont utilisés pour de petites quantités expérimentales; le pompage mécanique domine ici toute la production commerciale.

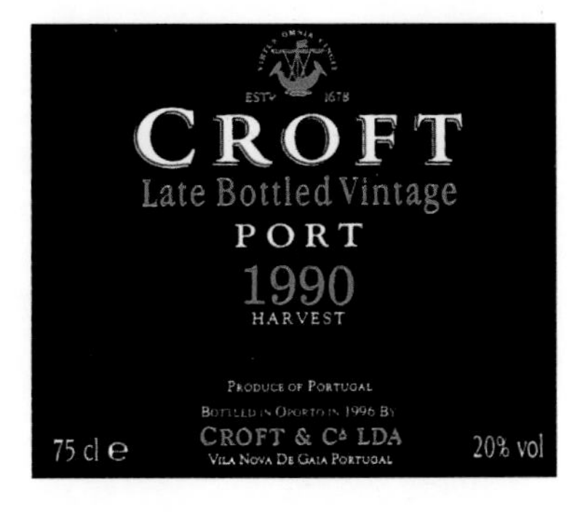

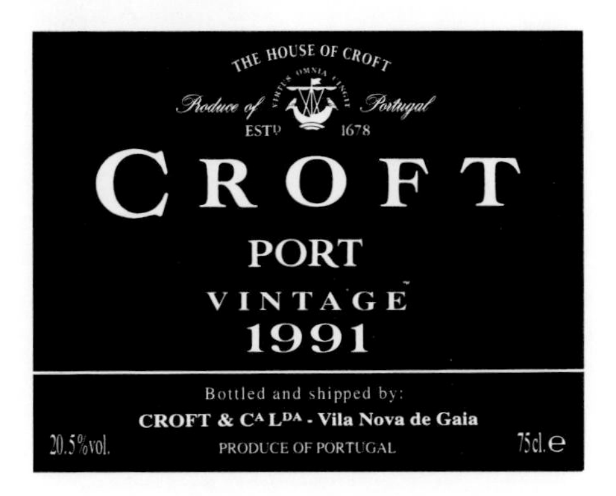

NOTES DE DÉGUSTATION

LATE BOTTLED VINTAGE L'expérience a démontré que c'est l'un des LBV les plus constants: il ne varie pas d'un vintage à un autre. Croft produit un LBV moderne, filtré; de couleur rubis, avec un nez riche de gâteau aux fruits et d'épices. Palais très généreux avec une bonne consistance; mi-sucré avec assez d'acidité pour l'équilibrer.

QUINTA DA ROÊDA 1983 De couleur rubis grenat moyenne à pâle, avec un nez plus plein que le Croft 1975. Très mûr pour un vin aussi jeune. Fruits séchés avec figues et dattes, alcool perceptible. Moyennement charnu et mi-sucré avec quelques légers tanins résiduels. Un vin agréable qui va se conserver pendant quelques années.

VINTAGE 1991 De couleur moyennement intense, mais naturellement très pourpre. Fruits mûrs de prunes de l'Islet; encore très fermé. Tanins pas extrêmement intenses, mais une structure ferme et élégante. Fruits puissants au palais, qui en feront un bon vin à moyen terme.

NOTES DE DÉGUSTATION

VIEUX TAWNY

DISTINCTION La marque du tawny de qualité supérieure de la société, mûri environ huit ans avant l'embouteillage. Il n'y a pas d'indication de date ou d'âge sur la bouteille. Une teinte rouge roussâtre avec un nez plein qui a tout juste assez de maturité pour être intéressant, tout en retenant le riche fruit de la jeunesse. Consistance moyenne avec un palais plein de fruit et de noix, et une longue persistance. Distinction est une marque de tawny fiable; c'est l'un des meilleurs vins de sa catégorie.

10 ANS D'AGE D'apparence vraiment très jeune, rouge orange plutôt que roussâtre, avec un caractère de noisettes et de fruits séchés. Consistance moyenne avec fruits modérément intenses et persistance raisonnable.

20 ANS D'AGE Dans l'ensemble un vin plus sérieux que le 10 ans. Encore plus rouge que certains vins avec lesquels il est en compétition, mais un nez mûr et un palais beaucoup plus intense de figues et de dattes séchées, avec un caractère d'amande ou de pâte d'amande.

LBV

LATE BOTTLED VINTAGE
(voir page 94)

SINGLE QUINTA VINTAGE

QUINTA DA ROÊDA 1983
(voir page 94)

VINTAGE

VINTAGE 1994 L'un des 1994 les plus pâles, déjà rubis plutôt que pourpre. Nez assez léger, épanoui et ouvert de cassis et de poivre. Etonnamment sucré, avec des tanins très fermes. Une combinaison étrange de palais très intense, mais de persistance courte: peut-être le vin traverse-t-il seulement une phase. Un vin pour consommation à moyen ou long terme.

VINTAGE 1991 (voir page 94)

VINTAGE 1985 Un autre vin qui se développera bientôt. Rubis-grenat intense avec un nez riche semblable au gâteau aux fruits, très ouvert, ce qui semble être une caractéristique de tous le vintage en ce moment. Il a des tanins doux et une acidité moyenne. Il se boit bien maintenant, mais il devrait s'améliorer encore pendant quelques années. Cependant, il n'aura pas une durée aussi longue que plusieurs exemples du vintage.

VINTAGE 1982 Pour ce vintage partagé, Croft a choisi 82 pour le vintage et 83 pour le single quinta de Roêda. Le 1982 a déjà l'air très vieux, il est de couleur rose et assez pâle, avec un nez léger de raisins et de pétales. Le palais livre plus que ce que laisse prévoir le nez: mi-sucré avec des tanins très doux, mais un bon taux d'acidité et une saveur plutôt pleine, quoique de structure un peu légère. À son sommet actuellement, il est peu probable qu'il s'améliore de façon remarquable, mais il tiendra.

VINTAGE 1975 Couleur rouge grenat pâle avec un nez très mûr, légèrement nerveux et fugace, avec fruits séchés mûrs et alcool. Mi-sucré avec acidité équilibrée et tanins doux, et une persistance raisonnable. Ce vin est tout à fait prêt maintenant, et il l'est depuis quelques années. Il ne s'améliorera pas davantage et devrait être consommé avant qu'il décline.

VINTAGE 1927 Orange-rose pâle, pas du tout brun; nez plein et, évidemment, mûr avec des caractéristiques florales. Palais sucré et très fragile, crémeux et soyeux, avec des tanins très peu perceptibles et une acidité discrète. Longue persistance de la saveur. Ce vin ne s'améliorera pas, mais il s'est maintenu depuis près de 70 ans. Si vous en avez, il n'est pas urgent de le boire, contrairement à certains vintages plus récents. Ce vin a été goûté en 1993 grâce à la générosité de M. Peter Hasslacher, de Deinhard Ltd.

PRODUCTION

Roêda.

Achat de Reibalonga et Vale de Mendiz.

Delaforce Sons & Ca. – Vinhos, Lda.

Largo de Joaquim Magalhães, 23
Apartado 6, 4401 Vila Nova de
Gaia Codex, Portugal

Maintenant propriété de International Distillers and Vintners (IDV), comme la firme Croft, Delaforce a été fondée en 1868 par George Henry Delaforce, le fils de John Fleurriet Delaforce, qui s'était joint à l'industrie du porto en 1834 comme employé du chai de Martinez Gassiot. George Henry Delaforce a fondé son entreprise et a commencé à faire des affaires avec plusieurs autres pays européens, incluant la Russie, l'Angleterre, l'Irlande, l'Allemagne, la France et les pays scandinaves. La société Delaforce Sons & Ca. a été fondée en 1903, quand Henry et Reginald Delaforce prirent le contrôle de l'entreprise.

INFORMATION

VISITES *Seuls les membres de l'industrie, sur réservation. Tél. (351-2) 302212.*

VINS RECOMMANDÉS *His Eminence's Choice Tawny.*

APPRÉCIATION GÉNÉRALE ★★

Comme c'est souvent le cas dans les firmes de porto, des liens familiaux ont été maintenus, malgré les prises de contrôle et les fusions internationales. Le directeur actuellement responsable des marques de porto pour IDV est David Delaforce, qui s'occupe du marketing de Croft et Delaforce sur le marché mondial. Son fils, Nicholas, la sixième génération de la famille de Huguenots à travailler dans la société, s'occupe du coupage.

Delaforce n'est pas propriétaire de vignobles. Elle a plutôt un contrat à long terme et des droits exclusifs relatifs à l'exploitation de la Quinta da Corte, un vignoble spectaculaire dans le Rio Torto, juste un peu en aval de Bom Retiro, qui appartient à Ramos Pinto. Corte comprend principalement des terrasses à murets, de styles ancien et nouveau. À cause de son emplacement — d'un côté d'une vallée étroite — et de l'état impeccable de ses vignobles, des photographies du vignoble figurent sur presque tous les livres et dépliants concernant Porto pour illustrer de façon parfaite le type de terrain où sont situés les vignobles et les problèmes que cela représente d'y travailler.

Actuellement, les vintages de Delaforce ont tendance à être des vins à moyen terme, bien que quelques vieux vins fassent encore très bonne figure. Les vins sont en vente dans la plupart des marchés, mais ils sont particulièrement populaires en Allemagne, où ils sont bons premiers. Les Pays-Bas et le Royaume-Uni sont d'autres marchés importants, de même que les États-Unis.

NOTES DE DÉGUSTATION

VINTAGE QUINTA DA CORTE 1984 Le disque présente actuellement des indices d'âge, le nez est épicé et fruité, et le palais est léger. Le tanin est bien mordant, et la finale est longue et élégante.

VINTAGE 1985 Encore assez intense, avec un nez très ouvert et plein. Bien plus épanoui que plusieurs autres en ce moment. Palais mûr, chaud, avec une structure tannique suffisamment élevée, mais mûre, et une saveur assez puissante.

LE CHAI DELAFORCE À VILA NOVA DE GAIA.

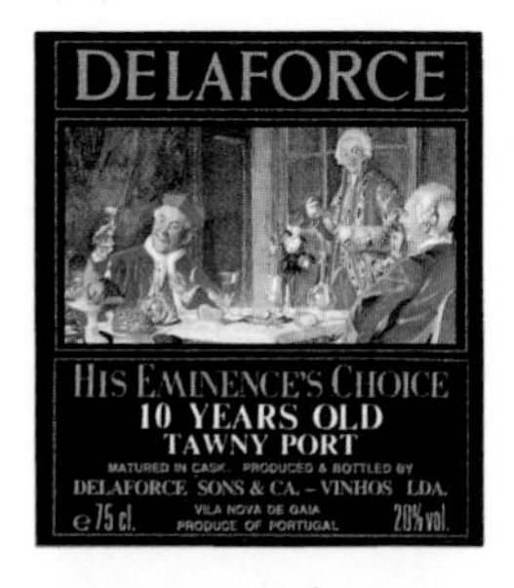

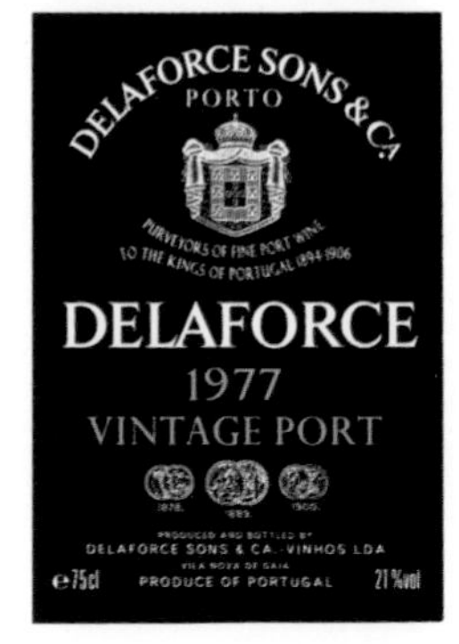

LE RAISIN POUR LES PORTOS DE QUALITÉ SUPÉRIEURE SONT CULTIVÉS À LA QUINTA DA CORTE.

NOTES DE DÉGUSTATION

VIEUX TAWNY

HIS EMINENCE'S CHOICE TAWNY La marque vedette de la société. Vieilli pendant environ huit ans en fût, il commence tout juste à se libérer de la rougeur de sa jeunesse. Nez légèrement nerveux d'épices exotiques, combiné à un palais douceâtre, assez plein et complexe, qui en font une boisson particulièrement agréable.

LBV

LBV Couleur rubis foncé; corps plein et riche, et saveur raisonnablement fruitée. Ce n'est pas un vin à conserver, mais c'est un bon exemple de son type.

SINGLE QUINTA VINTAGE

VINTAGE QUINTA DA CORTE 1991 Couleur moyennement intense; nez plein et riche de prunes et de chocolat, avec un soupçon de fumée. Palais mûr et sucré, avec des tanins plus discrets que prévu, et une bonne persistance.

VINTAGE QUINTA DA CORTE 1984 (voir page 97)

VINTAGE

VINTAGE 1994 Cœur noir très intense et disque très étroit. Cependant, le nez et le palais n'étaient pas à la hauteur de ce que promettait la profondeur de la couleur. Modérément puissant seulement au palais; passablement léger et fruité au nez. Un vin élégant à consommer à moyen terme.

VINTAGE 1992 Couleur modérément intense, avec un nez de prunes intense, très ouvert. Déjà en développement. Palais plein et sucré avec des tanins fermes et une bonne persistance.

VINTAGE 1985 (voir page 97)

PRODUCTION

Sans objet.

La Quinta da Corte est son principal fournisseur.

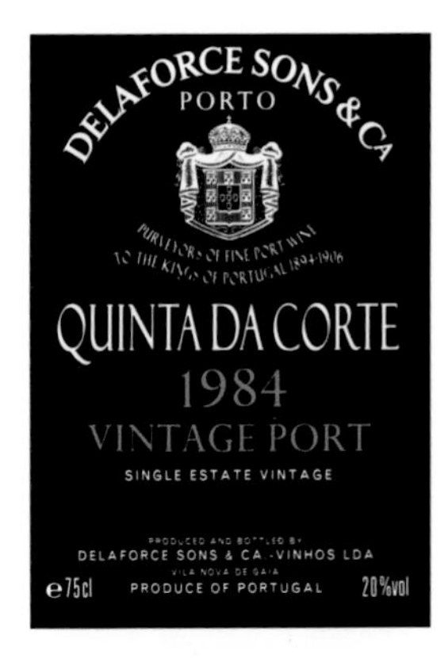

H. & C.J. Feist – Vinhos, S.A.

Rua D. Leonor de Freitas, 180/2,
P.O. Box 39, 4401 Vila Nova de
Gaia Codex, Portugal

Feist a été fondée à Londres en 1836 comme firme d'importation de porto, sous le nom de H. & C.J. Feist, par deux cousins allemands. En 1870 le commerce avait tellement prospéré qu'il devint nécessaire d'établir un bureau à Porto, et Carl (C.J.) Feist alla s'y installer pour mettre sur pied une nouvelle succursale. La moitié portugaise de la société est demeurée longtemps une affaire de famille dirigée par le gendre et plus tard le petit-fils.

Durant la Seconde Guerre mondiale, le bureau de Londres fut détruit au cours d'un raid aérien. Les dommages causés furent si considérables que celui-ci n'a jamais rouvert, et qu'il n'est resté que la succursale portugaise. Faisant affaires sous le nom H. & C.J. Feist — Vinhos, S.A., la société a plus tard été acquise par Barros, Almeida, l'un des plus importants groupes dans l'industrie du porto (voir page 69). Feist est maintenant devenue une marque au sein de la société. Elle ne jouit pas de l'autonomie de Kopke, sa société sœur.

La grande majorité des raisins pour la production des vins Feist est achetée. Seulement une très petite quantité provient de la Quinta da Fonte Santa, qui appartient à la société et avoisine la Quinta de São Luiz, qui appartient à Kopke. Comme ses sociétés sœurs, la spécialité de Feist est le colheita, avec une longue liste de vins commercialisés, qui remonte à la récolte de 1937. Comme dans le cas de Barros, Almeida elle-même, des vintages ont tendance à être déclarés fréquemment: six furent déclarés dans les années 1980, et ces vins mûrissent rapidement.

INFORMATION

VISITES *Visite des chais. Tél. (351-2) 302320.*

VINS RECOMMANDÉS *Colheita 1963.*

APPRÉCIATION GÉNÉRALE ★

NOTES DE DÉGUSTATION

20 ANS D'AGE Couleur orange pâle, très brillante. Nez léger de fumée et d'écorces confites. Palais sucré qui soulève le cœur quand le sucré domine, tenu seulement par l'alcool. Manque de fruits.

COLHEITA 1963 Couleur brun noix sombre, avec un nez plein, mûr et très oxydé. Alcool, noix rôties et fruits séchés, avec caramel ou fudge. Palais très sucré, mais acidité équilibrée et grande concentration de saveur. Finale longue et agréable. Ample, audacieux et puissant, bien qu'il manque un peu d'élégance.

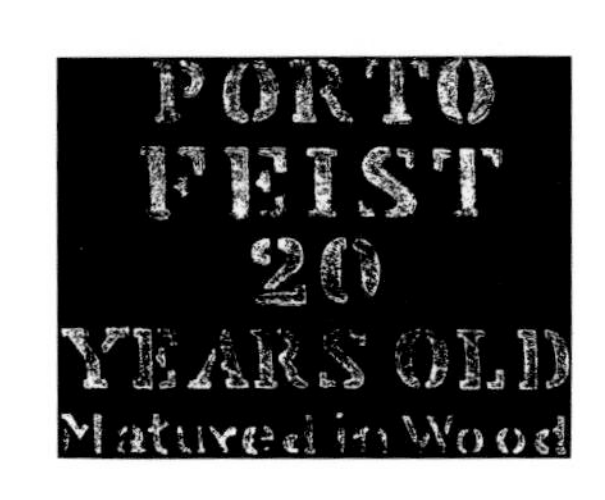

A.A. Ferreira S.A.

Adresse postale
Boîte postale 3002, 4301 PORTO CEDEX
Bureaux et chais
19/105 Rua da Carvalhosa – 4400
Vila Nova de Gaia, Portugal

Ferreira est un des grands du monde du porto. Une collection enviable de vignobles et une longue expérience en viticulture placent la société dans une position idéale pour produire des vins de qualité supérieure.

La possession de vignobles a été antérieure à l'instauration des activités d'exportation: viticulteurs d'abord, exportateurs ensuite. La firme d'exportation a été établie au milieu du XVIIIe siècle par José Ferreira. On rapporte que José est mort d'une balle tirée par les troupes napoléoniennes, qui l'avaient entendu parler si bien le français, qu'elles l'ont pris pour un déserteur. Les fils de José, José et António Barnado, étendirent leurs vignobles pour consolider les assises de la firme. C'est une de leurs descendantes, Dona Antónia Adelaide Ferreira, qui a établi la réputation de la société que nous connaissons aujourd'hui. Dona Antónia, surnommée Ferreirinha, ou «la petite Ferreira», fut la grande dame de l'industrie du porto, la contrepartie portugaise de la veuve Nicole-Barbe Clicquot-Ponsardin, l'un des noms les plus célèbres de l'industrie du Champagne.

Information

Visites *Le chai est ouvert toute l'année du lundi au vendredi de 9h30 à 17h (fermé pour le déjeuner). Il est ouvert le samedi de 9h30 à 12h, d'avril à octobre. Aucune réservation nécessaire. Les quintas peuvent être visitées, mais il faut faire des réservations auprès de la société. Tél. (351–2) 3700010.*

Vins recommandés *Quinta do Porto 10 ans, Duque de Bragança 20 ans, 1982.*

Appréciation générale ★★★

Devenue veuve au début de la trentaine, Dona Antónia, comme la veuve Clicquot, a beaucoup consacré d'énergie à sa société. Dona Antónia fut l'une des premières à investir massivement dans le Douro, achetant des quintas dans le Cima Corgo et le Douro Superior, et construisant l'infrastructure routière pour améliorer l'accès aux vignobles. À sa mort, à plus de 80 ans, elle avait acquis deux douzaines de quintas et fondé des hôpitaux et des cliniques dans cette région éloignée.

Ferreirinha a toujours été tenue en haute estime par les habitants de la région, et les cas d'entraide mutuelle furent nombreux. Une anecdote se rapporte au vintage 1868. La récolte avait été abondante, et les fermiers avaient produit tant de vin qu'ils ne parvenaient pas à écouler. Bien qu'elle n'en avait pas besoin, Dona Antónia acheta une quantité considérable de vin et l'entreposa. Le phylloxera se manifesta peu après, dévastant les vignobles et mettant les fermiers dans une situation difficile. Ferreira, bien entendu, en avait beaucoup.

LA QUINTA DA LEDA DANS LE DOURO SUPERIOR.

Ferreira est encore propriétaire de trois fermes superbes. Près de Pinhão, sont situées les quintas Porto et Seixo, et près de la frontière espagnole se trouve la Quinta da Leda. Perpétuant les traditions de Dona Antónia, Ferreira est toujours à l'avant-garde des innovations dans la région. Avec la société Ramos Pinto, elle fut la première à utiliser le système de plantation vinha ao alto à grande échelle. Ferreira et Ramos Pinto sont d'ardents défenseurs du système. La Quinta do Porto est majoritairement cultivée en terrasses. Mais, plus de la moitié des vignes de la Quinta do Seixo sont plantées en rangées verticales. Cela représente une proportion importante pour une si grande quinta.

Ferreira est demeurée la propriété de la famille jusqu'à la fin des années 1980, alors qu'elle fut achetée par l'empire Sogrape, célèbre surtout pour le vin rosé demi-sec de marque Mateus. Les descendants de la famille sont encore aux commandes.

Ferreira, importante marque au Portugal (malgré ses prix environ 15 pour cent plus élevés que ses concurrents), jouit d'une réputation enviable pour ses tawnies. Certains experts tendent à discréditer les vintages, ce qui est dommage, parce que ce sont des vins très élégants qui ont une excellente endurance. Les vintages de Ferreira peuvent sembler délicats comparés à d'autres, mais ils ne devraient pas être relégués au rang de poids-plumes. L'extraction plus douce que favorise la société donne moins d'agressivité aux tanins, mais les vins ont une bonne structure. Environ 70 pour cent de la production de Ferreira se composent de rubies et tawnies standard, et 17 pour cent sont consacrés au porto blanc. Elle produit trois styles de porto blanc: sec, mi-sucré et lagrima, un vin de dessert très sucré.

LA QUINTA DO PORTO, PRÈS DE PINHÁO.

NOTES DE DÉGUSTATION

DONA ANTONIA FERREIRA PERSONAL RESERVE Un style de vin très différent des autres rubies goûtés pour la rédaction du présent livre. Vieilli en fût pendant environ six ans, il a acquis certaines des caractéristiques épicées qui viennent avec la maturité. Pas aussi plein et fruité que les autres, mais plus complexe.

VINTAGE CHARACTER Ce vin a vraiment du charme: plus élégant et plus mûr que le ruby, de couleur profonde avec un palais intense et charnu. Un style encore très jeune.

WHITE PORT Un vin agréable, de couleur pâle, avec un nez frais de pêche et d'abricot, et plus de caractère que la plupart des autres. Demi-sucré au goût, avec une acidité rafraîchissante pour une finale propre.

Notes de dégustation

QUINTA DO PORTO 10 ANS L'exposition au soleil de ce vignoble orienté vers le sud donne au vin une grande maturité et une grande richesse. Sa couleur est orange-brun profond et son nez richement fruité et épicé évoque le gâteau aux fruits frais. Plus sucré que certains, mais les fabricants ont réussi à conserver suffisamment d'acidité pour équilibrer le goût du sucre.

VINTAGE 1985 Commence à peine à montrer de l'âge sur le disque; couleur rubis encore très dense. Le nez évoque la compote de fruits avec un certain caractère d'épices. Le vin n'est pas encore à son meilleur. Il commence à prendre de la maturité, mais il va continuer d'évoluer pendant un certain nombre d'années.

DUQUE DE BRAGANÇA 20 ANS Le long vieillissement a donné un vin plus pâle que le 10 ans, et brun, plutôt qu'orange. Le coupage peut comprendre des vins de plus de 40 ans, ce qui se révèle dans la complexité des saveurs: soupçons de fruits séchés, de figues ou de dattes et d'épices exotiques. Il n'y a pas de saveur de fruits frais ici, mais le palais sucré est supporté par une fraîcheur qui donne un vin élégant avec une finale qui subsiste.

NOTES DE DÉGUSTATION

RUBY

DONA ANTÓNIA FERREIRA PERSONAL RESERVE
(voir page 103)

RUBY Le ruby de base est un vin jeune, fruité, sans faille, manifestement fabriqué très soigneusement, mais pas aussi intéressant que le Vintage Character et le Dona Antónia.

VINTAGE CHARACTER
(voir page 103)

BLANC

PORTO BLANC (voir page 103)

VIEUX TAWNY

QUINTA DO PORTO 10 ANS (voir page 104)

DUQUE DE BRAGANÇA 20 ANS
(voir page 104)

VINTAGE

VINTAGE 1994 Fait très bonne figure comparé aux autres vins du même vintage. Plein avec une structure ferme, mais peut-être pas aussi ferme que d'autres, avec une concentration massive de fruits. C'est un vin à consommer à moyen ou long terme, et il est peu probable qu'il soit prêt en moins de 20 ans.

VINTAGE 1991 La première fois qu'il fut goûté, juste après l'embouteillage, ce vin avait un caractère plein et fruité avec une structure solide, mais pas agressive. Il s'est fermé depuis. Quand il a été goûté de nouveau, en 1996, le vin était muet et il était difficile d'en tirer quoi que ce soit. Cependant, la concentration était encore évidente. Pas aussi plein que le 1994, il s'agit d'un vin à consommer à moyen terme, qui sera probablement prêt dans 15 ans à peu près.

VINTAGE 1985 (voir page 104)

VINTAGE 1982 De couleur rubis remarquablement jeune avec fruit vif de framboises et de fraises, le vin ne donne aucun signe de vieillissement. Mi-sucré avec un fruit encore remarquablement jeune et une structure ferme, mais pas trop agressive. L'un des meilleurs de 1982. Certainement l'un des moins évolués.

PLANTATION SELON LE SYSTÈME VINHA AO ALTO À LA QUINTA DO SEIXO.

PRODUCTION

Leda, Porto, Seixo.

85% de la production annuelle.

Fonseca Guimaraens – Vinhos S.A.

Rua Barão de Forrester, 404, Apartado 13
4401 Vila Nova de Gaia Codex, Portugal

Il n'y a pas de doute que Fonseca fabrique certains des meilleurs portos qui soient. Même ses compétiteurs dans l'industrie tiennent Fonseca en haute estime. Si les Châteaux Pétrus et Le Pin sont au sommet de la hiérarchie des Pomerols, Fonseca et Taylor, sa société sœur, leur correspondent dans le monde du porto. Bien que la société appartienne désormais à Taylor, la famille Fonseca Guimaraens continue de diriger les activités quotidiennes des vignobles et la fabrication du vin. Bruce s'est récemment à moitié retiré de ses fonctions de directeur du domaine, mais son fils David est responsable de la fabrication du vin pour la société.

Information

Visites *Les visiteurs sont les bienvenus aux chais et à la Quinta do Panascal. Tél. (351–2) 304505.*

Vins recommandés
Fonseca Guimaraens 1976, Fonseca 1985, Fonseca 1994.

Appréciation générale
★★★

Les origines de la société remontent à 1822, quand Manoel Pedro Guimaraens a acheté une société commerciale installée à Porto, appelée Fonseca & Monteiro. Peu après cette acquisition, Manoel se trouva à appuyer le «mauvais» côté dans une violente querelle politique, et il fut forcé de s'enfuir en Angleterre, caché dans un tonneau de porto. Pendant son exil, les affaires de la société furent très florissantes, et celle-ci devint l'un des plus gros exportateurs de porto.

Réinstallée en Angleterre, elle demeura à Londres jusqu'en 1927, et alors le siège social revint à Porto. En 1948, les associés vendirent leurs parts à Taylor, Fladgate & Yeatman, qui étaient à cette époque liés par mariage. La société leur appartient toujours.

La décision d'allier leurs forces a certainement été bénéfique aux deux sociétés. Taylor a acquis une nouvelle corde à son arc, et Fonseca a acquis un pouvoir et une expertise en marketing. Cette alliance fut réalisée tout en conservant les styles différents des deux maisons — similaires et certainement complémentaires, mais néanmoins différents.

Production

Cruzeiro, St. António, Panascal.

Raisins achetés.

Le vignoble vedette de Fonseca est Panascal dans la vallée du Távora, à environ 10 minutes de route de Pinhão. L'une des premières quintas à ouvrir ses portes au public, elle offre

La Quinta do Panascal, dans la vallée du Távora.

des visites avec système audio toute l'année. Les touristes peuvent voir comment on fait le porto — dans les lagares, comme cela se fait depuis des siècles — et également visiter les vignobles pour voir les vignes en terrasses et le spectaculaire paysage du Távora. Panascal est en grande partie exposée au sud, ce qui donne aux vignes un aspect parfait. Une partie de la terre a récemment été replantée selon le système de patamares. Bien qu'il n'ait été acheté qu'en 1978, le domaine a constitué une partie importante du coupage de Fonseca pendant de nombreuses années.

Fonseca est également propriétaire d'autres quintas, dont St. António et la Quinta de Cruzeiro, dans le Vale de Mendiz. Ce sont tous des vignobles de catégorie A, qui fournissaient du raisin bien avant de faire partie de la collection de la société. Ce sont, comme la plupart des quintas, des fermes de travail, et elles ne sont pas ouvertes au public.

Tous les raisins des quintas de la société sont foulés par pieds d'hommes. En fait, Fonseca a probablement le plus nouveau lagar du Douro, installé à Panascal pour faire face à l'augmentation de la production dans les années 1990. La construction du lagar a créé un espace supplémentaire dont on a su profiter: la salle à dîner de la quinta a été agrandie.

Il est remarquable que la responsabilité de la fabrication du vin ait si peu changé de main. En 100 ans, avec seulement une exception, tous les vintages ont été fabriqués sous la responsabilité de deux personnes. Frank Guimaraens s'est occupé des vins fabriqués entre 1896 et 1948, et Bruce, qui a pris sa retraite à la fin de 1995, s'en est chargé depuis (sauf les vins de 1955, qui furent fabriqués par la tante de Bruce, Dorothy Guimaraens). Bruce est l'une des grandes figures du Douro. Il est grand, avec une personnalité encore plus grande. C'est vraiment un homme des vignobles, et il n'est vraiment heureux que quand il est «à l'intérieur», dans la région délimitée. Sa retraite, cependant, ne signifie pas la fin de la participation des Guimaraens. Non seulement celui-ci vient faire son tour au chai pour prodiguer ses conseils au besoin, mais sont fils aîné, David, qui a été formé par Roseworthy en Australie, a pris la direction de la fabrication du vin. Un autre des ses fils, Christopher, se joindra probablement à la société.

Avec sa longue histoire de négoce à partir de Londres, Fonseca se considère fermement comme une maison anglaise, plutôt que portugaise. Le style des vins, dont les vintages élégants qui durent et les tawnies fruités, est nettement anglais. Quand deux maisons font partie du même groupe, il est tentant de comparer les différents styles. Alors que Taylor produit des vins très forts et très structurés, les équivalents de Fonseca sont quelque peu plus amples et audacieux, et peut-être un peu plus parfumés. Les deux maisons sont également bonnes.

Un mot sur les vintages: les vins des plus grandes années sont déclarés vintages «Fonseca». Quand les vins sont bons, mais pas spectaculaires, la deuxième étiquette, «Fonseca Guimaraens» est utilisée. Ceux-ci sont généralement mis en vente quand ils sont prêts, ou du moins quand la maturité approche. En fait, c'est la même chose que les marques de single quintas de la plupart des sociétés, mais avec des options multiples de coupage. Les vintages Fonseca Guimaraens représentent une très bonne affaire, considérant leur prix quand ils sont mis en vente et leur maturité.

Ce qui est déroutant, c'est que ces dernières années l'occasionnel single quinta de Fonseca est venu de la Quinta do Panascal. Ce vin est typiquement moins complexe que les vins de Fonseca Guimaraens, soit à cause des jeunes ceps de Panascal (à mesure que les ceps vieillissent, leur production diminue en quantité, mais la qualité et la complexité s'améliorent), soit simplement parce qu'ils ne viennent que d'un seul endroit. D'un autre côté, cela donne aux consommateurs la chance de boire des vins vieillis en bouteille de Fonseca à un prix plus abordable que les vintages de Fonseca Guimaraens mêmes.

Notes de dégustation

BIN NO. 27 FINE RESERVE C'est un vintage character de Fonseca, ou un ruby de qualité supérieure. Riche avec des accents de prunes, avec une couleur très intense et une structure remarquablement solide, c'est un des meilleurs vins de son type.

20 YEAR OLD RICH TAWNY Vin de couleur orange-brun pâle, avec un puissant arôme de fruits séchés, surtout d'abricots et de pommes et une légère trace de noix. Mi-sucré avec une saveur élégante et concentrée de fruits séchés et de noix. Très longue finale.

FONSECA VINTAGE 1985 Disque pourpre-rubis très intense sur cœur noir. Nez floral de violettes et de pétales de roses, avec intenses fruits noirs. Quand les gens qualifient un Fonseca de parfumé, voici ce qu'ils veulent dire: alcoolique et tannique au palais, avec un fruit qui n'a pas du tout évolué. Il a besoin de beaucoup de temps avant d'être prêt.

NOTES DE DÉGUSTATION

RUBY

BIN NO. 27 FINE RESERVE
(voir page 109)

TAWNY AVEC INDICATION D'ÂGE

20 YEAR OLD RICH TAWNY
(voir page 109)

SINGLE QUINTA VINTAGE

VINTAGE QUINTA DO PANASCAL 1984 Déjà mûr en apparence, mais d'un nez un peu plus jeune que la couleur grenat laisse présager. Encore fruité, avec des soupçons de cerises et de fruits rouges. Le palais est séduisant, bien qu'il soit un peu plus léger que les autres vins de la même société, avec des tanins discrets. Prêt à boire maintenant. Ce n'est pas un vin à conserver.

VINTAGE

FONSECA VINTAGE 1994 Noir avec un disque pourpre très étroit. Nez fermé de fruits extrêmement concentrés, de prunes et de pruneaux, avec des soupçons de tabac. Palais charnu, mi-sucré, avec des tanins très fermes et une concentration massive.

VINTAGE FONSECA 1992 Disque de couleur bleu-noir, pratiquement inchangé depuis la première dégustation du vin à sa sortie. Encore très fermé. Nez plus délicat que certains autres 1992, mais avec un palais plein de fruits mûrs et foncés qui témoigne de la classe de la maison.

FONSECA VINTAGE 1985 (voir page 109)

FONSECA VINTAGE 1985
(see page 109)

VINTAGE FONSECA GUIMARAENS 1984 Couleur plus intense que les 1982 et 1978, bien que d'un rubis grenat encore assez mûr. Nez mûr d'épices et de tabac, alcoolisé, mais pas de façon désagréable. Consistance moyenne avec des tanins fermes et une bonne concentration. Un des meilleurs de la récente cuvée des vins Guimaraens, mais pas aussi bon que le 1976.

VINTAGE FONSECA 1983 Encore intense, avec un disque rubis. Nez âcre, bien que pur, de fruits noirs; mi-sucré avec des tannins considérables et une acidité équilibrée. Saveurs puissantes et audacieuses de fruits foncés, et finale longue et puissante. Un vin classique qui a besoin de temps. Pas aussi extraordinaire que le 1985, mais tout de même exceptionnel.

VINTAGE FONSECA GUIMARAENS 1982 Ce vin est très épanoui pour le vintage: déjà grenat pâle, tirant sur la couleur d'un jeune tawny. Nez d'épices et de vieux bois, modérément prononcé, pas aussi puissant que l'on pourrait s'attendre d'un vintage. Mi-sucré avec des tanins légers et une acidité équilibrée. Un vin à boire dans les prochaines années.

VINTAGE FONSECA 1980 Bien qu'assez agréable, ce vin est le plus décevant des Fonseca, quoique Bruce Guimaraens soit convaincu qu'avec le temps il deviendra un vin intéressant. Léger et mûr au point de vue de la couleur, avec un nez d'épices et d'alcool; léger et manquant plutôt de fruits.

VINTAGE FONSECA GUIMARAENS 1978 Couleur rouge grenat pâle; clairement mûr. Nez fin et délicat de fruits avec soupçons de vanille et de vieux bois. Mi-sucré avec des tanins perceptibles, mais non puissants, et une finale longue et mûre. Un vin à boire maintenant. Très bon à court terme.

VINTAGE FONSECA GUIMARAENS 1976 C'est un bon vin, quels que soient les paramètres utilisés pour le juger. Considérant le prix, et le fait que son producteur le qualifie de vin secondaire, il est stupéfiant. De couleur très intense, son apparence ne porte aucune trace d'âge. Un nez très plein de fruits et de réglisse, avec des caractères de viande, presque de gibier, dus à son âge. Mi-sucré et très charnu, concentration massive de fruits et tanins assez fermes, grâce auxquels le vin se conservera plusieurs années. Pas aussi complexe qu'un vintage Fonseca classique, mais aussi bon que certains, et meilleur que d'autres vintages de meilleures années. (Il est intéressant de noter que jusqu'à maintenant ce vin n'a formé qu'un très faible dépôt.)

FONSECA VINTAGE 1975 Il existe peu de 1975 qui soient en bon état. La plupart devraient avoir été consommés. Ce vin de Fonseca est une exception. C'est l'un des meilleurs vins du vintage. Maintenant tout à fait mûr, avec un fruité légèrement fragile une fois ouvert (il importe de ne pas le laisser décanter trop longtemps), mais avec assez de structure pour tenir encore quelques années.

Forrester & Ca., S.A.

Rua Guilherme Braga, 38, Apartado 61
4401 Vila Nova de Gaia Codex, Portugal

Joseph James (par la suite Baron) Forrester fut l'un des grands noms de l'histoire du porto. C'était un géographe, un cartographe et un artiste, aussi bien qu'un œnologue. Son nom compte parmi les plus célèbres de l'industrie. Il existe même à Porto une rue qui porte son nom. En dépit de toute cette gloire, la société Forrester & Ca. Lda., utilise le nom Offley pour ses vins.

La famille Offley vient de l'ouest de l'Angleterre. Le premier William Offley fut shérif de Stratford à partir de 1517. Comme M. Christopher Smith, de Smith Woodhouse, son fils fut Lord-maire de Londres. Cependant, ce ne fut que 200 ans plus tard que les liens s'établirent avec le Portugal, quand le septième William Offley fonda une société à Porto en 1737.

INFORMATION

VISITES *Seuls les membres de l'industrie sont admis.*

VINS RECOMMANDÉS *Tawnies, particulièrement les 10 ans et 20 ans.*

APPRÉCIATION GÉNÉRALE ★★

Offley fut rejoint en 1803 par Joseph Forrester, l'oncle du célèbre Joseph James, qui travailla pour la société de 1831 jusqu'à sa mort dans le fleuve Douro en 1862. Après un déjeuner à la quinta de Dona Antónia Ferreira, le bateau dans lequel il avait pris place chavira dans les rapides de Valeira, et il se noya. On dit qu'il aurait été entraîné au fond par sa lourde ceinture, qui contenait l'or destiné à payer les viticulteurs. Les femmes qui l'accompagnaient réussirent à flotter jusqu'à la rive, grâce à leurs robes à crinoline.

L'examen de l'histoire plus récente de la société permet de constater que celle-ci a été l'objet d'un certain nombre de prises de contrôle et d'échanges d'actions. Au début des années 1960, elle a été achetée par Sandeman. Martini & Rossi, le géant du vermouth, a acquis des intérêts partiels dans la firme, et en 1980, quand Seagram a pris le contrôle de Sandeman, Martini a acquis Forrester. Malgré ces changements, la société a su maintenir la qualité de ses marques de vins de qualité supérieure. Cependant, les vins courants, les moins chers, ne sont pas sensationnels. La société a été vendue tout récemment à Sogrape, qui était déjà propriétaire de Ferreira, le chef de file de l'industrie au Portugal. Considérant la position de Ferreira dans le marché domestique en ce qui a trait aux vins de qualité supérieure, il sera intéressant de voir si la philosophie de la société va changer, et si oui comment.

NOTES DE DÉGUSTATION

BARON DE FORRESTER 20 ANS Très brun avec à peine un soupçon de rouge; nez prononcé de caramel et de fudge avec des figues séchées. Mi-sucré avec une acidité mordante et un peu de tanin. Fruits très évidents et francs au palais, ce qui donne un vin complexe avec une bonne persistance.

BARON DE FORRESTER 1975 RESERVE Offley ne se spécialise pas dans les colheitas comme le font Gilberts ou Noval, mais celui-ci mérite l'attention. Couleur assez intense, brun moyen, sans trace de rouge pour le moment. Un nez moyennement puissant évoquant la fumée et les épices, avec des fruits séchés et du caramel. Mi-sucré, avec une acidité tout juste équilibrée; corps et concentration avec une longue finale.

VINTAGE BOA VISTA 1985 De couleur rubis intense, le vin ne présente pas de signes de maturité. Nez plein, riche de pruneaux et de poivre noir, qui commence à évoluer. Saveur pleine, tanins assez fermes et une structure équilibrée. Un vin plein légèrement moins complexe que certains autres issus des grandes maisons. Il commence à être agréable à boire.

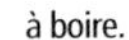

NOTES DE DÉGUSTATION

TAWNY AVEC INDICATION D'ÂGE

BARON DE FORRESTER 10 ANS
Brun roux intense avec un léger nez de pâte d'amande; alcool pas trop présent. Mi-sucré avec un léger tanin résiduel et une saveur pleine, riche et concentrée de noix qui a un charme considérable.

BARON DE FORRESTER 20 ANS
(voir page 112)

COLHEITA

BARON DE FORRESTER 1975 RESERVE (voir page 112)

SINGLE QUINTA VINTAGE

VINTAGE BOA VISTA 1994
Couleur tirant vers le pâle, plus pâle que la plupart, avec un nez léger et fruité de fruits rouges plutôt que noirs; un peu fugace. Mi-sucré avec des tanins fermes, mais pas agressifs, qui dominent un peu les fruits pour le moment. Quand nous l'avons goûté, il avait été embouteillé depuis peu. L'embouteillage fait souvent subir un «choc» au vin. Il est probable que les fruits évoluent durant les prochains mois. Certainement un vin à moyen terme, mais il sera intéressant de voir comment il évoluera.

PRODUCTION

Boa Vista.

Raisins achetés.

IL FAUT DES TONNELIERS POUR CONSTRUIRE ET RÉPARER LES PIPES

VINTAGE BOA VISTA 1989 Rubis intense avec un nez chaud de fruits cuits et de poivre noir. La consistance est moyenne et les tanins fermes, mais le fruit est un peu trop cuit au palais, ce qui lui enlève un peu de son élégance. Pas encore prêt, mais pas un vin à très long terme. Il sera probablement prêt à la fin de la décennie.

VINTAGE BOA VISTA 1987 Assez épanoui pour un vin si jeune. Intensité moyenne avec un nez plein de fruits et d'épices; le piment de la Jamaïque s'impose. Mi-sucré et équilibré, avec une acidité modérée et une consistance moyenne. Un vin à moyen terme, qui change en ce moment. Il va probablement atteindre son sommet dans quelques années.

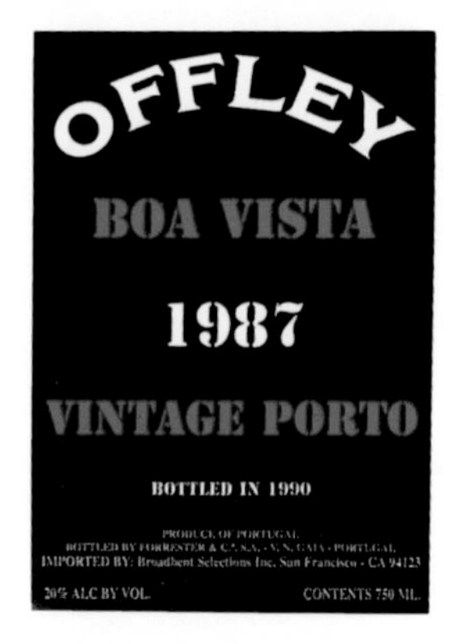

VINTAGE BOA VISTA 1985
(voir page 112)

VINTAGE BOA VISTA 1983 Moins intense que le 1985, mais même caractère de poivre avec des fruits pleins aux accents de pruneaux. Moins concentré au palais, et n'a pas la complexité du 1985. Doté de tanins plus doux, ce vin se boit bien et continuera à se maintenir pendant encore quelques années.

À L'INTÉRIEUR DU CHAI DE FORRESTER À GAIA.

Garrett & Ca., Lda.

Av. da Républica, 796, Apartado 27
4431 Vila Nova de Gaia Codex, Portugal

La société Garrett est relativement nouvelle dans le commerce du porto: elle a été fondée par sa société sœur, la Sociedade dos Vinhos Borges (voir page 71) en 1984.

Actuellement, sa gamme de produits est très limitée: seuls un blanc jeune, un tawny courant et un ruby sont produits. Elle ne produit pour le moment aucun vin de qualité supérieure. Les vins produits sont délibérément destinés au marché le plus «économique», ce qui protège la réputation de Borges au point de vue de la qualité, tout en lui permettant de prendre une part de cet important marché concurrentiel avec des produits fiables et constants.

INFORMATION

VISITES *Non.*

VINS RECOMMANDÉS
Porto blanc.

APPRÉCIATION GÉNÉRALE ★

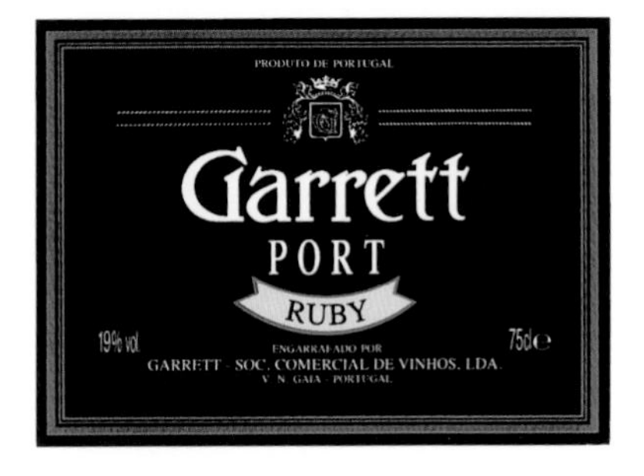

PRODUCTION

Sans objet.

Raisins achetés des quintas de Borges.

NOTES DE DÉGUSTATION

BLANC Couleur dorée d'intensité moyenne avec un nez fruité et floral ouvert. Mi-sec avec une acidité mordante et une consistance moyenne. Plutôt alcoolisé au palais, bien que pas autant au nez, avec une persistance moyenne. Un apéritif plus sucré assez agréable, ou une base pour les cocktails.

TAWNY Les tawnies courants sont censés être rouges plutôt que bruns, mais celui-ci est étonnamment rouge. Il est de couleur rubis très intense pour un tawny, avec un nez fruité léger et frais de cerises et de framboises. Mi-sucré avec une acidité équilibrée et un tanin très léger. C'est un vin agréable et pas compliqué, léger de corps et de saveur, sans grand caractère.

Gilberts & Ca., Lda.

Rua de Belmonte, 39–1° 4000
Porto, Portugal

En 1962, la firme d'origine allemande de Burmester a acheté une petite société indépendante appelée Alcino Correia Riberio, avec son stock de vieux tawnies. Le nom de la société fut changé pour celui de Gilbert, en l'honneur de Karl Gilbert, un ancien associé et directeur de Burmester, et un descendant de la famille Burmester d'origine. La date de fondation de 1914 imprimée sur les étiquettes désigne celle de la firme originale.

Karl Gilbert est né à Metz, en Lorraine, France. Sa mère venait de Porto et de l'industrie du porto, de sorte qu'il était logique que celui-ci s'associe à une firme de porto dans sa jeunesse. En plus d'avoir été un membre respecté de l'industrie du porto, Karl Gilbert fut consul honoraire à Porto de l'Empire austro-hongrois jusqu'en 1918. Les dirigeants de la firme sont tous des Gilbert ou des Burmester, mais les sociétés Gilberts et Burmester sont toutes deux gérées de manière indépendante l'une de l'autre.

Comme Burmester est propriétaire de la Quinta Nova de Nossa Senhora do Carmo, il n'est pas surprenant que la majorité du vin en provienne. Gilberts, la société affiliée, ne possède pas de vignobles. Les vins sont mûris à Vila Nova de Gaia, pour éviter les duretés de l'été dans le Douro. Les chais ne sont pas ouverts aux visiteurs.

Comme la société qui lui est apparentée, Gilberts produit quelques vintages agréables et bien faits. Ses portos vieillis dans le bois, les tawnies et les colheitas, sont plus intéressants. Les vins de Gilberts peuvent être très sucrés, et parfois cette caractéristique domine les saveurs.

INFORMATION

VISITES *Non.*

VINS RECOMMANDÉS *Colheita 1940, Vintage 1994.*

APPRÉCIATION GÉNÉRALE ★

PRODUCTION

Sans objet.

Approvisionnement à la Quinta Nova de Nossa Senhora do Carmo.

NOTES DE DÉGUSTATION

10 ANS Plus brun que l'exemple de la société sœur (Burmester); roussâtre avec un large disque orange. Nez très plein et alcoolisé de fumée de bois et d'écorces séchées. Très sucré avec une acidité tout juste équilibrée. Caractère fumé très puissant au palais avec une finale longue et alcoolisée.

COLHEITA 1940 Couleur claire et intense de caramel. Nez très intense, alcoolisé avec des soupçons d'écorces séchées et de sucre brûlé. Voici un nez très mature qui a perdu tous ses fruits, mais est devenu hautement concentré, évoquant le meilleur et le plus vieux sherry amontillado. Palais extrêmement sucré: c'est un vin pour les amateurs de friandises. Le goût sucré masque vraiment une bonne partie de la saveur.

VINTAGE 1994 Centre noir avec un disque pourpre étroit. Le nez est semblable au jus de fruits concentré: très jeune et assez âcre. Sucré avec des tanins fermes et du corps. Pas aussi frais et vif que certains, mais tous les ingrédients sont là pour en faire un vin à moyen ou à long terme.

NOTES DE DÉGUSTATION

TAWNY AVEC INDICATION D'ÂGE

10 ANS (voir page 117)

20 ANS Couleur orange pâle avec un disque large et mûr. Puissant nez de fumée avec des traces d'orange et d'écorces séchées. Mûr, mais pas caramel. Très sucré avec un fruité de confiture, d'écorces cuites plutôt que de noix. Bonne et longue persistance, mais pas aussi concentré que l'équivalent de Burmester.

COLHEITA

COLHEITA 1955 Couleur brun noisette et nez de caramel et de fudge, très mûr et oxydé — délibérément, bien sûr. Sucré, presque collant au palais avec une acidité tout juste équilibrée. Saveur néanmoins très concentrée, et de texture et de saveur plutôt médicinales. Durée et complexité extraordinaires. Presque trop concentré. Un bon vin, si vous aimez le style.

COLHEITA 1940 (voir page 117)

KARL GILBERT.

LBV

LATE BOTTLED VINTAGE 1985 Un autre LBV traditionnel, qui a besoin d'être décanté parce qu'il forme un dépôt important. Couleur grenat de moyen à profond, d'apparence assez mûre, avec un nez d'épices et de raisin, peut-être juste un peu grossier, mais très complexe. Très sucré, avec des tanins doux et une acidité équilibrée.

VINTAGE

VINTAGE 1994 (voir page 117)

VINTAGE 1985 Ne présentant pas de maturité sur le disque, ce vin a un nez jeune de prunes et de figues. Consistance moyenne; sucré avec des tanins doux et une bonne concentration. Il sera prêt bientôt.

VINTAGE 1963 Tout à fait mûr, de couleur rouge grenat avec un nez complexe de vieux bois, d'épices et de gâteau aux fruits. Moins sucré que certains des vins Gilberts (peut-être à cause de la complexité additionnelle de l'âge), avec une finale longue et persistante.

PORT
LATE BOTTLED VINTAGE
1987

BOTTLED 1991
BOTTLED AND SHIPPED BY Gilberts & Ca. Lda. OPORTO
75 cl. PRODUCT OF PORTUGAL 20% vol.

Gilberts
PORT
VINTAGE
1992
BOTTLED 1994
BOTTLED AND SHIPPED BY Gilberts & Ca. Lda. OPORTO
75 cl. PRODUCT OF PORTUGAL 20% vol.

Gilberts
PORT
colheita
1987
MATURED IN WOOD
TAWNY SWEET
BOTTLED AND SHIPPED BY
Gilberts & Ca. Lda.
PORTO
PRODUCT OF PORTUGAL
75 cl. 20% vol.

Gould Campbell

Trav. Barão de Forrester, Apartado 26,
4401 Vila Nova de Gaia Codex, Portugal

Gould Campbell est l'une des firmes du groupe Symington, avec Warre & Ca., S.A., W. & J. Graham & Co., Silva & Cosens Lda., Smith Woodhouse et Quarles Harris. Fondée en 1797, juste avant la Guerre péninsulaire, la firme a une longue expérience dans la production de porto de qualité. Elle fait encore du bon vin, comme le prouvent les dégustations anonymes, mais elle a été injustement reléguée au rang des marques inférieures. Même la direction des relations publiques de Symington la décrit comme l'une de ses marques secondaires.

Il est indéniable que Gould Cambell n'est pas du même calibre que les marques de première qualité de Symington — Dow, Graham et Warre — mais classer ces vins dans la catégorie inférieure, c'est se priver de quelques très bons portos.

Contrairement aux trois marques de première qualité mentionnées ci-dessus, 92 pour cent de la production est fabriquée à partir de raisins achetés. Une bonne partie provient de petites fermes où une rangée de vignes contient plusieurs variétés de raisins, de sorte qu'il est impossible de déterminer quelles variétés sont utilisées. Les 8 pour cent qui restent viennent de la Quinta de Santa Magdalena, dans la vallée du Rio Torto. Cette petite ferme, d'environ 10 hectares, a été replantée selon le programme de la Banque Mondiale, c'est-à-dire en talus, ou patamarès.

INFORMATION

VISITES *Visite des chais, sur réservation seulement. Tél. (351–2) 3796063.*

VINS RECOMMANDÉS *Vintage 1983, Vintage 1985.*

APPRÉCIATION GÉNÉRALE ★★

GOULD CAMPBELL
Est. GCC° 1797
THE SEAL USED BY MR. GARRETT GOULD TO BRAND THE CASKS HE SHIPPED FROM OPORTO
Fine Ruby PORT
Bottled and Shipped by Smith Woodhouse & Ca Lda
V.N.GAIA
PRODUCE OF PORTUGAL
19% alc./vol. ℮ 75cl/750ml

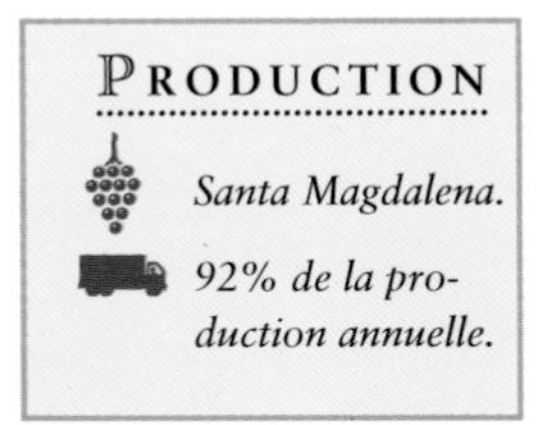

NOTES DE DÉGUSTATION

LATE BOTTLED VINTAGE 1990 Par contraste avec le LBV de Smith Woodhouse, c'est un LBV de style moderne. Couleur rubis de moyenne à profonde avec des traces de fruits et d'épices. Consistance moyenne avec acidité fraîche et nette, palais mi-sucré. Un bon exemple de LBV intermédiaire.

VINTAGE 1991 De couleur très intense avec un nez riche et fruité. Légèrement maigre au palais, avec une belle finale propre. Encore beaucoup trop jeune: c'est un vin qui ne sera pas à son meilleur avant une dizaine d'années.

RUBY

FINE RUBY Ruby agréable, honnête, jeune, de consistance légère à moyenne, avec une acidité équilibrée et un tanin très faible. Un porto facile à boire.

VINTAGE

VINTAGE 1994 Goûté deux fois depuis la déclaration de vintage. Couleur d'intensité moyenne, avec à l'origine un accent légèrement terreux, végétal, qui cède la place à un goût râpé fruité. Consistance moyenne à légère avec un fruité plutôt maigre. Une deuxième bouteille demandée à la première dégustation s'est révélée identique. Une dégustation plus récente n'a pas révélé de différences importantes. Ce n'est pas un vintage très réussi pour cette maison.

VINTAGE 1985 Couleur rouge rubis sombre, d'apparence encore très jeune. Nez riche, puissant et très mûr, chargé de prunes. Mi-sec avec structure ferme et bonne persistance. Un excellent vin à long terme.

VINTAGE 1983 L'un des meilleurs vins dégustés de Gould Campbell. De couleur encore très intense avec un nez puissant et mûr, massivement fruité. Palais plutôt jeune, non développé, avec des tanins très fermes, mais le fruité est suffisamment concentré pour les dominer. Un vin à conserver à très long terme.

W. & J. Graham & Co.

Trav. Barão de Forrester, 85, Apartado 19
4401 Vila Nova de Gaia Codex, Portugal

Graham est indubitablement l'un des plus grands exportateurs de porto; il produit quelques-uns des portos les plus achevés et les plus riches. La firme, qui fait désormais partie de l'empire Symington, a été fondée au début du XIXe siècle. À l'origine, elle faisait commerce dans le textile. Ce n'est que par accident qu'elle s'est lancée dans l'exportation du porto.

Comme plusieurs des exportateurs britanniques, Graham est d'origine écossaise, plutôt qu'anglaise. Bien que le siège social de la firme ait été situé à Glasgow, elle avait un bureau à Porto, où en 1820, on accepta 27 fûts de porto en paiement pour une mauvaise créance. Le vin s'avéra populaire, et bientôt la société écossaise mère demandait aux deux directeurs de Porto, les frères William et John, de renouveler leur stock. À la fin du XIXe siècle, le porto était devenu leur principal produit commercial.

INFORMATION

VISITES *Les chais et le musée sont ouverts de 9h30 à 18h30 tous les jours de l'été; en hiver ils sont fermés les week-ends et à l'heure du déjeuner (12h30 à 13h30). Tél. (351–2) 3796065.*

VINS RECOMMANDÉS *LBV et vintages, surtout les 1985 et 1994.*

APPRÉCIATION GÉNÉRALE ★★★

Originaire d'Écosse, Andrew James Symington s'associa à Graham à son arrivée au Portugal, mais il quitta bientôt cette firme pour s'associer à Warres. La relation avec Symington devait être rétablie près d'un siècle plus tard quand, en 1970, la famille Graham vendit l'entreprise à l'empire Symington.

Au long du quart de siècle qui suivit, la direction de l'entreprise a pris soin de protéger l'image et le style de la marque. Les différentes sociétés du groupe ont leurs caractéristiques propres bien définies: les vins de Graham sont pleins, riches et assez sucrés.

La quinta vedette de la société est la Quinta dos Malvedos, située dans le Cima Corgo, sur la rive nord du fleuve Douro, un peu à l'ouest de Tua. Aujourd'hui, la quinta surplombe les eaux calmes du fleuve endigué, mais à l'origine, le fleuve à cet endroit était déchaîné, ce qui inspira le nom de la quinta: Malvedos veut dire «mauvais caractère». Graham acheta la ferme en 1890, à l'époque où de nombreux exportateurs achetaient des propriétés dans le Douro. Quand Symington a acquis Graham, elle ne voulait pas de la quinta, qui était alors exploitée à perte. Celle-ci fut offerte à la famille, qui la refusa après avoir songé à la transformer pour la culture d'agrumes. Finalement, la ferme fut vendue à António Baltasar Baptista. La ferme continua cependant de se détériorer et la production de décliner.

En 1982, les Symington, qui utilisaient déjà la marque «Malvedos» (et non, il convient de le noter, «Quinta dos Malvedos»), rachetèrent la ferme et investirent massivement dans la replantation et l'amélioration générale de la ferme et de la cave de vinification. Pratiquement toutes les vignes, sauf un petit vignoble modèle, sont cultivées en patamarès. La preuve de l'éloignement du Douro, c'est que Malvedos n'a été rattaché au réseau d'alimentation électrique qu'en 1984.

La Quinta dos Malvedos répond à environ un quart des besoins de Graham; le reste est acheté, particulièrement de la Quinta das Lages, située dans la vallée du Rio Torto, près de Bom Retiro, propriété de Ramos Pinto. La Quinta das Lages vend son vin à Graham depuis près de 80 ans, et son vignoble principal a constitué la base de plusieurs vintages de Graham. Le directeur de la quinta est fier non seulement du fait que ses vins aboutissent dans une maison aussi prestigieuse, mais également que sa relation avec celle-ci soit basée sur la confiance et la poignée de main, plutôt que sur un contrat écrit.

Une forte proportion de la production totale de Graham est fabriquée selon les méthodes traditionnelles, car la plupart des raisins de Malvedos et de Lages sont foulés par pieds d'homme. Le reste, un peu plus de la moitié, est soumis à l'autovinification mécanique, que Symington préfère au remontage. Près des deux tiers de la production est classée par l'Instituto do Vinho do Porto dans la «Catégorie spéciale», celle des portos de qualité supérieure. Leur LBV vient de déclasser Taylor comme premier vendeur au Royaume-Uni, et il est également très populaire aux États-Unis. Cependant, c'est de ses vintages que la société est particulièrement fière — et à juste titre.

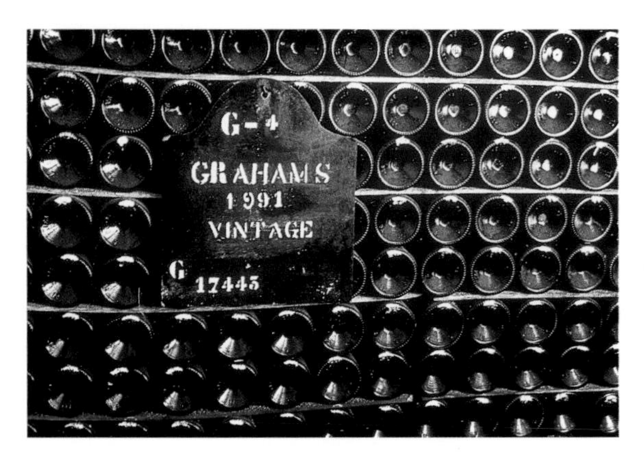

Le porto vintage de Graham's

NOTES DE DÉGUSTATION

SIX GRAPES Le ruby de qualité supérieure de la société. De couleur ruby très intense avec un disque pourpre cramoisi d'apparence jeune. Fruité de baies très prononcé et jeune avec des traces de cassis et de cerises. Sucré, mais avec une acidité fraîche, des tanins souples mais perceptibles, et une persistance raisonnable.

TAWNY 10 ANS Brun roussâtre très intense; d'apparence pas aussi mûre que certains autres 10 ans. Nez riche et très plein de prunes et de pruneaux mûrs avec des figues séchées et des abricots. Un nez fruité. Palais plein, puissant, assez sucré mais avec une acidité équilibrée et une persistance exceptionnelle. Un très bon exemple de ce type, quoiqu'un peu jeune.

TAWNY 25 ANS D'apparence beaucoup plus mûre; dominante de noix authentique avec noisettes et noix du Brésil manifestes. Sucré avec une texture soyeuse qui masque l'alcool au palais, quoique celui-ci soit très évident au nez. Un de ces vins dont il est extrêmement facile d'en trop boire.

NOTES DE DÉGUSTATION

MALVEDOS 1984 Graham n'utilise pas le terme Quinta dos Malvedos, ce qui indique que le mélange est susceptible de comprendre d'autres propriétés. Couleur rubis grenat moyen, avec un nez épicé et complexe. Sucré avec un tanin modéré et une bonne consistance. Un vin très agréable à consommer à court et à moyen terme.

VINTAGE 1994 Couleur d'intensité moyenne, quoique bien sûr encore très bleu-violet. Nez léger, faible au début, mais qui s'ouvre pour libérer un fruité sombre et riche avec un caractère chocolaté. Plus intense au palais. Sucré avec une structure massive et une magnifique concentration de fruits. Un vin exceptionnel à long terme.

VINTAGE 1985 Très intense, encore noir d'apparence avec un disque violet des plus étroits. Nez concentré de fruits noirs avec des soupçons de goudron et de fleurs. Très sucré au début, mais avec une acidité suffisante pour l'équilibrer et assez de tanins et de fruits concentrés pour permettre à ce vin de mûrir pendant 20 ou 30 ans.

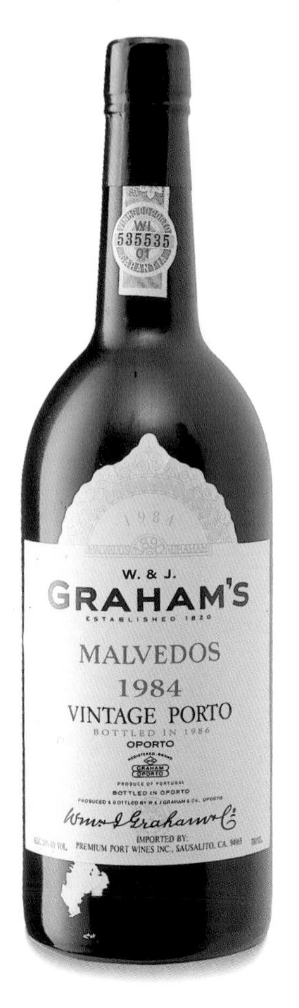

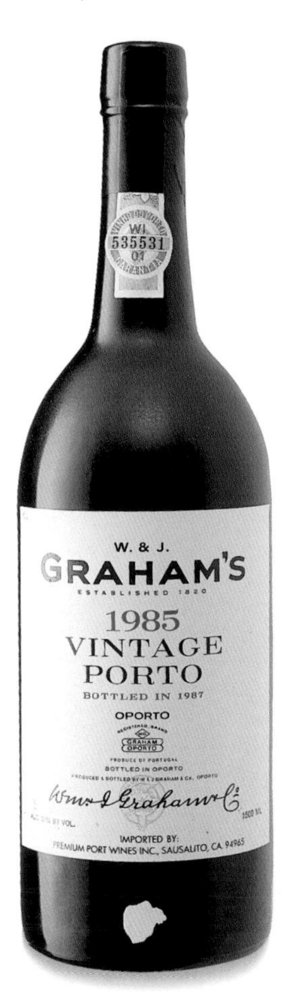

NOTES DE DÉGUSTATION

RUBY

SIX GRAPES (voir page 123)

TAWNY AVEC INDICATION D'ÂGE

TAWNY 10 ANS (voir page 123)

TAWNY 20 ANS (voir page 123)

LBV

LBV 1990 C'est l'un des LBV les plus consistants. De couleur rouge rubis très intense, avec juste un soupçon de maturité sur le disque; nez de fruits noirs intense, de gâteau aux fruits et d'épices. Palais extrêmement puissant et sucré, avec une acidité et des tanins équilibrés. L'impression générale qui en ressort est que le vin est puissamment charnu. C'est l'un des meilleurs LBV de style moderne. Le style est très différent de celui de Taylor, plus sucré et un peu moins puissant, mais de qualité équivalente.

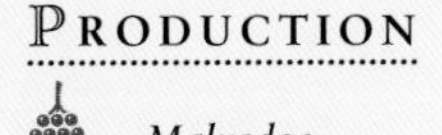

PRODUCTION

Malvedos.

75% de la production annuelle.

SINGLE QUINTA VINTAGE

MALVEDOS 1984 (voir page 124)

VINTAGE

VINTAGE 1994 (voir page 124)

VINTAGE 1991 Comme le 1994, le nez, fermé et serré, ne révèle pas grand-chose. S'ouvrant au palais de façon spectaculaire, il se révèle intensément riche avec un fruité concentré de prunes. Il n'est peut-être pas aussi concentré que le 1994, mais ici encore il s'agit d'un vin à long terme.

VINTAGE 1985 (voir page 124)

VINTAGE 1983 De couleur encore très intense avec un nez prononcé de fruits frais et séchés, auxquels s'ajoutent des soupçons de prunes, de figues et de gâteau aux fruits avec un alcool poivré. Plein et riche dans le style typique de Graham. Pas aussi ouvertement fruité que le vintage 1985, un peu plus maigre d'une certaine façon, mais encore plein avec une finale très longue. Un des meilleurs 1983, à conserver à long terme.

LA MAISON DE GRAHAM'S À GAIA.

Hutcheson, Feuerheerd & Associados – Vinhos, S.A.

Rua D. Leonor de Freitas, 1802,
P.O. Box 39, 4401 Vila Nova de Gaia
Codex, Portugal

Hutcheson fut établie en 1881 par deux négociants britanniques, Thomas Page Hutcheson et Alexander Davidson Taylor. La firme s'est spécialisée dans le porto dès le début, contrairement aux firmes fondées au cours de générations précédentes, pour qui le porto n'était qu'un produit parmi d'autres.

Thomas Hutcheson prit sa retraite en 1920 et fut remplacé par Augustus Bouttwood, qui dirigea la société avec Alexander Taylor jusqu'à la mort de ce dernier en 1925. Les deux fondateurs n'ayant pas laissé d'héritiers, l'instabilité de la société la rendit vulnérable aux prises de contrôle. C'est ainsi qu'en 1927, la société Barros, Almeida, alors de fondation récente, en fit l'acquisition.

Feuerheerd a une histoire plus longue. Elle fut établie en 1815 par les ancêtres des Bergqvist, de la Quinta de la Rosa. À une certaine époque, les Bergqvist étaient propriétaires de la firme Feuerheerd et de la quinta, mais quand la société d'exportation connut des difficultés dans les années 1930, celle-ci fut vendue à Barros, Almeida, mais la quinta demeura dans la famille Bergqvist.

Hutcheson et Feuerheerd fusionnèrent en 1996. Au même moment, Barros, Almeida remania son portefeuille de marques en s'associant à Vieira de Souza, A. Pinto Santos Junior, Rocha et Almeida, et de fait Hutcheson et Feuerheerd, associées à Almeida. Suite à la fusion, plusieurs marques de porto disparurent.

La société étant privée de la Quinta de la Rosa, ses vins viennent de la Quinta da Santa Ana dans le Baixo Corgo et de la Quinta de Dom Pedro, située près de la quinta Kopke, à Saó Luiz. La société achète aussi des raisins. Plus de 90 pour cent de sa production se compose de rubies, tawnies et blanc, mais également d'une gamme complète de colheitas.

Information

Visites *Oui, au chai. Tél. (351–2) 302320.*

Vins recommandés
Vintage Feuerheerd 1987.

Appréciation générale ★

Production

Dom Pedro, Santa Ana.

Raisins achetés.

NOTES DE DÉGUSTATION

SOUZA COLHEITA 1983 Couleur brun rougeâtre intense. Nez de caramel et de fudge. Cependant, l'alcool est plutôt prédominant. Saveur de caramel très sucrée susceptible de soulever le cœur si le vin n'est pas assez frais, mais le vin a du corps et une finale raisonnablement longue.

FEUERHEERD VINTAGE 1987 Couleur rubis intense avec un disque rubis moyen. Nez muet, mais qualité médicinale, fumée et herbes. Sucré, avec juste assez d'acidité et tanins modérés. Le palais est extrêmement alcoolisé, l'alcool se révélant très fort en arrière-goût. À boire dans les cinq prochaines années.

RUBY

CHRISTMAS PORT HUTCHESON Couleur intense rouge rubis bleuâtre très jeune, avec un nez fruité peu prononcé de cerises noires amères et de framboises, et un soupçon de confitures. Sucré au palais, sans la structure nécessaire pour contrebalancer le taux de sucre.

VINTAGE CHARACTER HUTCHESON Couleur rouge rubis intense avec un nez prononcé de fruits rouges, mais aussi un arrière-plan d'herbe indiquant que les fruits n'étaient peut-être pas aussi mûrs qu'ils auraient dû l'être. Palais sucré avec suffisamment d'acidité pour équilibrer le sucre. Tanins très doux, consistance moyenne et finale persistante.

C. N. Kopke & Ca, Lda.

Rua D. Leonor de Freitas, 180/2, Boîte postale 39, 4401 Vila Nova de Gaia Codex, Portugal

C.N. Kopke est la plus vieille firme de porto étrangère, et la plus vieille existante. Peu connue à l'extérieur du Portugal et des pays du Benelux, Kopke jouit d'un certain degré d'autonomie au sein du groupe Barros, Almeida, et quelques-uns de ses vins ont obtenu des prix enviables dans des compétitions internationales. Malgré cela, l'entreprise gagnerait à être mieux connue et à distribuer ses vins plus largement.

Les archives de la société ont été détruites par un incendie en 1882, de sorte que de nombreux détails de son histoire nous manquent. On sait tout de même que celle-ci a été fondée par un Allemand, Christiano Kopke, dès 1638. Le commerce du porto n'était que l'une de ses nombreuses activités, mais il s'est révélé le plus durable.

Les Allemands Kopke et les Hollandais van Zellers semblent s'être unis par le mariage à plusieurs occasions, et grâce à l'une de ces unions Kopke prit la direction de la célèbre Quinta do Roriz. Exporté par Kopke au XVIIIe siècle, le porto de Roriz fut l'un des premiers à être exportés comme vin de single quinta. Les van Zellers sont encore propriétaires de Roriz, mais les raisins de Roriz ne sont plus vendus à Kopke.

Le cœur du mélange vient maintenant de la Quinta São Luiz, située en aval entre les affluents Torto et Távora. Acquise par Kopke en 1922, la quinta a été achetée avec la société d'exportation par Barros, Almeida en 1953. La Quinta São Luiz et les quintas voisines Lobata et Mesquita produisent environ huit pour cent des besoins de la société, mais ce sont ces huit pour cent qui comptent le plus, parce qu'il s'agit de vignobles de catégorie A.

Barros ayant particulièrement à cœur de s'engager dans la viticulture moderne, les terrasses traditionnelles sont graduellement remplacées par les patamares ou vinha ao alto, plus modernes. De même, seule une petite proportion du vin est fabriquée dans les lagares; la majorité est désormais produite par remontage.

Information

Visites *Oui, au chai, 183 Rua Serpa Pinto, Vila Nova de Gaia. Tél. (351–2) 302420.*

Vins recommandés *Vintage 1991.*

Appréciation générale ★★

Notes de dégustation

COLHEITA 1977 Couleur brun roussâtre d'intensité moyenne, et légère touche de rouge. Nez plein de caramel et de sucre brûlé, d'huile de noix et d'alcool. Sucré, un peu trop, avec une saveur d'alcool et de caramel au palais. Très longue finale. Vin corsé, très mûr, de bonne qualité, mais qui manque de la fraîcheur qui donne de l'élégance à ce style de vin.

VINTAGE 1991 Couleur rouge rubis très intense avec un étroit disque bleu. Fruits rouges et noirs jeunes et très concentrés. Pas encore mûr. Vin assez ample et plein au palais. Sucré avec une acidité équilibrée et des tanins fermes. Fruits noirs avec des accents de chocolat. Un vin qui sera à son meilleur vers l'an 2000.

PORTO
KOPKE
1977
PORT

Production

Lobata, Mesquita, São Luiz.

92% de la production annuelle.

Martinez Gassiot & Co., Ltd.

Rua das Coradas, 13, Apartado 20
4401 Vila Nova de Gaia Codex, Portugal

Sebastian Gonzalez Martinez, un Espagnol, a fondé la firme qui porte son nom en 1790. À l'origine, la société achetait et vendait du sherry, du porto et des cigares. En 1822, un Anglais, John Peter Gassiot, s'est associé à Martinez et a ajouté son nom à la société. À cette époque, Martinez opérait à partir de Londres et achetait son vin de divers exportateurs. La société acquit son chai à Vila Nova de Gaia en 1834, et en confia bientôt la direction à John F. Delaforce, le père de George Henry Delaforce, qui devait fonder la firme du même nom. Sebastian Martinez ne prit sa retraite qu'en 1849, et alors la gestion quotidienne de la société fut assumée par Gassiot et ses deux fils, John et Charles.

Information

Visites *Sur réservation seulement.*
Tél. (351–2) 300215.

Vins recommandés
Vintages 1970, 1994, Tawny 30 ans.

Appréciation générale ★★

L'entreprise devint une société ouverte en 1902. On raconte que, quand Jonnie Teage, associé principal chez Cockburn Smithes, apprit la chose, il voulut se rendre à Londres pour voir si une coopération entre les deux entreprises était possible. Il décida de ne pas y aller, parce que certaines réparations au chai de Cockburn l'occupaient beaucoup. Ironiquement, 60 ans plus tard, les deux entreprises devaient se retrouver sous le contrôle de Harvey, de Bristol.

Cockburn est la plus imposante des deux sociétés. Par conséquent, Martinez a tendance à être confinée à la vente exclusive de ses étiquettes. Les vins Martinez peuvent cependant représenter une excellente affaire, parce que la marque est moins connue.

Martinez s'approvisionne principalement aux mêmes vignobles que Cockburn, en plus de pouvoir compter sur la Quinta da Eira Velha. Propriété de la famille Newman, des négociants de l'ouest de l'Angleterre, cette quinta est gérée par Cockburn et Martinez, et le vin est vendu sous l'étiquette Martinez. Eira Velha est l'une des plus vieilles quintas de la région, et son histoire est bien documentée. Le vin est souvent vendu comme single quinta vintage.

Les portos vintages Martinez sont parfois vendus, surtout aux États-Unis, sous le nom de Harvey.

NOTES DE DÉGUSTATION

VINTAGE CHARACTER Jeune, couleur rubis assez pâle. Nez de fruits rouges modérément prononcé et d'herbes, légèrement poivré. Fruité juteux; mi-sucré avec une acidité mordante, qui donne un style de vin très vif et fruité. Tanins souples et consistance moyenne avec une finale propre.

TAWNY 30 ANS Ambre roux pâle avec un nez léger, très mûr, d'alcool et de fumée de bois, et des accents de châtaignes rôties. Mi-sucré avec une saveur pleine de fruits séchés et de noix. Acidité mordante et astringente avec finale très longue.

VINTAGE 1985 Même après 10 ans, encore rouge cramoisi intense avec un nez puissant de sirop de figues et de dattes fraîches. Assez sucré avec des tanins fermes et une acidité remarquablement fraîche, presque comme du jus de citron — il rafraîchit le palais de la même façon qu'un sorbet. Inusité, mais pas du tout désagréable.

Notes de dégustation

RUBY

VINTAGE CHARACTER
(voir page 131)

TAWNY AVEC INDICATION D'ÂGE

TAWNY 30 ANS (voir page 131)

VINTAGE

VINTAGE 1994 Couleur violet-noir très profond, avec un nez très intense, dominé par des fruits noirs. Palais extrêmement puissant avec une concentration de chocolat continental très noir, des tanins fermes, et une persistance exceptionnelle. Le vin était très impressionnant quand il a été dégusté en juillet 1996. Il se classe parmi les meilleurs du vintage. Un vin qui vivra pendant de très nombreuses années.

VINTAGE 1991 Couleur plus moyenne qu'intense; nez fruité, malgré une odeur d'acétone légèrement volatile, très alcoolisé. Fruits souples et mûrs au nez et au palais, avec une structure de tanins et d'acidité intense. Capable d'un long vieillissement. Dégusté parallèlement au Cockburn 1991, il est préférable à ce dernier, en dépit du fait que les deux vins ont été fabriqués par la même équipe.

VINTAGE 1985 (voir page 131)

VINTAGE 1970 Dégusté en octobre 1996 des stocks mûris au chai, à l'occasion d'une dégustation anonyme de trois 1970. Ce vin est actuellement de couleur rubis pâle avec un large disque roux, mais il a un nez massivement ouvert et mûr de poivre et d'épices. Palais plein, tanins encore fermes, grande concentration de saveur et persistance. Maintenant à son meilleur, mais il tiendra encore pendant plusieurs années.

Sociedade Agricola E Comercial dos Vinhos Messias S.A.

Rua José Mariani, 139, Apartado 66
4401 Vila Nova de Gaia Codex, Portugal

Établie en 1926, la firme Porto Messias s'est lancée dans le commerce des vins de porto en 1934. Sr Messias Baptista dirigea la société à partir de sa création jusqu'en 1973, puis ses fils et petits-fils prirent la relève.

Le principal vin de coupage vient de la Quinta do Cachão, située tout près de l'autre vignoble de la société, la Quinta do Rei. Ces quintas servent à la production d'une fraction seulement du porto de la société, de sorte que la majeure partie du vin doit être achetée des fermes environnantes, sous forme de raisins, plutôt que de vin.

INFORMATION

VISITES *Pour les membres de l'industrie seulement.*

VINS RECOMMANDÉS *Ruby.*

APPRÉCIATION GÉNÉRALE ★

Comme plusieurs maisons portugaises, Messias dispose d'une longue liste de colheitas, et la sienne remonte à 1947. Cependant, elle affiche une étrange liste de déclarations de vintages. Cinq vintages ont été déclarés dans les années 1980, incluant 1982, 1984 et 1989, mais pas 1985. De même, la firme a décidé de déclarer des vintages en 1967 et en 1968, mais pas en 1966.

Les vins ont tendance à être légers et plutôt fades, un style qui plaît aux Belges, aux Français et aux Néerlandais, qui sont les principaux clients de la société.

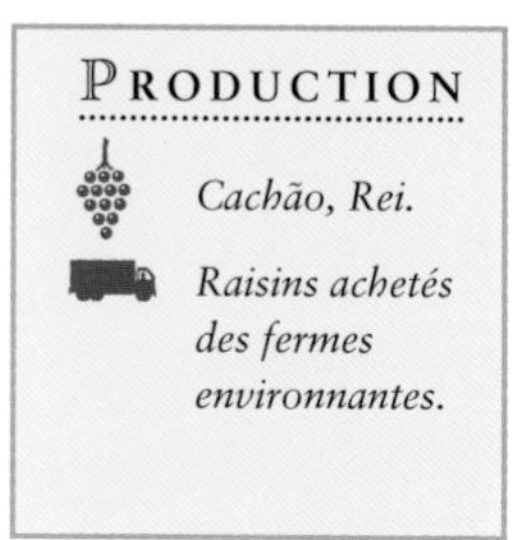

PRODUCTION

Cachão, Rei.

Raisins achetés des fermes environnantes.

LES SPECTACULAIRES VIGNOBLES DE LA QUINTA DO CACHÃO.

Notes de dégustation

RUBY Couleur rouge rubis pâle avec un nez jeune et frais de cerises et de framboises. Parfums de fruits d'été. Sucré et de consistance légère, manquant de profondeur et de concentration. Il gagne à être servi frais, ce qui permet d'en apprécier la fraîcheur sans se préoccuper de la complexité.

COLHEITA 1980 Couleur roussâtre légèrement floue, avec un nez propre et assez intense d'«épices de vermouth», semblable au caractère d'herbes et d'épices du vermouth rosso. Sucré avec une faible acidité, qui donne une finale alcoolisée et sucrée. Plutôt fade au palais.

VINTAGE 1982 Couleur rubis tirant sur le grenat, avec un nez suffisant de prunes et d'épices, plus léger que la plupart des vins des années 1980. Sucré avec une structure légère, des tanins modérés et une acidité souple; un palais légèrement décevant comparé au nez. À boire maintenant.

Niepoort (Vinhos) S.A.

Rua Infante D. Henrique, 39-2°
4050 Porto, Portugal

Cette petite firme hollandaise, qui ne produit qu'un demi-million de bouteilles par année, est l'une des moins bien connues de l'industrie. Pourtant, ses vins méritent une reconnaissance beaucoup plus étendue.

Établie en 1842, Niepoort est dirigée par les quatrième et cinquième générations de la famille Niepoort, Relf et son fils, Dirk, responsable des activités du vignoble et de la fabrication du vin. Un homme intense et enthousiaste, Dirk n'affiche étrangement aucune préférence: il est fasciné par les vins du monde. Le dîner chez les Niepoort peut aussi bien être précédé d'un chardonnay australien ou d'un champagne millésimé, que d'un porto blanc ou d'une bière Super Bok, deux spécialités de la région.

INFORMATION

VISITES *Non.*

VINS RECOMMANDÉS
Tawny 10 ans et 30 ans, colheitas, vintages.

APPRÉCIATION GÉNÉRALE
★★★

Jusqu'à tout récemment, la société achetait tous ses raisins de petits producteurs du Cima Corgo dont les vignobles étaient de catégorie A dans la classification cadastrale, la qualité étant pour elle d'une importance primordiale. Dans les années 1980, la société, qui avait survécu pendant 140 ans sans quinta, s'est lancée dans les acquisitions, et en a acheté trois: Nápoles en 1988, Carril en 1989, et la Quinta do Passadouro en 1990. Ces quintas réunies satisfont environ un septième des besoins de la société.

La Quinta do Nápoles devrait être le joyau de la couronne. Située au sud du Douro, sur la rive est du Rio Tedo, c'est l'une des plus anciennes quintas de la région. Son histoire remonte à au moins 500 ans, mais la maison est actuellement très délabrée (et cela, apparemment, depuis une cinquantaine d'années). Des sommes ont cependant été consacrées à la replantation des vignobles et à l'achat de réservoirs en acier inoxydable.

Passadouro appartient à Dirk Niepoort et à Dieter Bohnmann, un industriel. Il s'agit plus d'une entreprise commune que d'une partie de Niepoort S.A. Les vins sont utilisés aussi bien parmi les vins de coupage de la société que comme vins de single quinta. Située dans la vallée de Pinhão, pas loin de Noval, Passadouro se compose de quatre quintas voisines acquises à divers moments. La dernière achetée était une propriété de Taylor. Le bâtiment principal est utilisé comme hôtel privé, bien que la route longue et ardue est susceptible de décourager nombre de touristes qui ne sont pas des voyageurs invétérés.

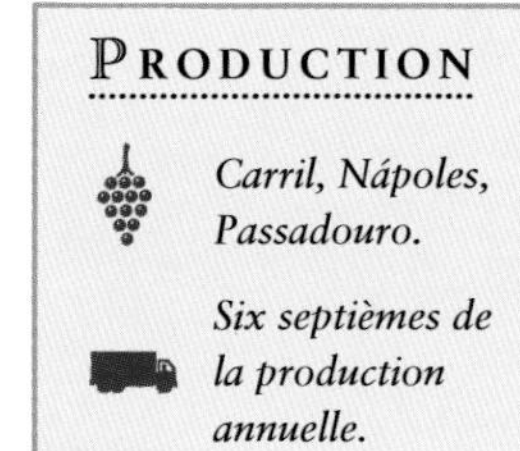

La majorité des vignobles de Niepoort est soumise à la culture biologique, sans pesticides ni herbicides. Dans le très aride Douro, la plupart des cultivateurs essaient d'empêcher la croissance de végétation naturelle entre les vignes et sur les terrasses pour éviter de fatiguer les ceps et de réduire le rendement. La philosophie de Niepoort consiste à garder la mauvaise herbe au ras du sol et à la retirer manuellement. Les vignes ont un rendement très faible, parfois de 42 litres par arpent, ou environ un tiers de bouteille par vigne. En viticulture, on croit que la quantité est inversement proportionnelle à la qualité. La politique de Niepoort améliore donc la qualité des raisins.

En dépit, ou à cause de la formation de Dirk en Californie, de même que de ses fréquentes visites dans d'autres pays producteurs de vin, Niepoort est une maison résolument traditionnelle, fidèle aux méthodes anciennes. Ce n'est pas ici que règnent les technocrates: on n'y trouve pas de chromatographe gazeux, ou d'appareils électroniques de mesure des couleurs. Alors que la plupart des viticulteurs utilisent aujourd'hui des réfractomètres pour évaluer la maturité, la méthode Niepoort consiste à goûter les raisins. Dirk affiche une préférence marquée pour les tanins plus mûrs. Certaines années, il récolte les raisins beaucoup plus tard que la plupart des sociétés dans l'espoir que les tanins vont mûrir. Par conséquent, dans leur jeunesse ses vins sont moins astringents et durs, bien que techniquement ils soient très tanniques.

Environ 40 pour cent du vin est foulé par pieds d'hommes; le reste est soumis au remontage mécanique, qui est la seule concession à la technologie. Même à l'égard du foulage, Niepoort a recours à une tactique différente. La «norme», dans la mesure où un tel concept peut exister dans cette région, consiste à compter dans les lagares une personne par futaille. Niepoort insiste pour qu'il y en ait deux. Par exemple, si 20 futailles doivent être remplies, 40 personnes doivent se trouver dans le lagar. Les fouleurs doivent s'y sentir un peu à l'étroit, mais c'est une excellente méthode d'extraction.

Le chai aussi est conforme aux méthodes traditionnelles: il est petit et étroit. La salle de dégustation ressemble à un musée, avec ses tablettes jaunissantes couvertes du plancher au plafond d'échantillons et de bouteilles de référence — une pour chaque fût ou cuve — et sa bibliothèque de consultation sur les vintages d'autrefois. Dans un coin: un haut pupitre à la Dickens avec un tabouret, qui servent encore quotidiennement. On s'attendrait presque à y voir s'écrire des lettres à la plume d'oie.

NOTES DE DÉGUSTATION

TAWNY 20 ANS Plus complexe et plus puissant que le 10 ans. Couleur d'intensité moyenne avec un nez puissant, presque apparenté au cognac. Mi-sucré avec un palais plein de noix qui garde une fraîcheur étonnante.

COLHEITA 1987 Couleur pleinement roussâtre, avec un nez frais et assez délicat de noix et de fruits séchés. Mi-sucré, avec un palais de léger à moyen. Fruits, sucre et acidité équilibrés, avec une longue persistance.

LBV 1992 Couleur intense, grande concentration de fruits sombres au nez et au palais, avec une structure ferme de tanins et d'acidité qui permettra à ce vin de mûrir encore pendant de très nombreuses années. C'est l'un des plus traditionnels des LBV traditionnels.

NOTES DE DÉGUSTATION

RUBY

RUBY Couleur assez pâle et style léger, avec un caractère très frais, fruité et épicé; pas du tout poisseux.

BLANC

BLANC SEC Couleur orange intense, avec un nez d'agrumes, d'épices et d'écorces confites. Un porto blanc, sec, léger, mais doté d'une structure suffisante pour le rendre intéressant. Les portos blancs de Niepoort sont foulés et vieillis de la même façon que les rouges, ce qui leur confère une complexité et un intérêt supplémentaires.

TAWNY

JUNIOR TAWNY Le tawny de base de la famille. De couleur rubis pâle avec un léger caractère fruité tirant sur la cerise. Un style de moyen à léger avec une fraîcheur qui le rend très facile à boire.

FINE TAWNY Malgré son nom, qui désigne généralement les tawnies les plus élémentaires, c'est un vin assez sérieux. À cinq ans d'âge, il est plus complexe, plus riche et un peu plus sucré que le Junior, mais son nez est quelque peu plus muet.

SENIOR TAWNY Encore un peu plus haut dans l'échelle, un vin d'une concentration et d'une élégance équivalentes. Plus audacieux que les versions plus jeunes, un des rares vins de Niepoort qui soit aussi puissant au nez qu'au palais.

VIEUX TAWNY

TAWNY 10 ANS Couleur orange-brun d'intensité moyenne avec un nez de noisettes délicat, à peine alcoolisé, ce qui est assez inusité pour un tawny. Mi-sucré et parfaitement équilibré, avec une finale très longue et élégante.

TAWNY 20 ANS (voir page 137)

TAWNY 30 ANS Vin exceptionnel. À cet âge, de nombreux portos prennent un caractère de caramel et de fudge et deviennent épais et lourds, pas toujours agréables à boire. Celui-ci est très raffiné, et, malgré son âge, il ne soulève pas le cœur. Les noix et la pâte d'amande se font sentir, mais le vin ne révèle pas tout d'un coup. C'est un vin à analyser soigneusement, car ce n'est qu'après quelques gorgées que sa complexité se manifeste.

COLHEITA

COLHEITA 1988 Plus rouge que le 1987, plus fruité au nez, avec des fruits puissants et presque agressifs au palais. Mi-sucré, avec un peu de tanins et une longue finale.

COLHEITA 1987 (voir page 137)

COLHEITA 1935 Le 1935 (embouteillé en 1977) a la couleur brun noix intense du vieux sherry oloroso et le disque jaune du madère le plus fin. Le nez alcoolisé est suivi d'une concentration de fruits séchés — raisins et prunes — d'une persistance remarquable.

LBV

LBV 1992 (voir page 137)

SINGLE QUINTA VINTAGE

QUINTA DO PASSADOURO VINTAGE 1994 Couleur intense avec un nez fortement fruité et un palais élégant. Sucré, avec des tanins et une acidité suffisantes pour que le vin se conserve pendant plusieurs années. Ce vin semblait à l'origine relativement léger comparé à plusieurs autres 1994, mais c'est en grande partie attribuable au manque d'agressivité des tanins.

VINTAGE

VINTAGE 1970 Rubis très intense, nez plein et riche, le vin commence seulement à révéler un peu du caractère épicé associé à la maturité. Sucré, avec une acidité mordante et une structure massive de tanins encore très fermes, mais mûrs. Une finale très persistante.

VINTAGE 1945 Les portos vintage 1945 sont maintenant très rares et ont pour la plupart atteint leur sommet. Le Niepoort 1945 est encore remarquablement jeune, avec une couleur rubis profonde et un nez intense et puissant de fruits sombres et mûrs. Étonnamment concentré, le vin ne révèle son âge en aucune façon: ses tanins sont encore très fermes et les fruits sont très présents.

Osborne (Vinhos de Portugal) & Ca., Lda.

Rua da Cabaça, 37
4400 Vila Nova de Gaia, Portugal

Le taureau noir de la société des vins Osborne est connu dans toute l'Espagne, où il annonce ses sherries et ses brandies, mais il l'est moins dans l'industrie du porto. La société met l'accent sur la formation dans l'industrie et la situation devrait changer, mais ce sera long avant que les portos d'Osborne partagent la célébrité de ses sherries.

Bien que son nom se prononce à l'espagnole, avec l'accent sur le «e» final (Osborné), Osborne était à l'origine une société britannique. Elle a été établie en 1772 par un Anglais originaire d'Exeter, Thomas Osborne. La branche portugaise est toutefois plus jeune. La société a commencé au Portugal dans les années 1960, et n'a acquis son propre chai à Vila Nova de Gaia qu'en 1988, quand Christiano van Zeller a abandonné le chai Noval pour déménager plus en amont du fleuve.

Jusqu'à présent, Osborne avait été négociant. La société possède sa cave de vinification, qui produit environ deux tiers du vin dont elle a besoin, et elle achète le reste sous forme de vin. Tous les raisins viennent du Cima Corgo et du Douro Superior. Rien ne vient de Régua. Environ 40 pour cent de la production est achetée de petits producteurs qui foulent les raisins par pieds d'hommes. La société Osborne produit environ un million de bouteilles par an, dont 20 pour cent sont des vins de catégories supérieures. Les vintages de Osborne sont assez légers et fruités, mais il font preuve d'une élégance considérable.

La société mise sur la formation pour se faire connaître dans les cercles importants, et par le personnel responsable de la vente des vins. À cette fin, elle offre un programme (le Osborne Master of Port) destiné à former des sommeliers dans le monde entier, en collaboration avec l'Union de la sommelerie française et la société Champagne Tattinger. Former des vendeurs qui travaillent dans la restauration, ne peut que favoriser les ventes de porto, et des produits de Osborne.

INFORMATION

VISITES *Le chai est ouvert aux visiteurs toute l'année. Tél. (351–2) 302648.*

VINS RECOMMANDÉS *LBV.*

APPRÉCIATION GÉNÉRALE ★★

NOTES DE DÉGUSTATION

MASTER OF PORT SPECIAL RESERVE Un vieux tawny. De couleur orange rubis intense, avec un nez épicé qui évoque la cannelle et le piment de la Jamaïque, en plus du gâteau aux fruits et des fruits séchés. Mi-sucré et de consistance moyenne avec un alcool manifeste au palais, plutôt très fort à mi-palais. Saveur de bonne intensité, mais pas de la même classe que le 10 ans.

TAWNY 10 ANS Couleur brun topaze très pâle; nez mûr d'alcool et de fruits, avec quelques épices et un peu de caramel. Mi-sucré avec une acidité mordante, mais rafraîchissante. Fruits pas très concentrés, mais finale délicate. Un vin léger et élégant.

LBV

LBV 1992 Il a récemment remplacé la version de 1991. Teinte violet-rubis intense avec un nez plein et concentré de prunes et de chocolat noir. Palais plein et riche avec une bonne structure pour un LBV, avec de puissantes saveurs fruitées et suffisamment de tanins et d'acidité pour les équilibrer. Un très bon exemple. Il s'oxyde rapidement: il faut le boire dès que le bouchon est retiré.

VINTAGE

VINTAGE 1994 Teinte de moyenne à intense avec un nez léger, fruité et assez fermé. Tanins fermes et très sucré; consistance de moyenne à charnue avec fruits et structure équilibrés. Un vin élégant et bien fait, mais pas à tout casser. À boire à moyen terme.

PRODUCTION

Sans objet.

100% de la production annuelle.

Manoel D. Poças Junior – Vinhos S.A.

Rua Visconde das Devesas, 186,
Apartado 1556
4401 Vila Nova de Gaia Codex, Portugal

Poças Junior, qui vend ses vins sous les marques Porto Poças, Pousada Porto et Porto Seguro, est l'une des rares familles portugaises qui soit encore active dans l'exportation du porto.

Le fondateur de la firme, Manoel C. Poças, fils de fermier, a commencé à 12 ans comme coursier pour une société d'assurance à Porto. Son employeur, Rawes, était un agent de la Lloyds de Londres, qui assurait des bateaux et des cargaisons. Quand il a songé à réorienter sa carrière, vers 22 ans, il était logique qu'il se joigne à un exportateur de porto, la firme Ferreira.

> **INFORMATION**
>
> **VISITES** *Les membres de l'industrie, par l'intermédiaire d'un importateur local.*
>
> **VINS RECOMMANDÉS**
> *10 ans.*
>
> **APPRÉCIATION GÉNÉRALE**
> ★

À cette époque, l'industrie traversait une période de récession, mais avec la fin de la Première Guerre mondiale, les affaires connurent un nouvel essor qui devait durer jusqu'à la grande Dépression des années trente. Saisissant l'occasion, Manoel Poças fonda son entreprise «Poças & Comandita». Son associé et bailleur de fonds était son oncle, Manoel Francisco Gomes Junior, ancien directeur d'entrepôt pour la firme de porto Hunt, Roop & Co. L'association ne dura que six ans, après quoi la société adopta son nom actuel. Consciente qu'il serait difficile de se lancer dans l'exportation, la société s'est spécialisée dans la vente de brandy de vinage aux autres sociétés. L'augmentation des ventes de porto avait entraîné une augmentation de la demande de brandy.

Le vent devait toutefois tourner. À la suite du coup d'état en 1926, le nouveau dictateur, Salazar, imposa un monopole gouvernemental sur la vente du brandy, ce qui retira à la société sa raison d'être. Ce n'est qu'à ce moment que Poças se lança dans le commerce du vin. Par hasard, la société venait d'acquérir, en règlement d'une mauvaise créance d'un client, la Quinta das Quartas dont elle est toujours propriétaire. De bonnes années suivirent, même dans les années 1930, alors que de nombreuses sociétés virent leurs ventes diminuer. La Seconde Guerre mondiale devait toutefois être catastrophique pour tous les membres de l'industrie du porto.

L'entreprise a continué de décliner durant les années postérieures à la guerre, et une mauvaise affaire a même presque entraîné la fermeture de la société. Ce n'est que dans les années 1950 que le commerce a recommencé à prospérer, et les affaires furent particulièrement bonnes dans les années 1960. Manoel a pris sa retraite en 1966, mais d'autres membres de la famille s'étaient déjà associés à l'entreprise quelques années auparavant.

PRODUCTION

Quartas, Santa Bárbara, Val de Cavalos.

91% de la production totale.

Depuis, grâce à l'augmentation des ventes et à l'amélioration de sa situation financière, la société a pu investir dans ses vignobles et ses installations de vinification. Ses propres vignobles, les Quintas das Quartas, de Val de Cavalos et Santa Bárbara, répondent à environ 9 pour cent de ses besoins. La Quinta das Quartas est de petite, et entièrement construite en murets. Des portions importantes des deux autres peuvent être travaillées mécaniquement. Environ 2,5 pour cent du vin est foulé par pieds d'hommes; le reste, grâce aux investissements récents, est produit par remontage mécanique.

Une petite quantité des portos de Poças est vendue dans les marchés anglophones, mais la majorité de ses produits sont exportés vers la Belgique, l'Espagne, la France, les Pays-Bas et le Danemark. Comme les principaux marchés de la société sont les pays du Benelux et la France, des pays où le porto est servi frais en apéritif, ses vins ont tendance à être très sucrés et de nature légèrement poisseuse. Il est recommandé de les refroidir légèrement, même s'ils doivent être consommés après le repas, parce que cela les rend plus vifs. Outre les vins décrits ci-après, Poças produit une gamme de colheitas qui remonte aux années 1960 et quelques vintages, mais aucun de ces vins n'a été dégusté.

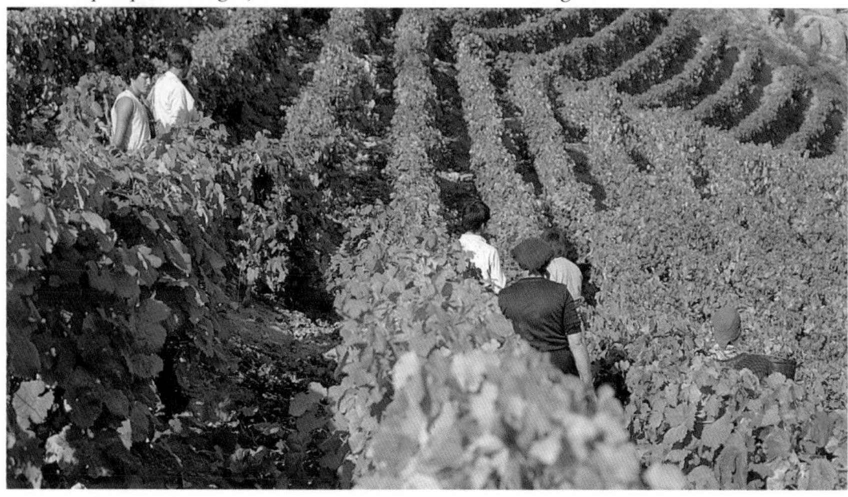

LES VENDANGES POUR LES PORTOS DE POÇAS

NOTES DE DÉGUSTATION

RUBY TWO DIAMONDS Couleur rouge rubis légère, avec un nez très frais et jeune de framboises et de cerises. Sucré, légèrement poisseux au palais, mais assez léger avec une finale nette et rafraîchissante.

10 ANS Un vin audacieux, de couleur brun roussâtre, avec un caractère herbeux prononcé et du caramel. Très sucré et gras de style, avec un palais riche et doux et une finale relativement longue.

TAWNY

POUSADA TAWNY PORT De couleur brun rosé pâle; initialement jeune et fruité, mais il développe dans le verre le nez mûr de caramel et de raisin que l'on attend d'un tawny. Très sucré, avec un caractère de caramel et de fudge; il peut soulever légèrement le cœur s'il n'est pas servi frappé.

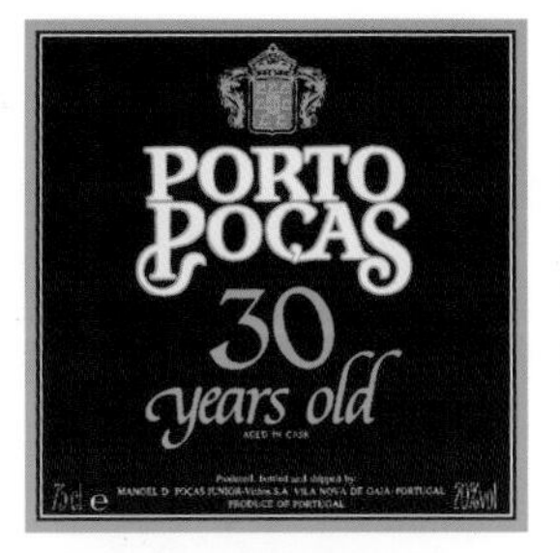

Quarles Harris & Ca, S.A.

Trav. Barão de Forrester, 85, Apartado 26
4401 Vila Nova de Gaia Codex, Portugal

Quarles Harris compte parmi la demi-douzaine de sociétés du groupe Symington. La société a été fondée en 1680, ce qui en fait l'une des plus anciennes de l'industrie. Elle est cependant plutôt obscure et peu connue, parce que les efforts de commercialisation de la famille Symington, qui ne sont pas négligeables, sont concentrés sur les autres marques de son portefeuille.

Contrairement aux autres sociétés du groupe, Quarles Harris ne possède pas de vignobles. Les vins de sa marque sont faits de raisins achetés qui sont vinifiés à Bomfim, ou, depuis 1996, à une nouvelle cave de vinification située à quelques kilomètres en aval de Pinhão. Une faible quantité de vin est achetée et fabriquée dans des lagares.

Comme les vins de Quarles Harris ne sont pas extrêmement bien connus, les prix sont généralement bons. Il n'y a cependant aucun doute qu'ils sont inférieurs aux grands, ceux de Dow, de Warre et de W. & J. Graham. Ils ont tendance à être plus secs; ils se rapprochent donc plus de ceux de Dow que de ceux de Graham.

Information

Visites *Au chai sur réservation seulement. Tél. (351–2) 3796063.*

Vins recommandés *Vintage 1994.*

Appréciation générale ★★

Production

Sans objet.

100% de la production annuelle.

Les vins sont vinifiés à la Quinta do Bomfim.

NOTES DE DÉGUSTATION

TAWNY 20 ANS Brun légèrement rosé d'intensité moyenne, avec un nez fruité d'alcool et de figues plutôt que de noix; par ailleurs légèrement médicinal et végétal. Mi-sucré avec une acidité équilibrée. Consistance moyenne: frais avec une finale agréable, mais il manque de concentration ou de persistance.

VINTAGE 1991 Couleur d'intensité moyenne avec un nez légèrement alcoolisé qui domine le fruité, encore fermé et maussade. Palais de prunes et de chocolat, mi-sucré avec tanins modérés. Séduisant, bien que fermé pour le moment, le vin gagnera à mûrir pendant encore 5 à 10 ans.

TAWNY

TAWNY 10 ANS Couleur brun rougeâtre, très brillante et limpide. Nez puissamment aromatique, mais avec un léger soupçon de solvant ou de vernis. Consistance moyenne au palais: mi-sucré avec une acidité mordante et une persistance de noix moyenne.

VINTAGE

VINTAGE 1994 Noir extrêmement intense avec un nez encore très fermé. Accents de cassis noir et de menthe. Consistance moyenne à charnue avec des tanins fermes mais non agressifs et une acidité équilibrée. Un bon vin qui atteindra sa maturité à moyen terme, dans 10 à 15 ans environ.

VINTAGE 1985 C'est l'un des spécimens les plus mûrs de l'année 1985. Rouge rubis, d'intensité moyenne avec un nez ouvert et riche de fruits mûrs, mais piquants. Le palais est un peu austère, plus sec que plusieurs 1985; la consistance est moyenne et les tanins sont souples.

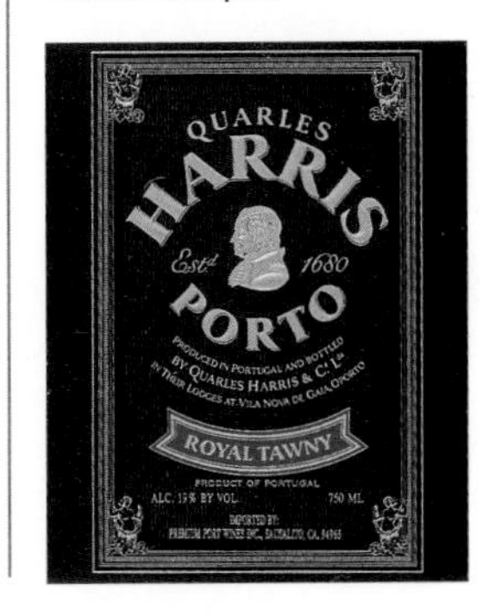

Adriano Ramos Pinto (Vinhos) S.A.

Av. Ramos Pinto, 380, Apartado 1320
4401 Vila Nova de Gaia Codex, Portugal

Ramos Pinto, la société la plus innovatrice de toute l'industrie du porto, est à l'avant-garde de la recherche dans le Douro. La société est réputée pour les tawnies, et ses vintages, bien qu'il ne s'agisse pas des plus gros calibres, font preuve d'une élégance et d'une délicatesse considérables.

Quand Adriano et António Ramos Pinto fondèrent la firme qui porte leur nom en 1880, ils visaient le marché de l'Amérique du Sud, surtout le Brésil. La société établit rapidement sa réputation, tant pour ses vins que pour la qualité de sa commercialisation et de sa promotion. Des artistes célèbres de l'époque produisaient des affiches accrocheuses, exploitant des thèmes hédonistes et mythologiques.

Le producteur de champagne Louis Roederer possède maintenant des intérêts majoritaires dans la société, mais elle est dirigée par João Nicolau de Almeida, un descendant des fondateurs. João a passé des années à faire des recherches dans la viticulture de la région. Comme il convient à un producteur enthousiaste, Ramos Pinto est en mesure de satisfaire la plupart de ses besoins grâce aux produits de ses quintas, lui permettant de contrôler la qualité de ses vins.

> **INFORMATION**
>
> **VISITES** *Les visiteurs sont les bienvenus au chai; les membres de l'industrie seulement sont admis aux quintas. Des tours guidés du chai sont offerts de 10h à 18h l'été et de 9h à 17h l'hiver. Tél. (351–2) 3707000.*
>
> **VINS RECOMMANDÉS** *Tawny 10 ans Quinta da Ervamoira, Tawny 20 ans Quinta do Bom Retiro, Vintage 1991 Ramos Pinto.*
>
> **APPRÉCIATION GÉNÉRALE**
> ★★★ ★★★

Ce fut João, avec son oncle, Jorge Ramos-Pinto Rosas, qui le premier identifia les principales variétés de raisins à porto qui sont aujourd'hui recommandées pour toutes les nouvelles plantations. Ces dernières années, les recherches de João se sont concentrées sur les façons de travailler les vignobles, de sorte que la confiance de Ramos Pinto à l'égard du système de plantation en vinha ao alto (dans le sens de la pente) confine presque à la ferveur religieuse. João adore exposer ses convictions à l'aide de graphiques et de tableaux. La Quinta da Ervamoira est un exemple tangible de l'application de ses théories: c'est l'un des très rares grands vignobles dépourvus de terrasses.

Ervamoira est située dans le Douro Superior, dans la vallée du fleuve Côa, tout près de la frontière espagnole. C'est là que le rêve du producteur s'est réalisé, sous la forme de 247 arpents de schiste du Douro de première qualité entièrement cultivés sans terrasses. Les raisins d'Ervamoira sont utilisés dans le coupage des vintages et d'un tawny 10 ans de single quinta.

Le joyau de la société est la Quinta do Bom Retiro, à quelques kilomètres de Pinhão, le long du Rio Torto. La cave de vinification illustre les contrastes si courants dans l'industrie du porto: une cave contrôlée par ordinateur et un laboratoire bien équipé, à côté de deux lagares de pierres encore utilisés chaque année pour les meilleurs raisins. L'emplacement protégé de ce vignoble orienté vers l'est confère une fraîcheur à l'excellent tawny 20 ans vendu sous le nom de la quinta.

PRODUCTION

Bom Retiro, Bons Ares, Ervamoira, Urtiga.

Achète en petites quantités, mais la société est de plus en plus auto-suffisante.

La Quinta da Urtiga, voisine de la précédente, comprend les plus vieux vignobles de la société: quelques terrasses datent du XVIIIe siècle. Ramos Pinto produit un ruby de single quinta à partir de ces vignes, en plus d'utiliser celles-ci dans certains coupages. La Quinta dos Bons Ares, dans le Cima Corgo, est le quatrième vignoble. Cet endroit, situé à plus de 600m au-dessus du niveau de la mer, est trop froid pour la production du porto, de sorte que les raisins sont utilisés pour la fabrication d'un vin léger du Douro. Le climat plus frais est un avantage pour la vinification; c'est là que les raisins de Ervamoira sont fermentés.

Le point fort de Ramos Pinto a toujours été ses tawnies, plutôt que ses vintages, qui sont sans honte destinés à une consommation relativement précoce. Le 1970 a été dégusté à quelques occasions, dont très récemment, en 1996, en la présence d'un représentant de la société. Le vin était déjà très mûr, sans aucun potentiel d'évolution additionnelle. Dans les dégustations précédentes, le vin faisait meilleure figure. La variation entre les bouteilles peut constituer un problème important dans le cas de vins aussi vieux. Les 1994, par contraste, sont de très grands vins.

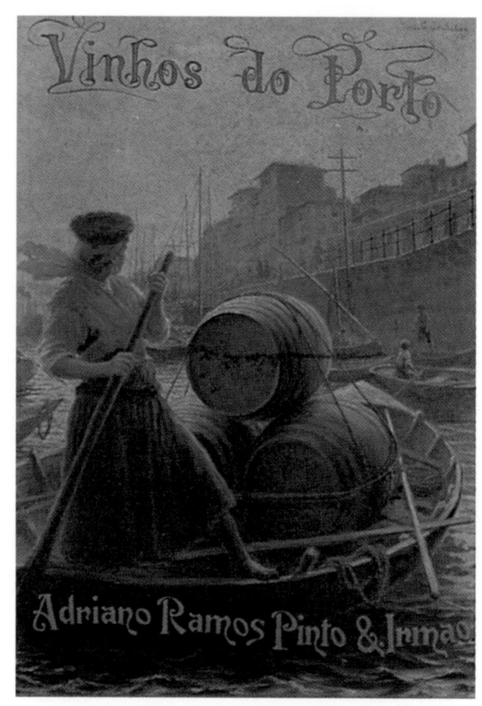

UNE TOILE DE CONDEIXA ÉTAIT UTILISÉE POUR ANNONCER LES PORTOS DE RAMOS PINTO.

NOTES DE DÉGUSTATION

QUINTA DA URTIGA Intense, avec un soupçon de maturité dans le disque. Nez aromatique de fruits noirs, avec une touche d'épices et d'alcool poivré. Tanins fermes et concentration raisonnable de fruits poivrés, une acidité rafraîchissante et une structure ferme. Très bon vin de son type. Prêt quand il a été mis en marché.

TAWNY 20 ANS QUINTA DO BOM RETIRO Provenant d'une quinta bien protégée située du côté de la vallée orienté vers l'est, le Bom Retiro est un vin particulièrement propre et frais. Un délicieux caractère de noisettes et de figues, de nature très délicate, appuyé par une acidité mordante et astringente.

LBV 1989 Rouge violet très intense, opaque au centre, avec un caractère riche de fruits noirs et de fruits séchés (figues et dattes) en développement. Des tanins adoucissants et un taux de sucre moyen cèdent à des saveurs de fruits sombres et à une finale remarquable. C'est un LBV traditionnel, et il doit être décanté. Prêt à boire maintenant.

NOTES DE DÉGUSTATION

RUBY

QUINTA DA URTIGA
(voir page 148)

BLANC

PORTO APERITIVO Jaune doré vif, avec un nez frais plutôt que neutre d'écorces confites et d'abricots séchés. Pas très sec, avec une acidité mordante et une consistance moyenne. Finale propre et longue. C'est un vin de fabrication traditionnelle, fermenté dans des lagares et mûri pendant quelques années dans des pipes, ce qui le rend plus complexe que d'autres, mais encore légèrement déficient en fruits.

VIEUX TAWNY

TAWNY 10 ANS QUINTA DA ERVAMOIRA Un classique avec de légères traces rousses révélant sa jeunesse. Vin frais avec un fort arôme et une saveur de noix avec une acidité équilibrée et une consistance moyenne.

TAWNY 20 ANS QUINTA DO BOM RETIRO (voir page 148)

TAWNY 30 ANS RAMOS PINTO
Très brun, sans même la moindre trace de rouge. Un vin très concentré, avec au nez des accents de noisettes et de figues marinées, et un puissant palais sucré et plein, mais avec une acidité parfaitement équilibrée. À cet âge, le vin est inévitablement dépourvu de la fraîcheur des plus jeunes de la même famille, mais sa concentration et sa persistance compensent largement.

LBV

LBV 1989 (voir page 148)

VINTAGE

VINTAGE 1994 Ce vin a été dégusté plusieurs fois, avant sa mise en marché et au moment de celle-ci. Il semblait initialement léger et non destiné à une longue vie. Cependant, après quelques mois dans la bouteille, la structure tannique s'est développée et a enfermé les fruits, ce qui indique normalement que le vin est bon et aura longue vie. Il est complexe, doté de plusieurs couches de saveur. Il est frais et a une acidité légèrement mordante, ce qui s'explique par la présence dans le coupage de vin provenant du vignoble partiellement ombragé de Bom Retiro.

VINTAGE 1991 À l'occasion d'une dégustation de plusieurs vintages 1991, peu de temps après leur mise en marché, le vin de Ramos Pinto s'est distingué par une délicatesse et un parfum supérieurs à la plupart, et il était certainement plus accessible à ce stade que plusieurs autres. Ce n'est pas un vin à très long terme, mais un vin qu'il faudra commencer à boire peu après le début du nouveau millénaire.

VINTAGE 1982 Le vin évolue bien, avec un caractère de fruits noirs modérément puissant et une structure d'acidité et de tannins agréable et pas trop forte. Il se boit bien maintenant et a encore quelques années devant lui.

Real Companhia Velha Lda.

Rua Azevedo Magalhães, 314–
4430 Vila Nova de Gaia, Portugal

INFORMATION

VISITES *Sur rendez-vous seulement au chai. Tél. (351–2) 303013.*

VINS RECOMMANDÉS *Ruby, 20 ans d'âge, Plus de 40 ans d'âge.*

APPRÉCIATION GÉNÉRALE ★ *mais peut être* ★★

Très peu de sociétés de vins peuvent se vanter d'avoir été fondées à la suite d'un édit royal. C'est ce qui est arrivé à la société Real Companhia Velha, aussi connue sous le nom de Royal Oporto. L'histoire de Royal Oporto est étroitement liée à l'histoire de l'industrie.

Quand le roi du Portugal, José I, chargea Sebastião José de Carvalho e Melo, le comte de Oeiras et Marquis de Pombal, de solutionner les problèmes de l'industrie du porto, il le fit par l'intermédiaire d'une société établie par charte royale, la Companhia Geral da Agricultura das Vinhas do Alto Douro. À ce stade, la société avait un rôle de réglementation — le contrôle s'exerçait par la voie d'un monopole de l'État. Un des premiers actes de la société, et certainement le plus durable, fut de tracer, pour la première fois dans l'histoire de la viticulture, une carte pour délimiter la région.

Des équipes d'employés visitèrent la région pour cadastrer les meilleurs vignobles et classer leurs vins en trois catégories (voir page 19). La société conservait un monopole à l'égard des deux catégories supérieures et contrôlait les prix pour le marché entier. Ces contrôles permirent d'améliorer la qualité du vin et d'augmenter les ventes de porto, de sorte qu'en 1780 le porto représentait les trois quarts du commerce du vin en Angleterre. De plus, les exportations vers d'autres pays augmentaient constamment.

Un changement dans le climat politique entraîna la dissolution temporaire de la société en 1834. Celle-ci revint, avec tous ses pouvoirs, en 1838, mais ce retour devait être de courte durée. La société avec ses pouvoirs réglementaires fut finalement démantelée en 1850, et elle devint alors le négociant que nous connaissons aujourd'hui.

La Real Companhia Velha est l'une des plus grandes firmes de porto, et elle fut longtemps la plus grande. Ce n'est que récemment qu'elle a été dépassée par le groupe Symington. C'est l'un des plus importants propriétaires terriens du Douro: elle possède l'énorme Quinta das Carvalhas, que les autres exportateurs désignent souvent avec envie du nom de «Montagne de Royal Oporto». Carvalhas, située du côté sud du

Douro à l'opposé de Pinhão, s'étend en aval du Roêda jusqu'à ce que le Douro bifurque vers la gauche en face de la Quinta da Foz. Le vignoble occupe tout le versant nord de la colline, s'étend au-delà du sommet et forme les pentes supérieures de la vallée du Rio Torto. C'est certainement la plus grande quinta de la région, mais elle n'est pas la seule propriété de Royal Oporto. Elle possède en outre la Quinta dos Aciprestes, près de Tua, et la Casal da Granja, très haut sur le plateau à Alijó et Sidrô. Ces deux dernières sont des vignobles situés en haute altitude, dont la production convient mieux aux portos blancs et aux vins légers.

PRODUCTION

Aciprestes, Carvalhas, Casal da Granja, Sidrô.

Raisins et vins sont achetés.

L'histoire a la curieuse manie de revenir à ses anciens thèmes. La société, fondée comme organisme de réglementation, a récemment été prise au centre d'une controverse. En 1990, la Casa do Douro, l'un des deux organismes de réglementation qui supervise la production du porto, a acheté un nombre considérable d'actions de la Real Companhia Velha. Le fait qu'un organisme de réglementation acquiert des intérêts dans une société d'exportation a suscité une forte opposition. Au moment de la rédaction de l'ouvrage, la Casa s'apprêtait à perdre la plupart de ses pouvoirs, et un nouvel organisme devait être mis sur pied pour prendre la relève. L'acquisition a toutefois pratiquement mis la Casa do Douro en faillite, et cette situation doit être résolue.

La Real Companhia Velha déclare des vintages fréquemment, mais ceux-ci n'ont pas une réputation avantageuse. Ils ont tendance à être grossiers et à manquer de raffinement. Les autres vins de la société sont de bons spécimens de leur type, et quelques-uns sont assez remarquables.

DES PORTOS QUI VIEILLISSENT DANS UN CHAI AU PLANCHER DE TERRE.

Notes de dégustation

REAL COMPANHIA VELHA 20 ANS Couleur claire brun-orange pâle, avec une saveur de fruits cuits et de noix passablement intense et distinctement mûre. Sucré et consistance moyenne. Alcool moins agressif que le 10 ans. Bonne intensité de saveur.

RUBY ROYAL OPORTO De couleur rubis intense avec un caractère de fruits sombres très pleins et mûrs, ce vin faisait très bonne figure auprès de ses compétiteurs. Sa consistance charnue doublée d'un certain fond de tanins permettrait de croire, à l'occasion d'une dégustation anonyme, qu'il s'agit d'un ruby de qualité supérieure plutôt que d'un rubis courant.

REAL COMPANHIA VELHA PLUS DE 40 ANS Brun orangé très pâle avec un nez d'intensité moyenne, très âgé, comme il se doit, révélant du caramel, des fruits séchés, certaines épices sucrées et même un soupçon de gingembre. Sucré, avec une acidité équilibrée et une consistance moyenne. Bonne concentration de fruits, avec une structure suffisante pour le soutenir.

NOTES DE DÉGUSTATION

RUBY

RUBY ROYAL OPORTO
(voir page 152)

RUBY QUINTA DOS ACIPRESTES REAL COMPANHIA VELHA La société affirme que ce ruby est plus vieux que le ruby courant, mais son apparence et son goût sont plus jeunes. Teinte violet intense, saveur de prunes et de mûres. Bien en chair avec une certaine fermeté et une bonne persistance.

BLANC

BLANC ROYAL OPORTO TRES SEC
Couleur dorée d'intensité moyenne avec un nez léger, frais et fruité. Palais citronné très mordant, avec un soupçon de sucre. Consistance de légère à moyenne, et persistance modérée. Un vin agréable, de qualité ordinaire, bon avant un repas, ou mélangé avec un tonique ou de la limonade.

BLANC QUINTA DO CASAL DA GRANJA REAL COMPANHIA VELHA Un vin blanc sec supérieur au Royal Oporto. Fait à partir de raisins cultivés dans la quinta, il est plus fruité et a des accents d'abricots. Entre sec et mi-sec (off-dry), bien que l'étiquette porte la mention «Branco Seco», il a plus à offrir que le vin courant.

BLANC ROYAL OPORTO Une version plus sucrée du vin précédent. Caractéristiques similaires, mais le sucre équilibre l'acidité citrique et semble faire ressortir le caractère fruité, ce qui donne l'impression qu'il est plus plein et plus savoureux.

TAWNY

TAWNY ROYAL OPORTO Vieilli un peu plus longtemps que le ruby, ce vin est rubis pâle avec un nez léger, jeune et très fruité. Palais équilibré, mi-sucré, avec une acidité tout juste équilibrée; consistance moyenne, légèrement alcoolisé. Agréable.

TAWNY QUINTA DAS CARVALHAS REAL COMPANHIA VELHA Fait de raisins provenant de la quinta vedette, et vieilli plus longtemps, ce vin n'a pas l'apparence de l'âge, n'étant que légèrement brunissant sur le bord. Le nez, encore jeune, révèle des noix et des fruits à noyau. Plus plein que la version Royal Oporto, mais sans plus de structure ou de persistance.

VIEUX TAWNY

ROYAL OPORTO 10 ANS
D'apparence pleine et riche, de teinte brun-rouge, de couleur parfaite pour un 10 ans. Le nez, muet au début, libère ensuite des fruits séchés et des traces de noix, avec un soupçon de terre. Palais mi-sucré, avec un alcool assez agressif et une persistance moyenne.

REAL COMPANHIA VELHA 20 ANS (voir page 152)

REAL COMPANHIA VELHA PLUS DE 40 ANS (voir page 152)

VINTAGE

VINTAGE 1994 ROYAL OPORTO
Couleur d'intensité moyenne; nez plein de prunes. Mi-sucré, avec des tanins fermes, légèrement agressifs (ce qui n'est pas mauvais pour un vin aussi jeune), et une consistance moyenne. L'un des meilleurs vintages Royal Oporto dégustés, mais il n'est pas exceptionnel pour l'année, qui est très bonne.

VINTAGE 1987 ROYAL OPORTO
Couleur rubis moyenne qui démontre déjà des signes de maturité. Le bouquet est développé, avec des accents d'épices sucrées et de fruits, et il révèle des raisins, des raisins secs et des dattes. Consistance moyenne avec tanins souples pour un vin de cet âge. Le vin est maintenant mûr, et il a peu de chances d'évoluer.

VINTAGE 1985 ROYAL OPORTO
Plus profond que le 1987, mais c'est prévisible étant donné qu'il s'agit d'une meilleure année. Curieusement son apparence est également mûre, déjà rubis, avec les plus légères traces de grenat sur le disque. Nez assez désagréable. Le palais est plus séduisant: mi-sucré, avec des tanins adoucissants et une consistance moyenne, mais une finale courte.

Romariz – Vinhos, S.A.

Rua de Rei Ramiro, 356, Apartado 189
4401 Vila Nova de Gaia Codex, Portugal

Romariz est l'un des exportateurs de porto les moins bien connus. Originellement fondée en 1850 par Manoel da Rocha Romariz pour le commerce avec les colonies portugaises, en particulier le Brésil, la société se concentre maintenant sur le marché européen, quoique ses ventes en Amérique du Sud soient encore importantes. Le dernier Romariz s'est retiré de la société en 1966, quand celle-ci fut vendue à Guimaraens & Co. (et non Fonseca Guimaraens). Plus récemment, en 1987, un groupe d'investisseurs anglais a acheté la firme et compte utiliser son capital pour développer davantage la marque. Il est probable que les vins Romariz soient plus visibles à l'avenir.

INFORMATION

VISITES *Les visiteurs sont bienvenus. Téléphoner pour les heures d'ouverture. Tél. (351–2) 306980.*

VINS RECOMMANDÉS
Reserva Latina.

APPRÉCIATION GÉNÉRALE
★★

La société Romariz, qui ne possède pas de quinta, achète son vin de producteurs du Douro qui le fabriquent par autovinification ou par remontage. Les lagares ne sont pas favorisés ici. Les vins sont vieillis au chai de la société à Vila Nova de Gaia, où les touristes sont les bienvenus.

La gamme des vins est petite et comprend tous les portos standard, mais Romariz est particulièrement fière de son Reserva Latina, un vieux tawny sans indication d'âge spécifique. Ce vin a reçu un certain nombre de prix dans des compétitions internationales de vin.

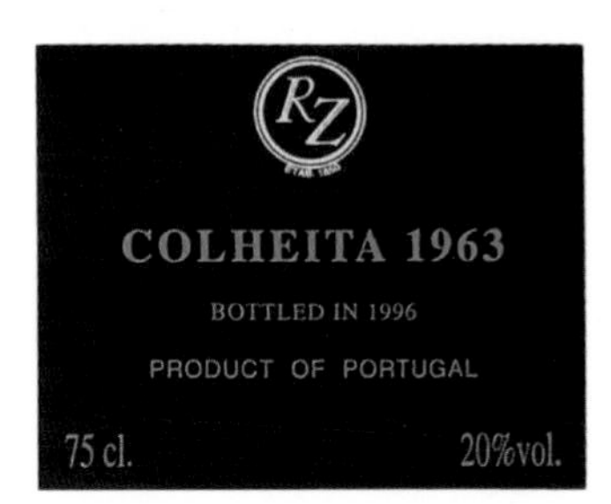

Notes de dégustation

RESERVA LATINA Un vieux porto tawny qui ne porte pas d'indication d'âge spécifique. De couleur vive rouge fauve, avec un caractère intense de cannelle et un peu du style mûr d'un très vieux cognac. Mi-sucré, avec une acidité modérée et une concentration raisonnable au palais. Un vin complexe avec un mélange intéressant de caractéristiques jeunes et de vertus propres à un âge considérable, qui témoigne des avantages du coupage.

10 ANS D'AGE Couleur rouge fauve assez intense. Un nez léger, un peu alcoolisé, avec des soupçons d'amande, mais surtout des épices piquantes et des fruits séchés. Mi-sucré, acidité mordante et consistance moyenne. Assez agréable, mais pas aussi complexe et intéressant que le Latina.

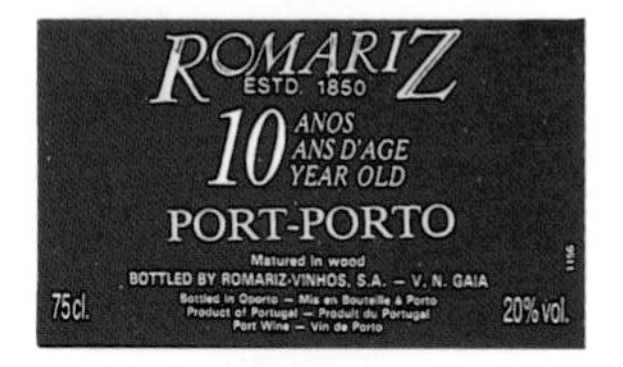

COLHEITA 1963 De couleur brun roussâtre; étonnamment, des traces de rouge sont encore apparentes après tout ce temps. Nez très mûr de bois vieux et humide avec un caractère rappelant les champignons sauvages de certains vieux alcools. Sucré, avec une acidité mordante et rafraîchissante, et une grande concentration de saveur, beaucoup plus puissante au palais que ce que le nez laissait entrevoir, avec une finale complexe de noix et de maturité.

Rozès, Limitada

Rua Cândido dos Reus, 526/532
Apartado 376, 4401 Vila Nova de Gaia
Codex, Portugal

L'année 1885 fut très importante pour Bordeaux. Ce fut l'année où la chambre de commerce régionale, de concert avec des négociants de la ville, classifia les plus fins châteaux de la rive gauche dans la catégorie Médoc et Sauternes, pour établir la hiérarchie des vins fins telle que nous la connaissons. Au même moment, un commerçant de Bordeaux, Ostende Rozès, fondait la seule firme de porto d'origine française, Rozès.

Environ un pour cent seulement du vin de Rozès vient de la Quinta do Monsul, dans le Baixo Corgo, au sud du fleuve Douro, juste en face de Régua. L'histoire de cette quinta remonte au début de la nation portugaise. Son premier propriétaire inscrit fut Dom Alfonso Henriques, le premier roi du Portugal. La plupart des raisins viennent de viticulteurs du Cima Corgo, dans les environs de Pinhão et São João da Pesqueira. Rozès affirme que plus de 80 pour cent de son approvisionnement vient de vignobles classés A ou B, et qu'elle n'utilise pas de raisins provenant de vignobles de catégorie inférieure à C.

La qualité des raisins est évaluée à leur arrivée à la cave de vinification, et seuls les meilleurs se retrouvent dans les lagares; le reste est vinifié dans des cuves de remontage modernes. Le raisin foulé par pieds d'hommes est destiné aux vintages potentiels, et celui soumis au remontage est utilisé pour les vins destinés à un vieillissement plus court.

Rozès appartient maintenant au conglomérat français LVMH. À part Moët et Chandon, elle possède les sociétés de cognac Hine et Hennessey, quelques maisons de champagnes et des installations de fabrication de vins rosés dans plusieurs pays. C'est peut-être l'influence de la portion vin pétillant du groupe qui dicte le style des portos de Rozès: délicats et fins, loin du style costaud et audacieux des portos des maisons anglaises, et loin des caractères de caramel plus poisseux de plusieurs exportateurs portugais.

INFORMATION

VISITES *Le chai à Vila Nova de Gaia est ouvert de juillet à septembre. Les visites sont possibles le reste de l'année sur rendez-vous. Tél. (351-2) 3792607.*

VINS RECOMMANDÉS *Vintage 1991.*

APPRÉCIATION GÉNÉRALE ★★

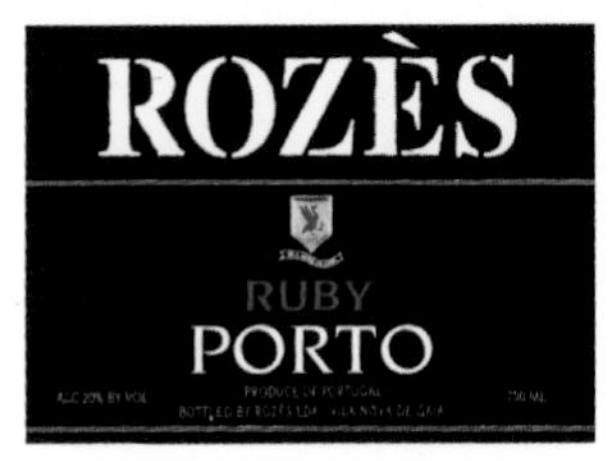

NOTES DE DÉGUSTATION

INFANTA ISABEL 10 ANS D'AGE Tawny de couleur orange très pâle, avec un nez frais et léger: très délicat. Palais propre et frais de figues fraîches et de raisins secs. Mi-sucré acidité mordante et bonne persistance. Vin de style élégant, parce qu'il n'a pas la puissance de certains autres, il pourrait être oublié dans une dégustation comparative.

VINTAGE 1991 De couleur très intense, encore très violet en 1996. Caractère initial d'huile de lin légèrement volatil au nez, qui cède la place à des accents de prunes et de raisins. Palais très intense avec une concentration massive de fruits, des tanins modérés et une bonne persistance. Un bon vin à moyen terme.

RUBY

RUBY Teinte rubis vif d'intensité moyenne, avec un nez léger et fruité, révélant plus de framboises et de cerises que de prunes. Palais vif, légèrement alcoolisé, mais rafraîchissant.

BLANC

BLANC ROZES De couleur jaune doré intense, avec un nez mûr d'écorces confites et de fruits séchés. Sucré avec une acidité équilibrée et une finale modérée.

LBV

LATE BOTTLED VINTAGE 1991 Un LBV de style moderne, qui a passé six ans en fût avant d'être filtré et embouteillé. Couleur rubis intense, qui ne présente aucun signe de maturité, ni de jeunesse exceptionnelle. Nez de prunes mûres avec un soupçon de raisins secs, modérément intense et assez élégant. Palais sucré, bien en chair, et remarquablement jeune, apparemment assez peu développé. Structure ferme et équilibrée et persistance raisonnable. Un vin de style plus léger que certains LBV, mais harmonieux et élégant.

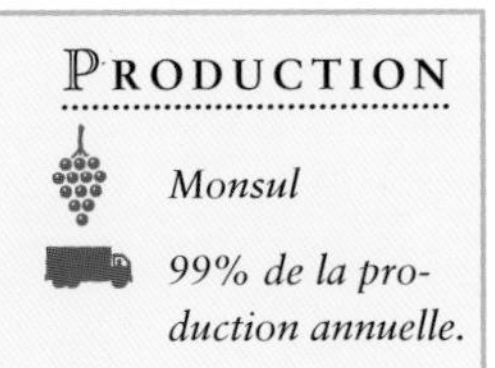

Sandeman & Ca., S.A.

Largo de Miguel Bombarda, 3, Apartado 2
4401 Vila Nova de Gaia Codex, Portugal

L'industrie du porto est dominée par les marques, mais seul l'emblème Sandeman Don, une silhouette vêtue d'une cape noire et d'un chapeau à large bord, est universellement reconnu comme la marque de commerce ou le symbole d'une firme de porto.

Sandeman a récemment célébré son bicentenaire. Elle a été fondée en 1790 par le premier d'une longue suite de George Sandeman actifs dans le commerce du porto. Loin d'être un apathique, George Sandeman aurait quitté Perth, en Écosse, dans l'espoir de gagner une fortune qui lui permettrait de prendre sa retraite vers la fin du siècle, ou avant. Il avait à ce moment-là 25 ans.

La société ne fut pas à l'origine établie à Porto, ni à Jerez, considérant que le sherry était l'autre aspect de son commerce. Elle fut établie près de Cornhill, à Londres, qui était, à l'époque, l'un des principaux centres britanniques en matière de vin, car elle était bien située par rapport aux docks de Londres. La mise de fonds initiale, à 300 livres, vint du père du jeune Sandeman, ébéniste à Perth.

C'était une bonne époque pour mettre sur pied une entreprise. Dans les années 1790, le commerce du porto et du sherry se portait très bien. Les vins ibériques exerçaient un quasi-monopole sur le marché, parce que les stocks de bordeaux français étaient épuisés, et qu'ils ne seraient remplacés qu'après la bataille de Waterloo, en 1815. La guerre implique des coûts et les prix augmentèrent durant les premières années d'activité de Sandeman. La réussite dans un contexte d'inflation élevée est un exploit remarquable.

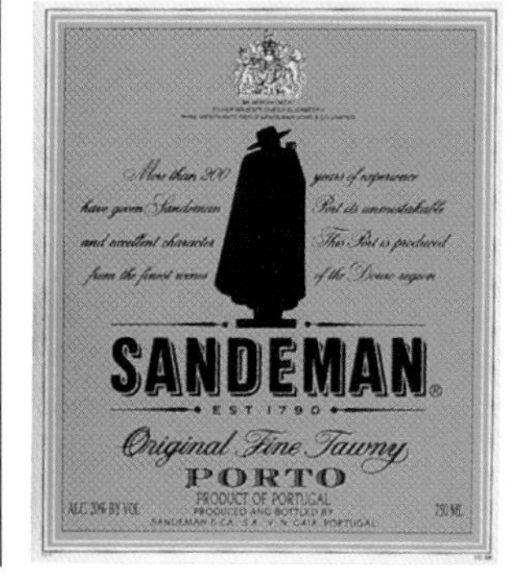

Information

Visites *Les visiteurs sont les bienvenus au chai de Gaia, ouvert de 10h à 18h, fermé pour le déjeuner. Il y a également un centre d'information pour les visiteurs, de même que des visites guidées et un musée. Tél. (351–2) 3702293. Nous recommandons la visite du musée à Vale de Mendiz, près de Pinhão. Tél. (351–54) 323626.*

Vins recommandés
Imperial Aged Reserve Tawny, Quinta do Vau 1988.

Appréciation générale
★★

La Quinta do Vau.

Quand George Sandeman prit sa retraite, la société fut dirigée par son neveu George Glas Sandeman, même si l'un des fils aînés de George continua de travailler à la firme. C'est l'un des descendants directs de George Glas qui dirige actuellement la société. Le reste du XIXe siècle fut, pour Sandeman, dominé par les mêmes problèmes qui affligèrent toute l'industrie. Les soulèvements politiques et les fléaux des vignobles eurent des effets ici comme ailleurs, mais Sandeman s'en tira mieux parce qu'il ne possédait pas de vignoble et n'eut pas à assumer la dépense directe de la replantation.

En 1870, Sandeman était le plus important exportateur: sa part de marché représentait 9 pour cent des exportations globales. En fait, durant la plus grande partie du XXe siècle, Sandeman a joué un rôle considérable dans l'ensemble des exportations. Sa position fut renforcée au début des années 1960, quand elle a fait l'acquisition de Offley Forrester, un autre exportateur important. En quelques années, elle avait vendu la moitié de ses actions au groupe italien Martini & Rossi, qui acheta le reste quand Sandeman fut acquise par le groupe Seagram, canadien à l'origine, mais actuellement multinational.

Seagram a acheté Sandeman en 1980. Dans les premiers temps de l'administration de Seagram, la société continua de se concentrer sur les ventes en bloc en produisant à l'occasion de bons vintages. Seagram fit si bien que Sandeman

Des paniers à vendange peu profonds.

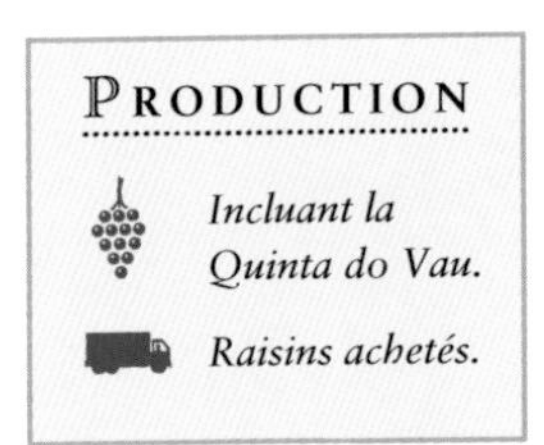

devint par la suite la plus importante marque de porto sur le volume des ventes, mais sa popularité s'accompagna d'une diminution de la qualité. Depuis le retour de l'étranger de George Sandeman, la société met l'accent sur la qualité, plutôt que sur la quantité. Son refus de déclarer un vintage en 1991 en est un exemple. Les vins n'étaient tout simplement pas aussi bons que les vins de single quinta du vintage 1988 de la Quinta do Vau.

La Quinta do Vau fournit les raisins de qualité supérieure destinés aux vins de vintage. Cette immense quinta, située au sud du Douro, est presque entièrement cultivée en patamares. La quinta est une ferme. On n'y trouve pas de maison élégante pour recevoir, juste un bâtiment fonctionnel qui abrite la cave de vinification et l'équipement. Ici, les cuves d'acier inoxydable à température contrôlée sont à l'honneur, alors que plusieurs vineries utilisées par la société procèdent par autovinification et par remontage. George Sandeman ne s'en excuse pas: à son avis, l'enthousiasme pour le remontage est trop précipité. Pour lui, l'autovinification est encore efficace, il est donc inutile de la remplacer, d'autant plus qu'elle est peu dispendieuse car elle n'exige pas d'énergie, et qu'en plus elle n'est pas nuisible pour l'environnement.

Sandeman a un certain nombre de vineries dans la région, moins que dans le passé cependant, alors qu'elle en louait plusieurs à divers endroits stratégiques. La société a un chai près de Régua, où ses portos mûrissent plus rapidement qu'à Porto. Le chai de Régua est utilisé pour le tawny de base, qui paraît plus vieux qu'il ne l'est.

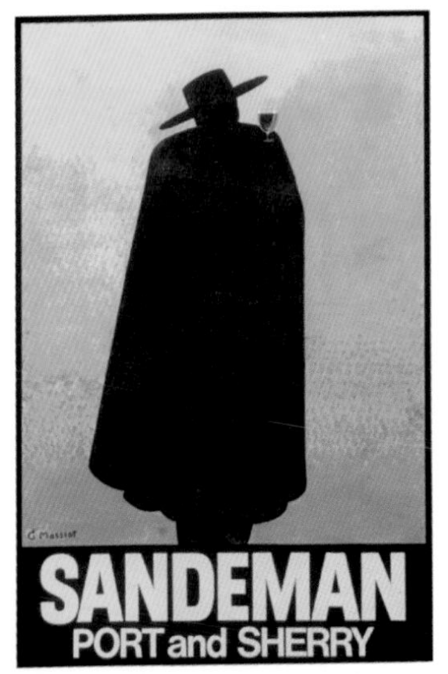

LE DON DE SANDEMAN.

Le chai principal est situé sur les quais à Gaia, ce qui fait que Sandeman est souvent l'un des premiers, et souvent le seul chai que visite la majorité des touristes. Une équipe spécialisée dans les relations publiques organise régulièrement des visites guidées tout au long de l'année. De plus, Sandeman a ouvert un musée près de Régua.

En ce qui concerne les vins de la société, le ruby courant et les portos blancs sont de bons spécimens de leur type, sans être remarquables. Le tawny se distingue par la maturité de son apparence et de sa saveur, grâce à une supervision soigneuse de sa maturation dans le Douro. Bien qu'il n'ait pas la puissance d'un vieux tawny, c'est certainement un vin intéressant qui pourrait facilement être confondu dans une dégustation anonyme.

NOTES DE DÉGUSTATION

FOUNDERS RESERVE Ce vin est exporté dans de nombreux pays du monde, sauf au Royaume-Uni. Un vin modérément mûr; épicé et fruité au nez et au palais, avec une consistance moyenne et une finale très élégante.

PARTNERS' RUBY La version destinée au Royaume-Uni a un style plus jeune, audacieux et fruité: c'est un vin très charnu et très savoureux. Produit après qu'une étude de marché eut démontré la popularité de ce style de vin au Royaume-Uni, celui-ci est destiné à faire directement concurrence au Special Reserve de Cockburn.

IMPERIAL AGED RESERVE TAWNY De couleur brun-rosé-pelure-d'oignon assez pâle, avec un nez léger, élégant et mûr. Légèrement fumé et végétal. Mi-sucré, acidité mordante et consistance de légère à moyenne, très savoureux avec une bonne persistance. Un tawny apéritif rafraîchissant d'environ huit ans, il est aussi bon que plusieurs 10 ans d'âge et il pourrait passer pour l'un de ceux-ci dans une dégustation anonyme.

NOTES DE DÉGUSTATION

TAWNY 20 ANS Orange-brun pâle; nez plein et mûr d'épices et de tabac à pipe. De mi-sucré à sucré, avec une acidité équilibrée et une grande concentration de saveurs de fruits mûrs séchés, un peu de fumée et une finale légèrement caramélisée.

QUINTA DO VAU 1988 Le vin montre un peu de maturité sur le disque, mais il est encore assez sombre. Des notes pleines et mûres de cassis et de prunes piquantes au nez. Sucré avec une acidité équilibrée et des tanins encore fermes. Un vin élégant, de consistance moyenne avec une persistance très longue. Ce vin durera encore longtemps.

VINTAGE 1980 Couleur rouge rubis intense, nez plein, un peu arrogant, légèrement immature et un peu vert. Le palais est sucré et d'une fraîcheur de menthe, l'acidité est bonne et les tanins équilibrés. Les tanins sont encore fermes, mais s'adoucissent et entraînent une finale longue et fruitée. Le vin se boit bien, mais il va continuer de s'améliorer encore.

C. da Silva (Vinhos) S.A.

Rua Felizardo de Lima, 247, Apartado 30
4401 Vila Nova de Gaia Codex, Portugal

INFORMATION

VISITES *Non.*

VINS RECOMMANDÉS
Presidential 20 ans d'âge.

APPRÉCIATION GÉNÉRALE ★

Faisant affaires sous les noms «Presidential», «Dalava» et «da Silva», la société C. da Silva remonte au milieu du XIXe siècle, au moment où Clemente da Silva la fonda officiellement. Comme dans le cas de plusieurs sociétés de porto, les membres de la famille étaient déjà dans le commerce depuis de nombreuses années.

Bien que la société possède un petit vignoble, elle ne possède pas de quinta en tant que telle. Elle s'approvisionne en raisins auprès de 700 fermiers individuels, et elle fait du vin dans sa propre vinerie. Toute la fabrication du vin est réalisée par autovinification.

Son chai est situé à Vila Nova de Gaia, plutôt que dans le Douro, pour favoriser une maturation lente des vins. Le portefeuille actuel de la société, qui comprend certains vins qui remontent à 1930, l'illustre bien. Elle dispose de stocks encore plus vieux, aussi vieux que la société elle-même, mais ces vins ne sont pas commercialisés. Il s'agit de vins de coupage, qui sont utilisés seulement pour assaisonner, pour ajouter une complexité supplémentaire à des produits plus jeunes.

La majorité des vins de da Silva sont des mélanges de rubies et tawnies destinés aux marchés français et belge. Cependant, on voit occasionnellement des vintages, et les vieilles réserves (colheitas) sont importantes dans le marché domestique. La société a récemment connu une expansion vers les marchés de la Suisse, des États-Unis et les pays côtiers du Pacifique. La gamme plutôt limitée dégustée pour le présent livre a consisté en vins légers assez simples.

Presidential
PORTO
TAWNY
MATURED IN WOOD
FOR 40 YEARS
BOTTLED IN 1995
PRODUCED BOTTLED AND SHIPPED BY
C. DA SILVA (VINHOS) S.A. OPORTO
PRODUCE OF PORTUGAL
ALCOHOL 20% BY VOL.
CONTENTS 375 ML

PRODUCTION

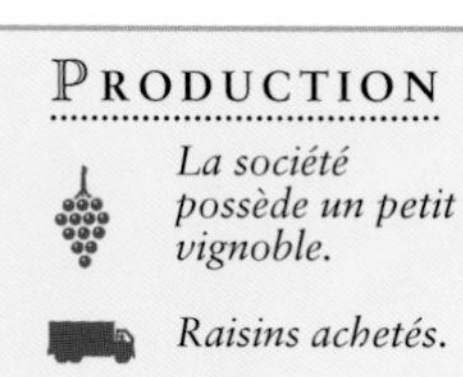

La société possède un petit vignoble.

Raisins achetés.

NOTES DE DÉGUSTATION

PRESIDENTIAL 10 ANS D'AGE
Couleur brun-orange pâle, nez léger, avec un caractère de noisettes très développé. Palais sucré et alcoolisé: assez agréable, mais sans profondeur ni complexité.

VIEUX TAWNY

PRESIDENTIAL 20 ANS D'AGE
Clair, d'intensité moyenne et de couleur brun fauve, bouquet moyennement intense de noix et de caramel, assez alcoolisé. Sucré avec une acidité équilibrée. Persistance moyenne.

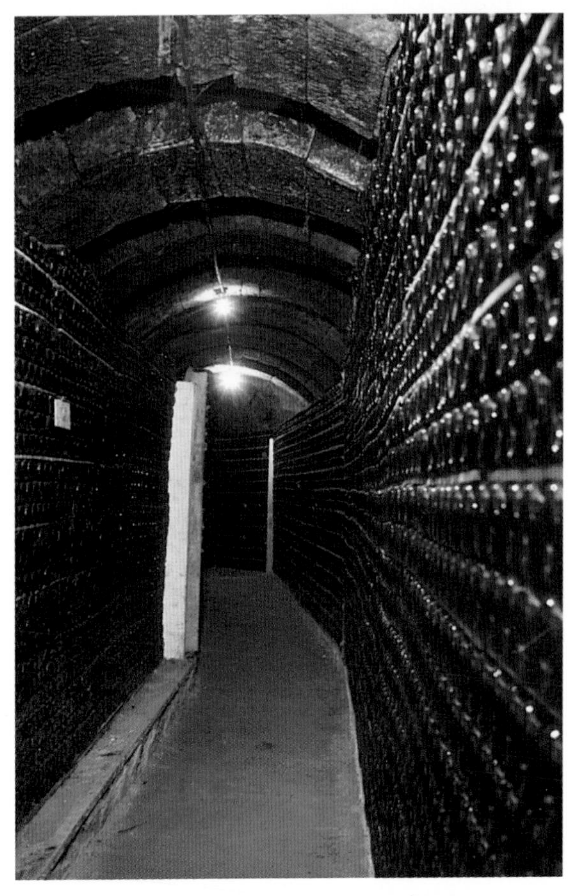

LA MATURATION EN BOUTEILLE AU CHAI DA SILVA.

Silva & Cosens Lda.

Trav. Barão de Forrester, 85, Apartado 19
4401 Vila Nova de Gaia Codex, Portugal

La célèbre marque Dow s'applique aux vins fabriqués par la société Silva & Cosens, qui est beaucoup moins connue et fait partie de la demi-douzaine d'exportateurs du groupe Symington.

Fondée par un marchand portugais, Bruno da Silva, en 1798, la société a pris le nom Dow en l'honneur d'un certain James Dow, qui s'associa à la firme en 1877. Le lien avec Symington remonte à 1882, alors que Andrew James Symington s'est joint à la société: il devait devenir un associé au début du XXe siècle.

La qualité des portos de Dow a toujours reposé sur leur ferme vedette, la Quinta do Bomfim, située près de la rue principale à Pinhão. Les vignobles de Bomfim fournissent environ 340 pipes de porto chaque année, mais la capacité de production de la vinerie est supérieure. Jusqu'à tout récemment, Bomfim a constitué le principal centre de vinification de Dow dans le Cima Corgo, quoique les Symington aient construit une grande vinerie sur la rive sud du fleuve. Cette dernière a été utilisée pour la première fois pour la récolte de 1996. Bien que la société ait vendu Zimbro et Senhora de Ribeira, elle achète encore des raisins de ces quintas, utilisés dans le coupage, et d'autres quintas de la région. La demande au moment des vendanges est importante: la file d'attente à l'extérieur de Bomfim est célèbre depuis des années.

Contrairement aux autres filiales de Graham, Dow produit certains des portos les plus secs. Bien que tous les portos soient sucrés, ceux de Dow ont tendance à l'être moins et de caractère un peu plus austère que plusieurs autres, ce qui fait qu'ils ne sont peut-être pas aussi séduisants. Ceci étant dit, ces vins comptent parmi les plus fins. Il importe de se rappeler que le sucre peut être utilisé pour masquer des défauts du vin, pas seulement dans le cas du porto, mais dans celui d'autres vins partout dans le monde. Les styles plus secs doivent être bons, parce qu'ils ne peuvent pas compter sur ce masque pour cacher leurs lacunes.

INFORMATION

VISITES *Seulement avec une recommandation d'un négociant en vins, et sur rendez-vous.*

VINS RECOMMANDÉS
Vintages, surtout les 1980, 1985.

APPRÉCIATION GÉNÉRALE
★★★

PRODUCTION

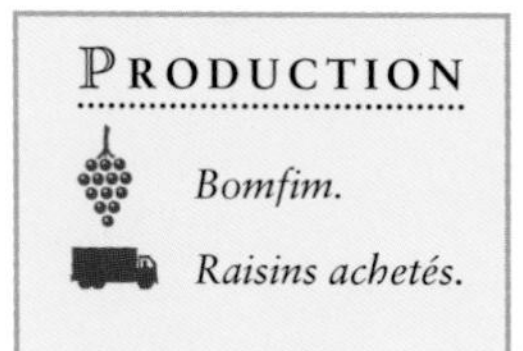

Bomfim.

Raisins achetés.

Notes de dégustation

10 ANS D'AGE De couleur très brun-rouge, mûr mais pas sans exprimer vraiment son âge. Nez plein de fruits séchés, de raisins secs et d'écorces confites, avec un peu d'épices mélangées. Le palais est ferme et propre, l'alcool lui donne du mordant, et la finale est longue et élégante.

20 ANS D'AGE Un des 20 ans dont la couleur est la plus intense, d'un brun de noix foncé. Nez âcre de fruits séchés, végétal et feuillu; palais mi-sucré avec une acidité équilibrée et une texture riche et souple. Le vin est presque gras dans la bouche, bien qu'il conserve en même temps une certaine fraîcheur.

VINTAGE 1980 Les 1980 sont généralement assez légers. Celui de Dow fait exception. De couleur encore très profonde avec un nez végétal et médicinal intense. Consistance charnue et bonne persistance. Ce n'est pas le meilleur Dow, mais c'est l'un des meilleurs 1980.

NOTES DE DÉGUSTATION

RUBY

"AJS" VINTAGE CHARACTER
AJS, Andrew James Symington, fut le premier du clan Symington à quitter l'Écosse pour Porto, pour fonder la dynastie des portos Symington. C'est un ruby de qualité supérieure très bien fait: rouge rubis, avec un nez plein, fruité et assez jeune, et un palais moyennement charnu. Cependant, il ne possède qu'un peu du caractère ou du style d'un vrai vintage.

BLANC

BLANC SEC Un vin blanc sec de style moderne, fermenté sans contact avec la peau et vieilli pendant une courte période. Principalement fabriqué à partir des raisins de Malvasia, de couleur citron pâle, avec un nez jeune et floral et un palais mordant. C'est un apéritif agréable, si vous obtenez une bouteille fraîche, parce que ce vin vieillit mal en bouteille.

VIEUX TAWNY

10 ANS D'AGE (voir page 166)

20 ANS D'AGE (voir page 166)

SINGLE QUINTA VINTAGE

QUINTA DO BOMFIM 1984 Rouge rubis en développement, avec un nez aromatique de fleurs et de fruits. Consistance de moyenne à charnue, avec des tanins plus fermes que l'apparence laisse prévoir. Le vin se boit bien maintenant, et il continuera de s'améliorer pendant quelques années.

VINTAGE

VINTAGE 1994 Cœur noir très intense, un des plus profonds de 1994. Nez concentré, et pourtant ouvert de fruits mûrs et d'épices sucrées. Palais riche, mais pas sucré, avec une structure tannique massive, une acidité équilibrée, et une consistance et une persistance exceptionnelles. C'est un vin extrêmement bon, un des préférés parmi les 1994, et un vin à conserver à très long terme.

VINTAGE 1991 Couleur noir intense, avec un nez ouvert de prunes de Damas. Son palais riche en fruits le fait paraître très accessible maintenant, mais il est doté d'une structure tannique massive qui se manifeste à la fin. Un des meilleurs 1991, qui aura besoin de temps avant d'être prêt à boire.

VINTAGE 1985 C'est l'un des spécimens les moins avancés parmi les 1985. De couleur rubis violet intense, le vin est encore fermé, présente un léger accent floral au nez, et est peu généreux au départ. Les fruits se manifestent au palais, derrière une ferme structure tannique et une acidité qui mettront du temps à s'atténuer. Un grand vin en préparation. Il faudra commencer à le boire dans la deuxième décennie du XXIe siècle.

VINTAGE 1980 (voir page 166)

VINTAGE 1970 Encore de couleur assez intense, bien que la teinte soit actuellement rubis plutôt que violet. Nez très opulent et ouvert. Saveurs complexes de fruits noirs, d'herbes et d'épices à gâteau aux fruits. Palais plein, concentré, qui s'est lié pour former un tout intégré. Ce vin est maintenant mûr. Il est très agréable à boire, et il le demeurera plusieurs années.

LA CULTURE TRADITIONNELLE EN TERRASSES À LA QUINTA DO BOMFIM.

Skeffington Vinhos, Lda.

Rua do Choupelo, 250, Apartado 1311
4401 Vila Nova de Gaia Codex, Portugal

Skeffington est l'une des maisons de porto les moins bien connues, quoique ses vins soient assez largement distribués, parce que celle-ci se spécialise dans le marché des Buyers' Own Brand (BOB, marques d'acheteurs). Une entreprise associée au groupe Taylor, Skeffington est donc liée à Fonseca. Skeffington a ses propres sources d'approvisionnement et est gérée comme marque séparée au sein du groupe. Les vins ne sont pas aussi fins que ceux des sociétés cousines plus célèbres, mais il ne s'agit pas de dénigrer la marque. De toute évidence les vins sont fabriqués selon les normes de la société mère, qui sont exigeantes même pour le marché des BOB. De plus, des dégustations anonymes ont prouvé que Skeffington peut tenir tête à certains des portos les plus célèbres.

INFORMATION

VISITES *Non.*

VINS RECOMMANDÉS
Vintage Character.

APPRÉCIATION GÉNÉRALE ★★

Le nom remonte au milieu du XIXe siècle. Charles Neville Skeffington était un associé de la famille Yeatman (de la célèbre société Taylor, Fladgate et Yeatman). Skeffington était un homme du Douro, et l'un de ses rôles consistait à acheter des raisins et du vin de petits planteurs. Pour lui rendre hommage, le groupe Taylor donna son nom à sa nouvelle société. Il a établi des liens solides avec de nombreux viticulteurs, et plusieurs des fournisseurs d'aujourd'hui sont des descendants directs des personnes avec qui il travaillait il y a 150 ans.

La société fut fondée au début des années 1980, quand Taylor prit conscience que le marché des marques d'acheteurs devenait plus compétitif, et que ses marques principales seraient dévaluées si elles entraient en compétition avec celles-ci, parce que le secteur est sensible aux prix. Avant que tous les portos soient obligatoirement embouteillés à Porto, le vin était vendu avec le nom de l'exportateur et de l'importateur sur l'étiquette, parce que l'importateur était généralement responsable de l'embouteillage. Subséquemment, la marque est devenue plus importante et a eu besoin de support.

Skeffington ne possède pas de quinta: elle achète tous ses vins. Le pivot du coupage de vintage vient de la Quinta de Vale dos Muros, dans la vallée de Távora, pas très loin de la quinta Panascal de Fonseca.

NOTES DE DÉGUSTATION

VINTAGE CHARACTER Aussi vendu sous le nom Shooting Port. La couleur est très intense pour le type, d'un rouge cramoisi profond et jeune. Nez plein, mûr, très propre et frais; les fruits dominent avec des prunes, et même un soupçon de raisins. Palais plein et riche, avec une puissance plus grande que des vins de la même gamme de prix.

VINTAGE 1985 Encore très intense, la couleur commence à tirer sur le rubis, et le nez est modérément ouvert. Le nez n'est pas très complexe, mais il révèle des prunes de Damas. Consistance moyenne avec tanins modérés et acidité nette. Un vin très bien fait, qui sera très bon à boire dans les prochaines années.

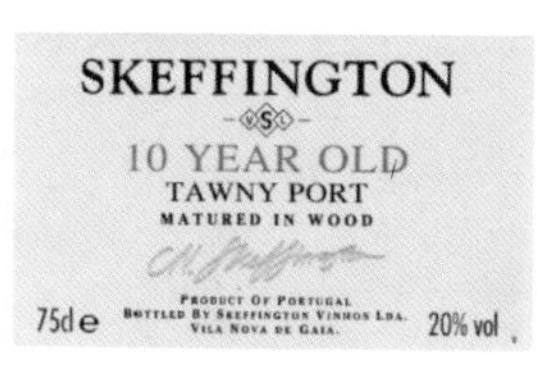

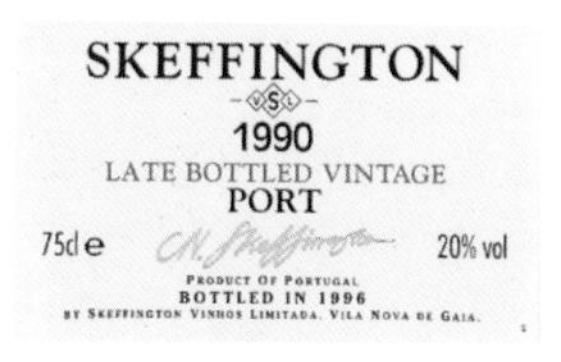

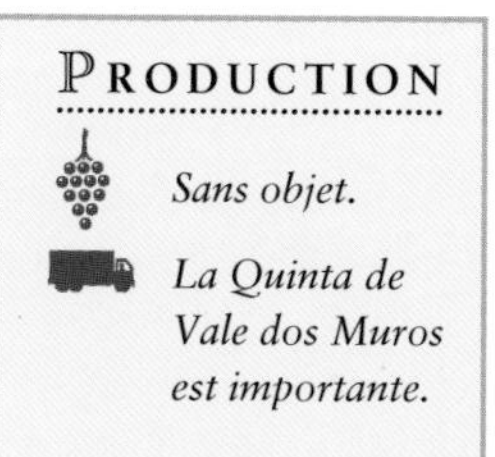
PRODUCTION

Sans objet.

La Quinta de Vale dos Muros est importante.

Smith Woodhouse & Ca., Lda.

Trav. Barão de Forrester, 85, Apartado 19
4401 Vila Nova de Gaia Codex, Portugal

> **INFORMATION**
>
> **VISITES** *Seulement avec une recommandation d'un négociant en vins, et sur rendez-vous.*
>
> **VINS RECOMMANDÉS** *Traditional LBV.*
>
> **APPRÉCIATION GÉNÉRALE** ★★

Smith Woodhouse est l'une des marques les plus faibles de Symington, que même les propriétaires semblent sous-estimer, tant sur le plan de son image que de ses vins. Fondée par Christopher Smith, qui avait été membre du Parlement de Westminster et lord maire de la cité de Londres, la société fut acquise par W. & J. Graham au début du XXe siècle. Elle devint membre de l'empire Symington, quand celui-ci acquit Graham en 1970. Durant les années de Graham, Smith Woodhouse fut traitée comme une sorte de producteur de porto de deuxième classe, et cette pratique s'est perpétuée au sein du groupe Symington, en dépit du fait que d'excellents portos Smith Woodhouse sont fabriqués.

Une petite fraction, environ 8 pour cent, des portos de Smith Woodhouse viennent du vignoble dont la société est propriétaire, la Santa Madalena, dans la vallée du Rio Torto. Le reste est acheté et vinifié à Bomfim ou à la vinerie nouvellement construite par Symington. Comme la plupart des portos de Symington, la majorité est fabriquée par autovinification, une méthode très favorisée ici, bien que sa valeur soit controversée ailleurs.

Environ un quart de million de caisses de porto sont produites sous l'étiquette Smith Woodhouse. La société produit une gamme de rubies, tawnies et blancs adéquats, sans être remarquables, qui sont vendus sous sa propre étiquette, de même que sous les noms de marque des détaillants. Le nom Smith Woodhouse apparaît encore sur ces bouteilles, mais le coupage diffère selon les revendeurs.

La marque est toutefois principalement concentrée sur les portos de qualité supérieure, surtout le late bottled vintage, dont le style est purement traditionnel: il est mûri pendant seulement quatre ans dans le bois, puis il est embouteillé sans filtration pour que la maturation puisse continuer dans la bouteille. Fait inusité, les vins ne rejoignent pas le marché du détail avant d'être prêts à boire, entre six et dix ans après l'embouteillage. Ces vins sont beaucoup plus semblables aux portos vintages que la plupart des LBV. Bien entendu, ils doivent être décantés.

NOTES DE DÉGUSTATION

VINTAGE CHARACTER CLASSIQUE OLD OPORTO Le Old Oporto est un cran plus élevé que le ruby de base. Ce vin a passé environ cinq années à mûrir dans le bois, et il est plus souple au palais et plus complexe en saveur que le ruby courant. Le vin est bien en chair et très savoureux, mais les tanins sont faibles et la persistance est moyenne.

VINTAGE 1994 Couleur très intense, presque noire, avec un nez fermé, qui ne révèle pratiquement rien, contrairement au palais, qui offre un mélange d'épices et de gâteau aux fruits. Sucré, avec des tanins puissants et agressifs. Saveur pleine et charnue de fruits, et longue persistance. Un vin à long terme pourvu d'une certaine élégance.

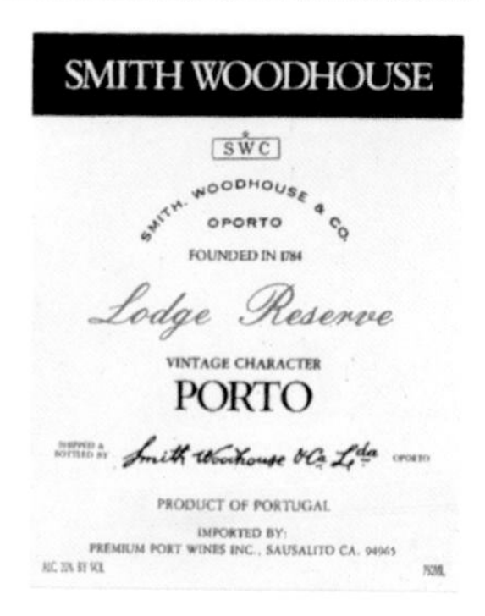

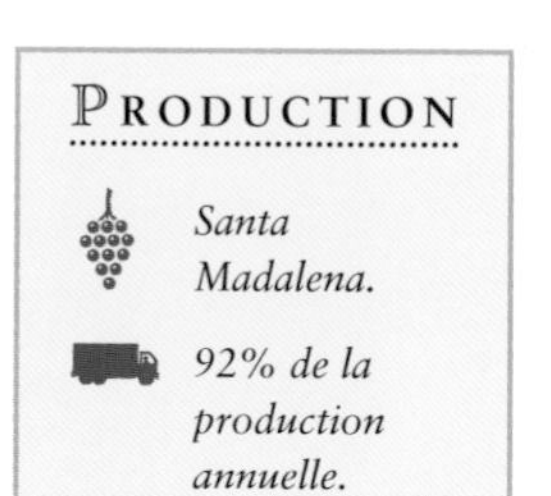

PRODUCTION

Santa Madalena.

92% de la production annuelle.

NOTES DE DÉGUSTATION

RUBY

VINTAGE CHARACTER CLASSIQUE OLD OPORTO (voir page 171)

TAWNY

OLD LODGE TAWNY Un vin non daté, sans âge. Un style que fabriquaient autrefois les exportateurs, mais qui a depuis été supplanté par les tawnies avec indication d'âge. La couleur montre encore un peu de rouge. Caractère plein et riche d'amandes et de noisettes grillées, appuyé par des fruits plus jeunes, provenant peut-être d'éléments plus jeunes utilisés dans le coupage, ce qui en fait un tawny rafraîchissant.

LBV

LATE BOTTLED VINTAGE TRADITIONNEL Le vintage actuel est le 1982. Comme un porto vintage, ce vin est très plein et riche, mais avec la maturité additionnelle qui vient d'un long séjour dans le bois. Du cèdre et des crayons à mine de plomb, un peu de fumée, des prunes et des épices au nez. Assez complexe. Palais sucré et plein, avec toute la structure d'un vintage de moindre qualité à un prix inférieur. Bien meilleur que plusieurs autres LBV.

VINTAGE

VINTAGE 1994 (voir page 171)

VINTAGE 1991 Couleur moyenne, encore violet bien sûr, avec un nez alcoolisé et des fruits d'intensité moyenne, notamment des prunes de Damas. Le palais révèle plus d'intensité que le nez: plein et puissant, avec des tanins plus souples que certains et une persistance extraordinaire. Bonne concentration, mais manque un peu de structure comparé à d'autres. Un vin à moyen terme, à boire avant d'ouvrir le vintage de Graham et Warre de la même année..

VINTAGE 1985 C'est encore un vin de gros calibre. Sans aucune trace d'âge sur le disque, de couleur sombre et violet-rouge, le vin est plus développé au nez, qui indique un caractère d'épices et de fruits. Plein et riche au palais, avec des tanins fermes, sans indice des années. Un vin à long terme.

VINTAGE 1983 Plus léger que le 1985, mais encore plein et riche. Le vin commence à montrer des signes de maturité sur le disque, et on perçoit des soupçons de gâteau aux fruits et de confiture de fruits sombres au nez. Sa structure est encore ferme, et il contient suffisamment de fruits pour le faire tenir encore de cinq à dix ans avant que les tanins s'atténuent.

VINTAGE 1980 Le vin, maintenant mûr, est élégant, mais pas exceptionnel. Parfumé et légèrement alcoolisé au nez. Les tanins se sont assouplis pour donner une sensation de velours au palais et une longue finale.

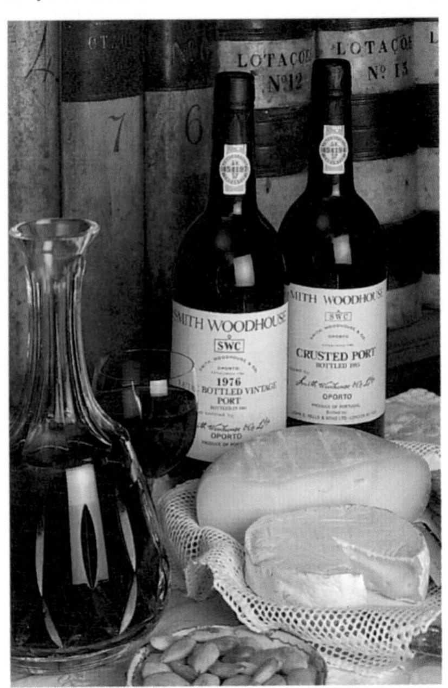

LBV TRADITIONNEL ET CRUSTED PORT.

Taylor, Fladgate & Yeatman – Vinhos, S.A.

Rua do Choupelo, 250, Apartado 1311
4400 Vila Nova de Gaia Codex, Portugal

Mieux connue sous le nom de Taylor, la société vend ses portos vintages plus cher que les autres, à l'exception du Nacional de la Quinta do Noval. En fait les vins de Taylor sont devenus les «vins de primeur» du porto (le terme est utilisé pour décrire les vins de Bordeaux les plus fins), du moins parmi les vins de vintages.

Établie à l'origine par Johan Bearsley en 1692, la société a changé plusieurs fois de nom, mais après l'arrivée de Joseph Taylor, John Fladgate et Morgan Yeatman au début du XIXe siècle, la société adopta son nom actuel et le conserva. Le directeur général actuel, Alistair Robertson, est un descendant de la famille Yeatman, tout comme Huyshe Bower, qui travaille chez Taylor depuis 1959. La fille de Alistair Robertson, Natasha, et son gendre, Adrian Bridge, participent également à la gestion de la société. La responsabilité des questions de viticulture a été longtemps assumée par le très grand et très démonstratif Bruce Guimaraens, de Fonseca Guimaraens, que Taylor a acquise en 1948. Bruce a pris sa retraite en 1995 et a alors passé les rênes à son fils David.

INFORMATION

VISITES *Oui, aux chais. Seuls des invités peuvent visiter les quintas. Tél. (351–2) 3719999.*

VINS RECOMMANDÉS *Tous les vintages.*

APPRÉCIATION GÉNÉRALE ★★★

La position de Taylor a toujours été due à ses portos de qualité supérieure, particulièrement les vintages. Depuis 1908, le spectaculaire vignoble amphithéâtre de la Quinta de Vargellas, dans le Douro Superior, a fourni le noyau de ces coupages. Vargellas avait déjà en 1823 une réputation exceptionnelle: ses vins étaient mentionnés dans les échanges épistolaires entre Londres et Porto. Cependant, quand Taylor acheta la quinta en 1893, celle-ci se trouvait au creux de la vague à la suite de la destruction des vignobles par le phylloxera. Des sommes d'argent colossales furent investies pour placer la société à l'avant-garde de l'innovation dans le domaine de la viticulture, une position qu'elle occupe encore. Les vignes plantées par Frank Yeatman (un descendant du cofondateur Johan Yeatman, et un passionné de viticulture) appartenaient aux

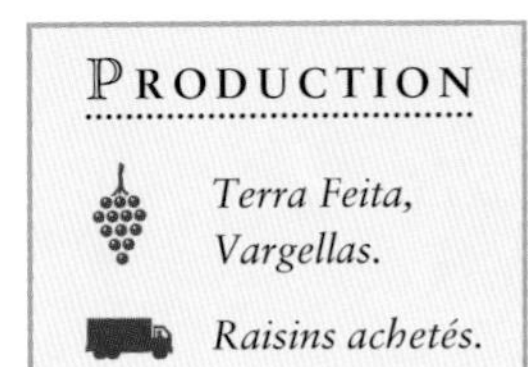

mêmes catégories que celles que recommande aujourd'hui l'IVP. Certaines preuves démontrent que la société aurait procédé à la vinification de quelques variétés uniques, mais les conclusions de ces expériences ne sont pas rapportées. Souvent, quand un vintage général n'est pas déclaré, un single quinta vintage de Vargellas l'est. Celui-ci est de style plus léger que les vintages officiels de Taylor, mais il est fréquemment meilleur que la plupart des vintages des autres sociétés.

Taylor est propriétaire de la Quinta de Terra Feita, dans la vallée de Pinhão. C'est un vignoble d'aspect inusité, constitué d'une grande colline au sommet plat et de quelques autres plus petites. Vu de la route qui relie Pinhão à Sabrosa, l'endroit paraît artificiel, et de fait la colline principale a été aplatie par l'enlèvement d'une vingtaine de mètres au sommet en 1983. Comme dans le cas de Vargellas, tout le vin de la Terra Feita est fabriqué dans des lagares et est utilisé dans le coupage des vintages ou pour les LBV. Certains single quinta vintages ont été produits dans des années occasionnelles.

Comme dans le cas de plusieurs autres sociétés, les vintages de Taylor sont les vins qui retiennent l'attention des médias, mais le LBV, plus accessible, est également digne de mention. Bien que l'industrie du porto ait longtemps embouteillé les vins de vintage plus tard que les trois années requises, Taylor fut la première société à créer une marque de LBV à succès, et la première à attirer l'attention sur ce type de vin. Le LBV de Taylor a un style moderne: embouteillé après avoir passé six ans en fût et après avoir été stabilisé et filtré, c'est un vin de vintage qu'on n'a pas besoin de décanter.

Le First Estate est le ruby de qualité supérieure le moins distribué de la société. Le nom évoque la Casa dos Alambiques, la première propriété de Taylor dans le Douro, et la première à appartenir à un exportateur britannique. Le domaine sert encore à l'approvisionnement de Taylor, mais aujourd'hui le First Estate ne vient pas entièrement de ces vignobles. La société produit une gamme exceptionnelle de tawnies qui ont tendance à être de style riche et fruité plutôt que d'évoquer la noisette, surtout le 10 ans d'âge. Les caractéristiques typiques des portos de Taylor sont la puissance et la force, mais ils font preuve d'une élégance considérable.

FRANK YEATMAN (À DROITE).

Taylor est la plus vieille firme de porto britannique qui ait conservé son indépendance, à l'écart des acquisitions commerciales et des prises de contrôle. En fait, les rôles ont été inversés avec l'acquisition de Fonseca dans les années 1940 et, plus récemment, par l'achat d'actions d'agents et distributeurs outremer destiné à resserrer son contrôle sur ses marques.

NOTES DE DÉGUSTATION

20 ANS D'AGE De couleur brun assez sombre, avec un nez très intense de caramel et de fudge. L'alcool est manifeste, mais pas autant que dans le cas du 10 ans d'âge. Assez sucré, mais équilibré et élégant, le vin ne soulève pas du tout le cœur, un défaut qui caractérise parfois d'autres tawnies.

VINTAGE QUINTA DE VARGELLAS 1991 Encore très fermé au nez. Un vin complexe avec des soupçons de fruits tropicaux aromatiques. Des taux de tanins extrêmement élevés, de même qu'un corps très charnu et très riche devraient permettre à ce vin de vieillir encore fort longtemps.

VINTAGE 1985 Plus plein et plus ouvert que le 1983, le nez est éclatant de fruits mûrs, piquants et sombres et de poivre noir. Les tanins sont très fermes et le corps charnu. La richesse du vintage rend le vin séduisant maintenant, mais il a encore besoin de quelques années avant d'atteindre son apogée.

Notes de dégustation

RUBY

FIRST ESTATE Quel dommage que ce vin ne jouisse pas de plus d'adeptes: c'est l'un des rubies supérieurs les plus pleins et les plus riches. Comme le Fonseca Bin no 27, il a suffisamment de structure et de consistance pour être intéressant.

VIEUX TAWNY

10 ANS D'AGE Couleur orange rougeâtre, nez aromatique de fruits séchés. Mi-sucré avec des acides équilibrés et une saveur pleine et concentrée. Persistance extraordinaire.

20 ANS D'AGE (voir page 175)

LBV

LATE BOTTLED VINTAGE 1990 Un des traits remarquables du LBV de Taylor est la constance du style et de la marque. De couleur rubis sombre avec un riche caractère de fruits noirs, le vin est encore jeune de style, en dépit de ses six années de vieillissement. Bien en chair, de style concentré, c'est l'un des meilleurs de son type.

SINGLE QUINTA VINTAGE

VINTAGE QUINTA DE VARGELLAS 1991 (voir page 175)

VINTAGE QUINTA DE VARGELLAS 1984 Le 1984 est meilleur que le 1982. Couleur rubis profonde, avec un nez intense et un palais plein, fruité et floral. Tanins très fermes et acidité équilibrée, qui aideront ce vin à vieillir bien qu'il se boive très bien maintenant.

VINTAGE QUINTA DE VARGELLAS 1982 Couleur encore rubis modérément intense. Légers accents floraux au nez, avec un corps moyen. Pas aussi intense que la plupart des Taylor, mais avec un bon fruité et quelques tanins fermes. Le vin est prêt à boire, mais il tiendra encore quelques années.

VINTAGE

VINTAGE 1994 Un vin très profond, presque noir. Nez fermé, mais fruité. Palais immense et puissant avec une structure tannique mordante et massive et des saveurs complexes de mûres, de chocolat noir et même de café fort.

VINTAGE 1992 D'un noir d'encre, l'un des vins les plus intenses du vintage. Nez souple de figues et de dattes, étonnamment ouvert pour cet âge. Mi-sucré, avec une poigne tannique très ferme qui masque une myriade de couches de saveurs.

VINTAGE 1980 Dégusté en comparaison avec d'autres Taylor, ce vin fut légèrement décevant. Dégusté avec d'autres 1980, il fut exceptionnel. Plus léger que la plupart des Taylor; caractère aromatique de fruits sombres, corps moyen, mais l'un des meilleurs du vintage.

VINTAGE 1977 Encore opaque, presque noir au cœur, avec un disque rubis des plus étroits. Nez complexe de fruits rouges et noirs, de chocolat foncé, et même d'épices, mais encore fermé. Pas tout à fait près. Bien en chair, avec la force et l'élégance de Taylor. Un grand porto qui ne devrait pas être ouvert avant le début du nouveau millénaire.

VINTAGE 1970 Rubis encore profond au cœur, avec des traces de grenat seulement vers le disque; jeune pour un vin de cet âge. Caractère de baies sombres puissant, avec un peu d'épices et de cuir dus au vieillissement qui révèlent discrètement la maturité du vin. Intense. Mi-sucré: puissance et concentration énormes de fruits mûrs équilibrés par un corps très charnu, des tanins robustes et une structure acide qui les lient ensemble. Persistance extraordinaire.

VINTAGE 1985 (voir page 175)

VINTAGE 1983 Couleur très profonde. Assez fermé au nez, mais avec un palais plein et mûr de gâteau aux fruits et d'épices. Tanins fermes et persistance extraordinaire. Le vin n'est pas encore à son apogée, en dépit de certaines indications qu'il s'agit d'un vintage à maturation précoce.

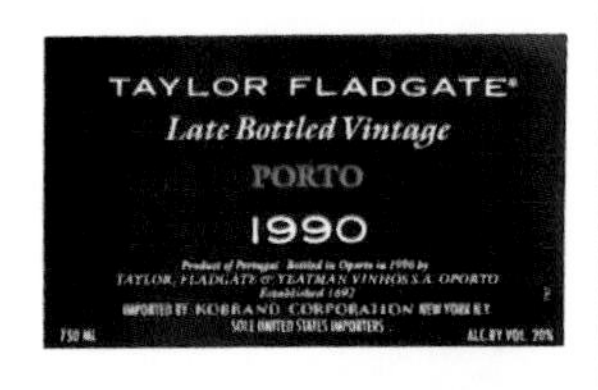

Vinoquel – Vinhos Oscar Quevedo, Lda.

Av. Marques Soveral,
5130 S. João da Pesqueira, Portugal

Vinoquel défie les catégories standard de l'industrie du porto. La société appartient à la famille et est située dans le Douro, et pourtant il ne s'agit pas que d'une simple quinta. D'un autre côté, Vinoquel ne fait pas d'exportation, préférant s'en tenir aux ventes locales, de sorte qu'on ne peut pas dire qu'il s'agit d'un véritable négociant.

Basée à São João da Pesqueira, la firme fut établie par Oscar Quevedo. Elle est dirigée par Cláudia Quevedo, qui poursuit ses études à l'université régionale de Vila Real.

Environ 60 pour cent de la production de la société vient des ses propres vignobles, la Quinta Vale d'Agodinho et la Quinta da Senhora do Rosário, qui représentent environ 99 arpents de terre du Cima Corgo de première qualité. Les vignobles sont typiques de la région, avec quelques terrasses traditionnelles, une partie de vinha ao alto là où c'est praticable, et des patamares là où l'investissement a pu être réalisé.

L'équilibre du vin vient de vignobles de catégorie A avoisinants, mais tout le raisin est vinifié par Vinoquel à sa vinerie de São João da Pesqueira, où l'on a opté pour les techniques modernes de fabrication. Tout le vin est fabriqué par remontage, dans des cuves à température contrôlée pour que les raisins conservent le plus de saveur aromatique possible.

Information

Visites *Oui. Tél. (351-54) 44328.*

Vins recommandés *LBV.*

Appréciation générale ★★

Les portos sont vendus sous deux étiquettes. Si tout le vin provient de la quinta, on utilise l'étiquette Quinta Vale d'Agodinho, mais si le vin provient d'autres vignobles il porte l'étiquette Porto Quevedo. Actuellement, le vin est vendu uniquement au Portugal, à la vinerie elle-même et par l'intermédiaire d'un nombre limité de points de vente au détail. Vinoquel est l'un de ces rares producteurs qui place les ventes domestiques au-dessus des exportations.

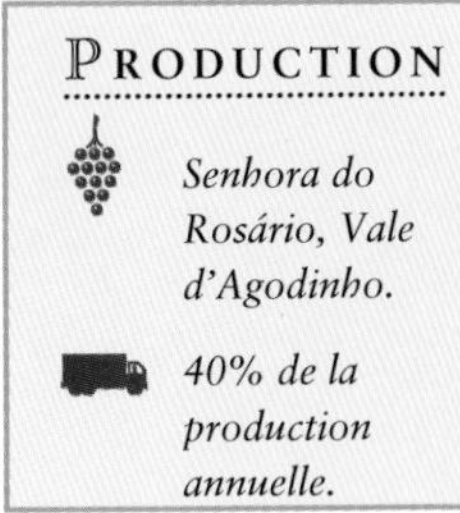

Production

Senhora do Rosário, Vale d'Agodinho.

40% de la production annuelle.

Cette philosophie lui a assuré une clientèle loyale qu'aucune campagne de publicité ne pourrait acheter. Bien entendu, cela implique que la vinerie est ouverte au public, avec les visites guidées et les dégustations habituelles.

Bien que sa gamme de vins comprenne des rubies, des vintages et des tawnies, seul le LBV a été dégusté pour le présent livre. Il est impossible d'évaluer la qualité d'un vinificateur en une seule dégustation, mais si tous les vins sont du même calibre que le LBV, alors la société mérite une plus grande reconnaissance.

Notes de dégustation

LATE BOTTLED VINTAGE QUINTA VALE D'AGODINHO 1992 Vin grenat profond mais très mûr, avec un nez riche et mûr de fumée et de fruits cuits, qui révèle une certaine maturité dont plusieurs LBV semblent dépourvus. Mi-sucré, acidité mordante et très légère touche du caractère cuit qu'ont souvent les vins mûris dans le Douro. Consistance moyenne avec une finale longue et propre.

Warre & Ca., S.A.

Trav. Barão de Forrester, 85, Apartado 26
4401 Vila Nova de Gaia Codex, Portugal

INFORMATION

VISITES *Seulement avec une recommandation d'un négociant en vins.*

VINS RECOMMANDÉS *LBV traditionnel, Vintages 1994, 1991, 1983, 1970.*

APPRÉCIATION GÉNÉRALE ★★★

Trois ans après le grand incendie de Londres, et plus d'un siècle avant la déclaration d'indépendance des États-Unis était fondée Warre, l'entreprise britannique d'exportation de porto. Actuellement membre du groupe Symington, Warre offre un style opulent qui lui confère une place confortable entre W. & J. Graham et Silva & Cosens. Les portos de Warre n'ont pas le style riche et sucré de ceux de Graham, et pourtant ni l'un ni l'autre n'ont le caractère austère de certains des vins de Dow.

La société a à l'origine été établie à Viana do Castele pour échanger des lainages et des morues d'Angleterre contre des vins de Minho. Le commerce prospéra rapidement, et bientôt des vins plus corsés de Régua remplacèrent le vin local, qu'on appelle aujourd'hui le vinho verde. En 1729, la société s'était installée à Porto, et le premier Warre, William, s'associait à elle.

Les Warre participèrent activement à la vie de Porto et à l'histoire du vin. William épousa Elizabeth Whitehead, la sœur de John Whitehead, qui devait devenir consul britannique à Porto et participer par la suite à la construction de la Factory House (voir page 25). Leur fils aîné, William, devait également devenir consul. Warre fut la première société anglaise à acquérir des terres pour ériger un chai sur la rive sud du Douro, à Vila Nova de Gaia.

L'histoire de la firme, comme celle de Croft, est intimement liée à la Guerre péninsulaire. Un troisième William Warre, né en 1784, devint le lieutenant général Sir William Warre, qui fut rattaché pendant toute la guerre au 52e régiment d'infanterie légère. Il semble que Lord Wellington aimait beaucoup ses portos, parce que Croft et Warre furent ses fournisseurs réguliers durant ses campagnes.

Le puissant empire Symington a vu le jour avec Warre, quand Andrew James Symington, le premier des Symington de l'industrie du porto, s'associa à la firme. «A.J.» était venu d'Écosse en 1882 et avait commencé par travailler pour un certain John Graham, un marchand de textiles. Il s'intéressa toutefois rapidement au commerce du vin,

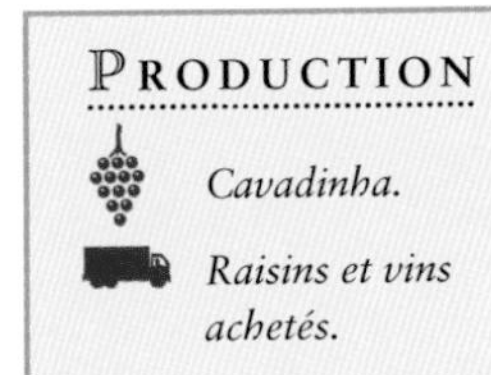

PRODUCTION

Cavadinha.

Raisins et vins achetés.

et, en 1905, il était devenu associé chez Warre. Les deux familles dirigèrent la société jusqu'en 1960, puis les membres de la famille Warre qui restaient vendirent leurs parts aux Symington. Bien qu'il n'ait plus d'intérêts financiers dans la société, William Warre, un maître en vins, travaille encore au marketing et aux ventes à partir de son bureau de Londres. Des échanges et achats subséquents d'actions ont fait de Symington l'un des groupes les plus puissants dans l'industrie du porto. La famille est devenue l'une des grandes dynasties du vin, en dépit du fait qu'elle est originaire d'un pays mieux connu pour la production de whisky.

Warre a toujours été classée parmi les plus importantes firmes de porto. Les raisins viennent de la quinta de la société, la Cavadinha, dans la vallée de Pinhão, de même que de la région environnante, et du Rio Torto, sur la rive sud du Douro. Comme tant d'autres producteurs de porto, la société achète des raisins et du vin des mêmes fermiers depuis des générations.

La fabrication du vin est principalement réalisée à Cavadinha, qui est l'une des vineries les mieux équipées dans la vallée, ou à Bomfim. Cependant, un nouveau centre de vinification, bien situé près de la route de Régua-Pinhão, deviendra vraisemblablement plus important. Quinze pour cent du vin est foulé par pieds d'hommes; le reste est soumis à l'autovinification. Bien que l'autovinification soit moins populaire de nos jours qu'elle l'a déjà été, la qualité des portos de Warre démontre qu'elle peut produire d'excellents vins. Plus de 57 pour cent des portos de Warre sont de catégories supérieures, alors que la moyenne de l'industrie est de 9 pour cent. S'il est une caractéristique digne de mention relative aux portos de Warre, c'est leur puissance. La force des vins réside dans leur structure et leur concentration de fruits, particulièrement en ce qui a trait aux vintages, qui sont parmi les meilleurs qui soient.

QUINTA DA CAVADINHA DANS LA VALLÉE DE PINHÃO.

NOTES DE DÉGUSTATION

WARRIOR FINEST RESERVE Le nom de marque Warrior, utilisé sans interruption depuis 1850, est réputé le plus ancien du commerce du porto. Ce vin riche et très fruité, de couleur rouge ruby intense, ne montre à peu près aucune trace d'âge. Bien en chair et très savoureux, il semble être le plus sucré de toute la gamme de la société.

SIR WILLIAM 10 ANS D'AGE Un tawny fruité, avec des prunes mûres et concentrées soutenues par des saveurs plus mûres de noisettes et d'amandes. Très savoureux et bien en chair.

VINTAGE 1983 Encore très jeune, et par conséquent plutôt muet au nez, le vin présente des nuances massives de fruits sombres et mûrs et une structure immense. Tanins fermes et acidité suffisante pour équilibrer le sucré; finale très longue. Un vin à très long terme.

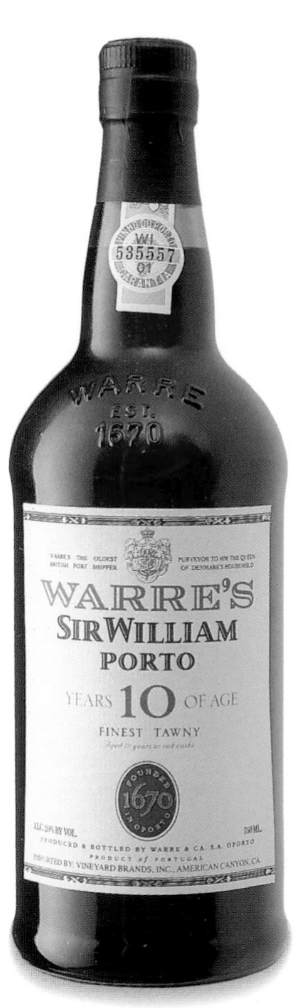

NOTES DE DÉGUSTATION

RUBY

WARRIOR FINEST RESERVE
(voir page 181)

VIEUX TAWNY

SIR WILLIAM 10 ANS D'AGE
(voir page 181)

NIMROD C'est le plus vieux tawny de Warre. Un vieillissement prolongé en fût en a augmenté la complexité et la maturité, de sorte que le vin offre plus de noix et d'épices, avec des accents de cannelle au nez. Il conserve son fruité, quoique moins que le Sir William, et il est mi-charnu, plutôt que bien en chair.

LBV

LBV Traditionnel Le LBV est un secteur en croissance. De nos jours, à peu près toutes les sociétés en produisent un, la compétition est féroce — la société qui vend à prix élevé est audacieuse. Le LBV de Warre est inusité, même parmi les LBV traditionnels, parce qu'il est embouteillé après quatre ans, sans filtration, puis conservé encore six à huit ans avant d'être vendu. Le vin est donc tout à fait mûr, bien en chair et doté d'une structure suffisante pour le rendre analogue au véritable porto vintage, et c'est bien ainsi que doit être le LBV. Le LBV de Warre qu'on peut se procurer est le 1982. De couleur rouge grenat pâle, avec un nez mûr de fruits rouges et d'épices, et un certain caractère boisé. Le palais est de consistance moyenne et complexe, ce qui donne lieu à une finale persistante.

SINGLE QUINTA VINTAGE

VINTAGE QUINTA DA CAVADINHA Dans les moins bonnes années, la firme produit un vin de single quinta de Cavadinha. Le 1979 se boit bien actuellement, et son parfum évoque un peu le fenouil. Le 1982 est en marché et se boit bien, mais il dispose d'une structure suffisante pour lui permettre de durer encore quelques années. Warre a déclaré un vintage en 1991, de sorte qu'elle a produit en 1992 un single quinta. C'est un vin très léger pour Warre, doté de caractères très séduisants de fruits rouges et de cerises. Un vin à boire à moyen terme, peut-être un vin du millénaire.

VINTAGE

VINTAGES 1991 et 1994 Les 1991 et 1994 sont très fermés, et l'alcool, les tanins et le fruité de mûres et de cassis se dispersent dans toutes les directions. Les deux seront bons: le 1991 dans 10 ou 15 ans, et le 1994 un peu plus tard. Le dernier a une concentration massive de prunes piquantes et de fruits chocolatés. Il a un caractère complexe.

VINTAGE 1985 Le jury délibère encore sur la question de savoir si le Warre 1985 devrait être mis en marché ou non. Il a tellement de fruits et est si ouvert et opulent qu'il est difficile de croire qu'il pourra durer. En même temps, il a une structure puissante de tanins mûrs, mais fermes. Pour parer à toute éventualité, il serait sans doute sage de conserver quelques bouteilles pour voir.

VINTAGE 1983 (voir page 181)

VINTAGE 1980 Le 1980 de Warre est un bon vin pour le vintage, il est épanoui et développé. De couleur grenat, très ouvert, avec un nez développé de cuir et d'épices. Mi-sucré, tanins souples et finale agréablement longue. Il se boit bien, et il est doté d'une structure pour lui permettre de tenir quelque temps. Il est peu probable qu'il s'améliore de façon spectaculaire..

VINTAGE 1970 Ce vin a atteint l'apogée de sa maturité. Ses tanins sont encore assez fermes et les fruits suffisants pour lui assurer une longue vie.

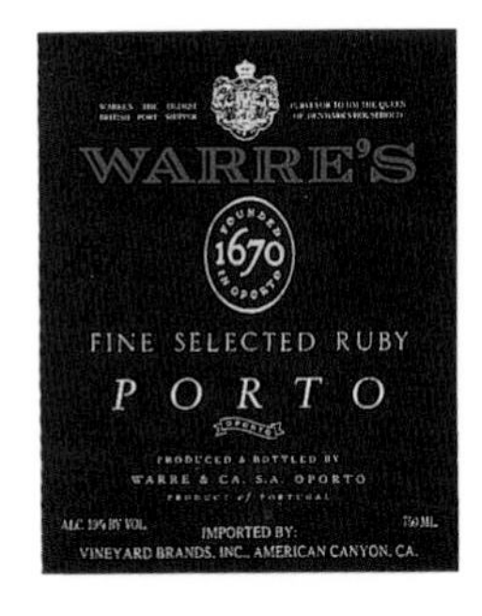

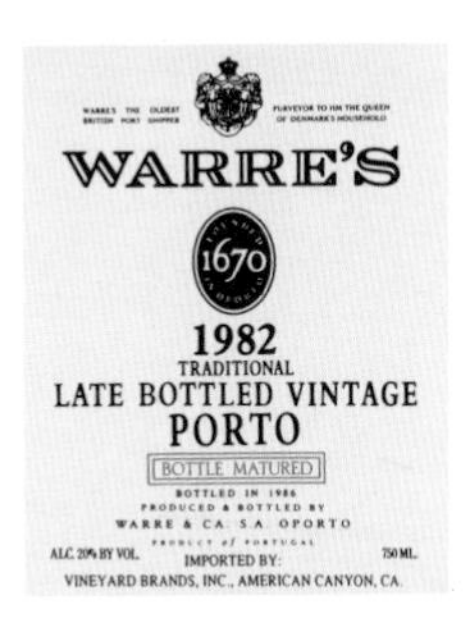

Wiese & Krohn, Sucrs., Lda.

Rua de Serpa Pinto, 149, Apartado 1
4401 Vila Nova de Gaia Codex, Portugal

Très souvent, les gens répartissent les exportateurs de porto en deux groupes: les Britanniques et les Portugais. Ils peuvent être surpris d'apprendre qu'il existe également des sociétés espagnoles (Osborne), allemandes (Burmester) et néerlandaises (Niepoort), sans parler des norvégiennes. Wiese & Krohn, qui vend ses portos sous la marque Porto Krohn, est une de ces raretés.

Le mets national du Portugal est le bacalhau, de la morue séchée salée, dont on dit qu'elle est préparée et mangée de mille façons différentes. Pourtant, la morue n'est pas un poisson local: elle doit être importée des eaux froides de la Mer du Nord. Theodor Wiese et Dankert Krohn approvisionnaient le Portugal en poisson et, naturellement, ils expédiaient du porto par le voyage de retour. C'est ce qui les conduisit à établir une entreprise d'exportation de porto en 1865. En 1910, un Portugais du nom de Edmundo Carneiro a commencé à travailler pour la société. Douze ans plus tard il en devint associé, puis il a acheta assez d'actions pour avoir le contrôle. La société norvégienne devint donc portugaise, mais elle conserva son nom d'origine.

Le fait de travailler dans l'industrie du porto semble favoriser la longévité: le fils d'Edmundo, Fernando, prit les rênes de la société en 1937 et ne prit sa retraite, ou semi-retraite, qu'en 1986. Le fils de Fernando, José, et sa fille, Iolanda, dirigent aujourd'hui la société. Fait rare pour une firme de porto, la majeure partie de la vinification est supervisée par deux femmes, Iolanda Carneiro et Maria José Aguiar.

INFORMATION

VISITES *Non.*

VINS RECOMMANDÉS
20 ans d'âge.

APPRÉCIATION GÉNÉRALE ★★

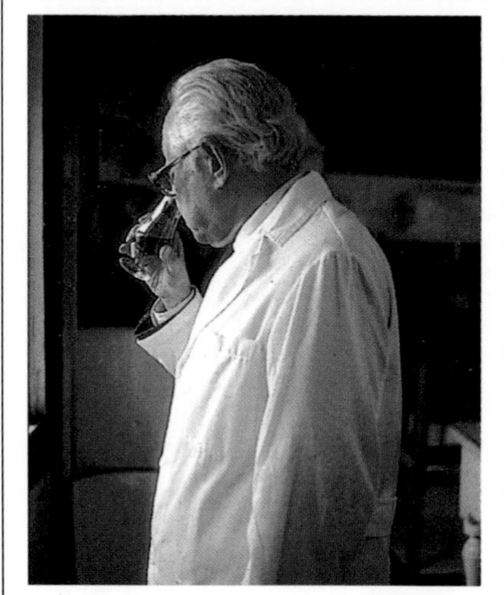

LE TRAVAIL DU MAÎTRE DE CHAI CONSISTE À ASSURER LA PRODUCTION D'UN PRODUIT CONSTANT, ANNÉE APRÈS ANNÉE.

Wiese & Krohn n'a que tout récemment commencé à cultiver ses propres raisins, après avoir acheté la Quinta do Retiro Novo de catégorie A en 1989. La quinta est située tout près de Bom Retiro. Il s'agit d'un petit vignoble dont la vinerie est clairement visible de la route qui mène à la vallée Torto. Bien qu'il y ait sujet à confusion, cette quinta n'a aucun lien avec sa voisine plus célèbre située tout près dans la vallée. Retiro Novo fournit chaque année 90 pipes de porto, ce qui correspond à environ 5 pour cent des besoins de la société. Le reste vient des fournisseurs traditionnels, dont plusieurs vendent leurs raisins ou leurs vins à Krohn depuis des décennies. Certains des raisins sont vinifiés à Retiro Novo; le reste est acheté de petits vignerons sous forme de vin. Au total, un peu plus de la moitié est produit par autovinification, mais le remontage devient de plus en plus important. Les vins sont vieillis à Vila Nova de Gaia plutôt que dans le Douro, mais le style de la maison est très imprégné de caramel, comme les vins vieillis dans le Douro.

Krohn s'est toujours spécialisée dans les vieux tawnies, qui ont une excellente réputation. Quelques échantillons de ses vintages se sont révélés légers et d'une maturité précoce, mais ils font preuve d'élégance. Les tawnies, qu'il s'agisse de colheitas ou de tawnies avec indication d'âge, se caractérisent par une onctuosité riche et singulière; ils sont souples et assez visqueux. En général, les vins de Krohn sont très distinctifs, et de façons inhabituelles pour des portos, de sorte qu'ils peuvent surprendre.

La Quinta do Retiro Novo dans la vallée du Torto.

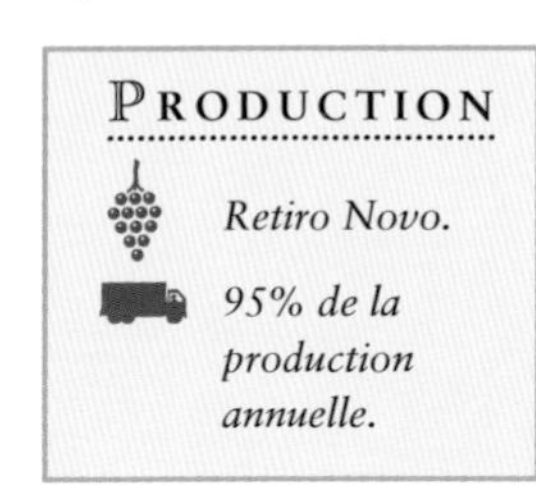

NOTES DE DÉGUSTATION

20 ANS D'AGE Ambre roux, pas aussi intense que le 1965, avec un nez très développé qui révèle une complexité considérable. Caractère de fruits séchés, de noix et d'herbes médicinales; sucré avec une faible acidité et une finale longue, bien que légèrement alcoolisée.

COLHEITA 1985 Couleur brun roux intense. Nez plein et mûr ayant conservé un peu de fruits séchés, mais principalement dominé par les noisettes. Sucré, acides équilibrés et texture étonnamment visqueuse en bouche. Longue finale de noix.

COLHEITA 1965 Brume légère dans le vin, mais rien d'inquiétant. Couleur brun noix intense. Nez propre, alcoolisé et mûr. La maturité est la caractéristique dominante. Sucré avec une acidité relativement faible et la texture visqueuse d'un vin plus jeune, de même qu'un caractère de fudge et de caramel. Finale exceptionnellement longue.

SECTION DEUX

Les coopératives et les single quintas

Un producteur propriétaire de quelques vignes n'a pas les moyens d'investir dans une vinerie. L'équipement est cher, et on ne s'en sert que quelques semaines par année. Pour des milliers de vignerons du Douro l'investissement est trop élevé, de sorte qu'ils doivent vendre leurs raisins à la fin de la saison. Plusieurs vendent aux sociétés d'exportation, mais d'autres comptent sur le mouvement coopératif, qui a toujours été très fort au Portugal.

Les coopératives sont des vineries qui appartiennent conjointement aux fermiers membres, dont la production individuelle serait trop petite pour l'établissement d'une vinerie. Plusieurs producteurs vendent directement aux sociétés d'exportation; en fait, plusieurs exportateurs font affaires avec les mêmes vignobles depuis des générations. Pour ceux qui ne peuvent compter sur la sécurité d'arrangements à long terme, il existe des coopératives, adegas cooperativas, dans la plupart des villes. Le rôle de la coopérative, propriété des vignerons, consiste à faire du vin pour ses membres et à le vendre, soit en vrac aux sociétés d'exportation, soit, de plus en plus, sous la propre étiquette de la coopérative. Les deux premiers titres de la présente section concernent des coopératives.

Il n'existe pas de définition exacte de la quinta, mais pour les fins du présent livre le terme désigne une «ferme vinicole». Certains portos ont été vendus sous le nom d'une quinta depuis des années, le plus célèbre étant sans doute celui de la Quinta do Noval, mais depuis longtemps l'accent est mis sur le nom de l'exportateur plutôt que sur le vignoble. En fait, avant l'avènement de la Communauté européenne (CE) en 1986, les règlements discriminaient les quintas, qui n'étaient pas autorisées à exporter leurs portos directement et devaient les vendre par l'intermédiaire de sociétés d'exportation.

Une nouvelle loi, promulguée le 8 mai 1986, permet que les vins soient exportés directement de la région du Douro, sans l'intermédiaire des chais de Vila Nova de Gaia. Depuis lors, plusieurs fermes ont commencé à se prévaloir du changement de réglementation pour offrir leurs vins directement au public. L'avantage des vins des quintas indépendantes est qu'ils offrent leur individualité. Le désavantage est qu'ils sont susceptibles de manquer de constance.

Adega Cooperativa de Alijó

Av. 25 de Abril
5070 Alijó, Portugal

La ville de Alijó est située très au-dessus du fleuve Douro, à un point tournant sur la route qui va de Pinhão à Tua. Avec sa population de 3000 habitants, c'est un grand centre selon les standards du Douro, et c'est là que se trouve très commodément située l'une des plus importantes coopératives. L'Adega Cooperativa de Alijó affiche une production annuelle d'environ 492 000 litres de vin par année, principalement des vins légers, avec quelques vins pétillants et quelques portos.

Fondée à l'origine en 1960 avec seulement 130 membres, l'Adega Cooperativa de Alijó compte maintenant plus de 1100 associés. Tous sont propriétaires de vignobles petits ou moyens, principalement cultivés en terrasses anciennes entourées de murets, avec le type de plantations mixtes qui étaient autrefois la norme au Portugal. Les désavantages des systèmes de plantation sont, dans une certaine mesure, contrebalancés par le fait que les ceps sont également vieux, ce qui augmente la concentration de saveur du vin.

INFORMATION

VISITES *Les visiteurs sont les bienvenus. Tél. (351-59) 959101.*

VINS RECOMMANDÉS *Blanc Pedra Lascada.*

APPRÉCIATION GÉNÉRALE ★

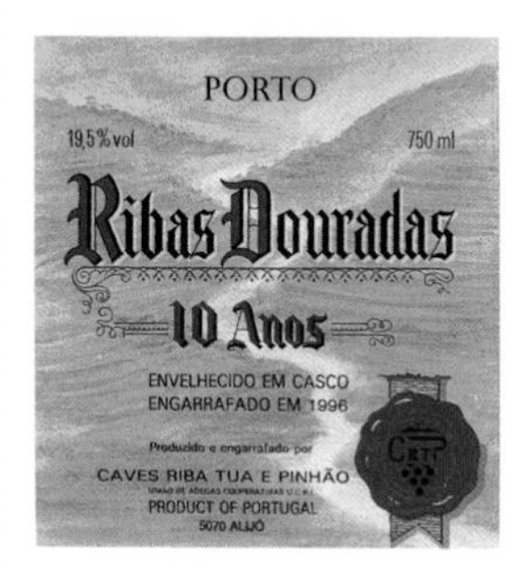

NOTES DE DÉGUSTATION

BLANC PEDRA LASCADA Ce vin longuement vieilli dans le bois a la couleur ambre moyenne d'un tawny 20 ans d'âge, et de fait il a un bouquet d'âge similaire: mûr et alcoolisé, avec tout de même encore quelques fruits séchés. Mi-sec avec une acidité plutôt faible; consistance et persistance moyennes. Un vin intéressant.

TAWNY Couleur brun-rouge moyenne, avec un nez plus léger que le Xisto Velho; mûr avec des accents de noix, mais assez caramélisé et alcoolisé. Il est aussi très légèrement sucré, avec un peu moins d'acidité, mais il est relativement plein au palais, avec un caractère de bonbon bouilli et une persistance moyenne.

TAWNY LOVELY CHARM De couleur brun-rouge claire avec un nez plein et ouvert de caramel, analogue aux bonbons bouillis. Mi-sucré avec une acidité équilibrée; saveur pleine et charnue. Le caractère de bonbon vient au palais, ce qui donne au vin une finale qui soulève légèrement le cœur. Un vin agréable, bien qu'il manque d'élégance.

Adega Cooperativa de Vila Flor

**Estrada Nacional, 5360
Vila Flor, Portugal**

Vila Flor est l'une des villes les plus charmantes du Douro, située tout en haut du Douro Superior. La plupart des maisons sont des constructions traditionnelles blanchies à la chaux mais on voit également des couleurs criardes et vives, plus typiques de l'Afrique que du Portugal, qui indiquent un passé colonial. La grande église témoigne du passé aristocratique de la ville. Comme de nombreuses villes du Douro, Vila Flor n'est pas riche l'économie reposant sur l'agriculture, en particulier, les vignes, les olives et les amandes.

La propriété vinicole moyenne dans le Douro Superior semble, sur papier, assez élevée. Cependant, la présence de quelques grandes quintas, comme celle de Cockburn dans la vallée de Vilariça, et la Quinta de Ervamoira de Ramos Pinto, fausse les chiffres. La plupart des fermiers disposent de très petits vignobles, d'où la nécessité de la coop.

La coop, qui a commencé modestement ses activités en 1962, compte maintenant 1000 membres, et chacun fournit en moyenne moins de sept pipes de vin par année. Pendant la majeure partie de l'histoire de la coop, le vin a été vendu aux grandes firmes d'exportation. Ce n'est qu'en 1996 que les premiers vins embouteillés par la coop sont apparus sous sa propre étiquette. Un seul vin est mis en marché, mais tout indique que les vins seront bien reçus au fur et à mesure que la gamme augmentera.

INFORMATION

VISITES *Sur rendez-vous. Tél. (351–78) 52421.*

APPRÉCIATION GÉNÉRALE ★

NOTES DE DÉGUSTATION

TAWNY TORGO Bien qu'il s'agisse d'un tawny courant, c'est un vin de très bonne valeur. Authentiquement roussâtre, avec un riche bouquet de noisettes, encore assez jeune pour contenir quelques fruits séchés. Mi-sucré, avec un bon équilibre d'acides, d'alcool et de fruits et une persistance très longue. Le vin conserve une fraîcheur qui le rend séduisant.

Sociedade Agrícola E Comercial da Quinta do Bucheiro, Lda.

Rua de S. Caetano, Celeirós do Douro, 5060 Sabrosa, Portugal

La Quinta do Bucheiro, à Celeirós do Douro, sur la route de Pinhão à Sabrosa, appartient à la même famille depuis sa fondation en 1717 par Joaquim Pinheiro. La quinta produit du porto et des vins légers. Ces derniers sont fabriqués à partir de raisins cultivés sur la quinta et de raisins achetés de fermiers qui ont le privilège de conclure des contrats de 10 ans avec Bucheiro.

Le vignoble de la quinta a été replanté à l'époque du programme de la Banque Mondiale (dans les années 1970 et 1980), de sorte qu'elle est dominée par les patamares, ce qui a entraîné une mécanisation «totale» selon les propriétaires. Tout est relatif, et même ici les tracteurs ne peuvent pas s'acquitter de toutes les fonctions.

La fabrication du vin et la maturation sont réalisées sur les lieux. La quinta est donc dotée d'imposantes installations d'entreposage et d'embouteillage, capables d'assurer la production de près d'un million et demi de bouteilles par année.

La quinta, qui vendait à l'origine ses vins en vrac, a commencé des ventes directes en 1977. Elle offre une gamme complète de portos, dont certains vieux de 20 ans. Un échantillon a été dégusté pour le présent livre, un late bottled vintage 1989.

INFORMATION

VISITES *La Quinta do Bucheiro est sur la Rota do Vinho do Porto. Visites sur rendez-vous. Tél. (351–59) 939225.*

APPRÉCIATION GÉNÉRALE ★

NOTES DE DÉGUSTATION

LATE BOTTLED VINTAGE 1989 Le vin est vieilli dans la bouteille avant d'être consommé, il est recommandé de le décanter. Couleur grenat moyenne, avec un disque très mûr. Nez terreux prononcé, végétal et tout à fait mûr maintenant. Sucré avec une acidité mordante et un peu de tanins, mais les fruits sont peu desséchés et la finale est courte.

Quinta da Casa Amarela

Riobom – Cambres, 5100 Lamego
Portugal

Casa Amarela, la quinta à la maison jaune, est située sur la rive sud du Douro entre Régua, la capitale régionale, et Lamego, la ville qui, selon la légende, est le lieu d'origine du vin fortifié de porto.

Le vignoble de la quinta est entièrement composé de terrasses à murets, et les vignes ont en moyenne 45 ans. À cet âge, la qualité des raisins est très élevée, et la concentration de saveurs est massive. Cependant, le rendement est faible, ce qui fait que chaque lot coût cher à produire. La production totale est d'environ 100 000 pipes, dont la moitié est du porto blanc. La majorité de la production est vendue en vrac aux grandes sociétés d'exportation, et seule une petite proportion est vendue comme vin de la quinta.

INFORMATION

VISITES *Sur rendez-vous. L'excursion comprend une visite du vignoble et de la vinerie, ainsi que le déjeuner. La Quinta do Bucheiro fait partie de l'itinéraire de la Rota do Vinho do Porto. Tél. (351–54) 66200.*

APPRÉCIATION GÉNÉRALE ★★

LA MAISON JAUNE QUI DONNE SON NOM À LA QUINTA.

La famille de la propriétaire actuelle, Dona Laura Maria Valente Regueiro, possède le domaine depuis 1885. En 1979, la famille a commencé à mettre en cave une provision de vin pour le vendre comme vin de single quinta. Ce type de vente était interdit à l'époque, mais les règlements devaient inévitablement être modifiés avec l'avènement de la Communauté européenne. En mai 1986, les quintas individuelles étaient autorisées à vendre leurs propres vins.

Actuellement, le seul vin sur le marché est le tawny 10 ans d'âge. La famille projette de produire également un tawny 20 ans quand les stocks auront atteint la maturité requise. La quinta n'a pas l'intention de se lancer dans le marché des rubies bon marché et autres portos du même genre. Dona Laura préfère laisser ce marché aux grandes sociétés d'exportation pour se concentrer sur les vins de qualité supérieure.

Notes de dégustation

10 ANS D'AGE De couleur brun acajou intense, plus intense que la plupart des 10 ans, avec à peine un soupçon de rouge. Nez intense, d'une maturité presque analogue au cognac, légèrement cuit et un peu végétal, avec un caractère de noix marinées. Mi-sucré, palais très plein; saveur très intense, soutenue par l'alcool et le tanin.

Quinta do Castelinho (Vinhos), Lda.

Quinta de S. Domingos, Apartado 140
5050 Peso da Régua, Portugal

La Quinta de Castelinho, de taille moyenne, est située à la frontière entre le Cima Corgo et le Douro Superior, sur la rive du fleuve, en aval de la digue de Valeira et près de la petite, mais importante ville de S. João da Pesqueira.

La quinta appartient à la famille Saraiva depuis des décennies. Pendant plusieurs années, la famille a conservé un stock de vieux vins que, jusqu'à ce que les règlements concernant la vente de vins de single quintas soient modifiées en 1986, elle n'avait pas le droit d'exporter, mais qu'elle pouvait vendre aux exportateurs, ou garder pour son usage personnel. En 1990, après que les règlements eurent été assouplis, la famille a créé une société de vente pour commercialiser ses vins sur le marché domestique et à l'étranger.

INFORMATION

VISITES *La propriété de Régua reçoit les touristes; des groupes peuvent y manger à la condition de réserver. Tél. (351–54) 320100.*

VINS RECOMMANDÉS *Colheita 1982, 1962.*

APPRÉCIATION GÉNÉRALE ★★

Dans cette partie abrupte de la région, tous les vignobles sont en terrasses, et l'on peut voir aussi bien des cultures en terrasse que des patamares dans ce vignoble de 99 arpents. Tous les raisins sont foulés par pieds d'hommes dans les lagares de la quinta et, comme on produit du vin de single quinta, seuls des raisins de la quinta entrent dans les mélanges.

Plusieurs vins de single quintas, surtout ceux de cette partie très chaude du Douro, prennent la caractéristique du «Douro bake», un goût cuit causé par la chaleur des étés. Ces vins ne peuvent pas être assemblés à l'extérieur de la quinta, à cause des restrictions sur la composition du vin de single quinta. Grâce à une manipulation du raisin et à une vinification soigneuses, et en maintenant dans les chais une température aussi fraîche que possible, Castelinho a réussi à éviter ce danger. Les vins se distinguent tous par une fraîcheur et une netteté qu'on trouve rarement dans les vins mûris dans le Douro.

Récemment, la famille a acheté la Quinta de São Domingos à Régua, qui appartenait auparavant à Ramos Pinto. La ville en expansion a envahi la quinta: autrefois entourée de vignobles, elle est maintenant devenue un lot de vignes isolé au milieu d'une banlieue étalée. On y trouve un chai et une petite vinerie, en plus d'un centre touristique bien équipé, où des présentations audiovisuelles et des dégustations aident à promouvoir le vin.

NOTES DE DÉGUSTATION

BLANC Particulièrement agréable s'il est consommé jeune: caractère de salade de fruits frais, mi-sucré et bonnes saveurs de fruits frais.

10 ANS D'AGE Couleur brun topaze d'une clarté brillante, avec un disque orange. Caractère de fruits citriques cuits, plutôt que de confiture en préparation, à peine alcoolisé. Palais propre et frais, mi-sucré, mais avec des acides aux accents citriques rafraîchissants qui nettoient le palais et donnent lieu à une finale longue et rafraîchissante.

COLHEITA 1962 De couleur orange-brun pâle, avec un bouquet prononcé, manifestement mûr d'épices et de noix. Comme pour le vin plus jeune, le fruit est encore présent en abondance, avec des traces de raisins et de figues. Mi-sucré, avec une acidité équilibrée, légèrement cuit. Un vin frais, très bon.

Notes de dégustation

BLANC

BLANC (voir page 194)

VIEUX TAWNY

10 ANS D'AGE (voir page 194)

20 ANS D'AGE De couleur plus pâle que le 10 ans, avec un nez délicat et frais de noix et d'écorces. Peut-être un peu plus sucré au palais, mais encore équilibré. Moyennement charnu, avec une acidité fraîche et une finale élégante.

COLHEITA

COLHEITA 1982 Clair, orange roussâtre d'intensité moyenne. Nez très prononcé et parfumé de vanille, de fruits séchés et d'écorces confites. Pas franchement alcoolisé. Mi-sucré avec une acidité modérée, l'alcool étant ici un peu plus évident. Épices de vin chaud au palais, avec des fruits séchés. Bonne intensité de saveur et finale longue et agréable.

COLHEITA 1962 (voir page 194)

VINTAGE

VINTAGE 1994 De couleur rubis-violet intense, le vin est très savoureux et possède un peu de la fraîcheur des autres vins, mais le sucre est légèrement poisseux et domine la structure.

La dégustation dans le chai.

D'immenses tonneaux de chêne dans le chai du Douro.

Quinta do Côtto (Montez Champalimaud, Lda.)

Cidadelhe, 5040 Mesão Frio, Portugal

Il existe peu de quintas grandes ou célèbres dans le Baixo Corgo. Les plus importantes, celles qui sont classées A et B dans le cadastre du Douro, sont dans le Cima Corgo, et quelques-unes sont un peu en amont dans le Douro Superior. La sagesse populaire considère que le Baixo Corgo est bon pour les vins légers (non fortifiés) et les portos bas de gamme, et que c'est plus en amont qu'on trouve la qualité. Miguel Champalimaud n'est pas d'accord. Un des plus grands critiques de l'establishment du porto, Miguel Champalimaud, propriétaire de la Quinta do Côtto, a entrepris de démontrer, grâce à la qualité de ses vins, que la sagesse traditionnelle est dans l'erreur. La Quinta do Côtto fut la première à se prévaloir des nouveaux règlements (de 1986) sur l'exportation directe de porto de la vallée, et ses vins ont été bien reçus dans la plupart des dégustations.

INFORMATION

VISITES *La Quinta est située sur la Route des vins et est ouverte toute l'année. Tél. (351–54) 899269.*

VINS RECOMMANDÉS *Vintage 1989.*

APPRÉCIATION GÉNÉRALE ★★

La quinta a une longue histoire. Elle aurait servi de refuge à Araújo Cabral Montez contre les troupes du roi Alfonso III au XIIIe siècle et elle lui aurait appartenu depuis. Miguel Champalimaud en est un descendant direct. Le nom Champalimaud est d'origine française. Le général Champalimaud, maréchal lors des Guerres péninsulaires, était originaire de Limoges, dans le sud-ouest de la France. Sa fille, Dona Carlota Casimira, épousa un membre de la famille Montez. (Les circonvolutions des noms portugais sont d'une complexité telle que le nom Montez a fini par devenir Champalimaud.) À l'époque de l'ancienne Companhia Geral da Agricultura das Vinhos do Alto Douro, durant le «règne» du marquis de Pombal, les membres de la famille faisaient partie de la direction de la société, ce qui est ironique considérant les opinions du propriétaire actuel sur l'establishment.

Les pentes douces de cette partie du Baixo Corgo permettent du cultiver la partie de la Quinta do Côtto sans terrasses. Là où les lots sont plus abrupts, des patamares ont été installés, mais la tendance consiste à adopter la culture en vinha ao alto chaque fois que les vieux vignobles doivent être replantés. À l'heure actuelle, ils sont en rangées sur les flancs de la colline, ce qui rend la mécanisation difficile.

Le domaine où Miguel Champalimaud est vraiment en désaccord avec le reste de l'industrie du porto est celui de la fabrication du vin. Non seulement il rejette les lagares comme étant bons seulement pour le folklore et pour les journalistes, mais il n'admet pas l'existence même du porto tawny. Pour lui, ce style de vin oxydé est une hérésie, puisque l'oxydation peut être évitée. De nos jours, croit-il, ce sont les fruits qui comptent, et ils doivent par conséquent être préservés.

La majeure partie de la production est toujours vendue aux autres exportateurs, mais dans des cas exceptionnels une petite quantité de vin de la Quinta do Côtto est embouteillée et vendue sous l'étiquette de la quinta. Un vintage a été déclaré en 1982 et a connu un succès notable dans les dégustations anonymes. Le vin actuel est le vintage 1989, et tous les espoirs sont permis pour le 1995. Au moment de la rédaction du présent ouvrage, il était trop tôt pour dire si ce vin sera mis en marché, parce qu'il n'avait pas encore été approuvé par l'Instituto do Vinho do Porto.

Notes de dégustation

VINTAGE 1989 Couleur rouge rubis très intense. Nez tout à fait mûr, élégant de fruits noirs, de café et de chocolat. Mi-sucré, acidité équilibrée et tanins en quantité élevée, mais très mûrs. Grande concentration, quoique le corps soit de moyen à charnu. Longue finale dominée par les fruits, qui masquent presque l'alcool. Un vin qui gagnera à vieillir.

Sociedade Agricola da Quinta do Crasto

Rua de Gondarém, 834 R/CDt°
4150 Porto, Portugal

Située sur la rive nord du Douro, avec des vues spectaculaires sur l'amont et l'aval du fleuve, la Quinta do Crasto a, pour le visiteur, un petit air familier: elle figure sur la célèbre céramique bleue de la gare de Pinhão. Il y a 150 ans, la quinta appartenait à Ferreira, qui l'a vendue au grand-père des propriétaires actuels, Jorge Roquette et sa famille, en 1910. Le vignoble occupe un tiers des 321 arpents de la quinta. La majeure partie du vignoble est sur des terrasses qui ont été passées au bulldozer, mais une partie est cultivée en vinha ao alto; quelques terrasses ont été conservées telles quelles, probablement juste pour l'apparence.

INFORMATION

VISITES *La Quinta n'est pas ouverte au public pour le moment, mais la situation peut changer à l'avenir.*

VINS RECOMMANDÉS *LBVs.*

APPRÉCIATION GÉNÉRALE ★★

La fabrication du vin est traditionnelle. Les meilleurs raisins sont foulés par pieds d'hommes, quoique des moyens mécaniques d'extraction soient utilisés. Crasto produit des portos et des vins légers (de table) et, bien que les lagares soient réservés au porto, il arrive au vinificateur, David Baverstock, de laisser un lagar fermenter jusqu'à ce qu'il s'assèche pour produire son célèbre vin rouge du Douro. David est Australien. Il travaille au Portugal depuis des années et a fabriqué des portos pour les Symington, de même que des vins légers dans le Douro et dans le sud du pays. Il apporte l'expertise et les techniques de l'Australie au traitement de la myriade de variétés de raisins du Portugal. Christiano van Zeller, qui était directeur de la Quinta do Noval et dont le nom est célèbre dans l'industrie du porto, s'est joint à Jorge Roquette en 1994 comme consultant en vin et en mise en marché.

Seuls les vintages et les LBV sont vendus sous le nom de la Quinta do Crasto; les vins inférieurs sont vendus à l'exportation. Sur un total d'environ 133 000 litres produits, entre 15 000 et 22 700 seulement sont vendus sous l'étiquette Quinta do Crasto. Il existe des spécimens de vintages plus vieux dans la cave privée, mais les vintages commerciaux sont une innovation récente qui a commencé en 1978.

Les vins de vintage sont très pleins, tandis que les LBV sont traditionnels et ont besoin d'être décantés, même à un stade assez précoce de leur vie. Ils n'ont pas la constance de goût des mélanges de marché de masse, et ils reflètent les caprices du vintage.

Notes de dégustation

LATE BOTTLED VINTAGE 1990
Noyau noir opaque avec un disque étroit, d'apparence très jeune. Nez intense et très ouvert de prunes de Damas; un peu poisseux. Palais sucré et très concentré, avec des tanins fermes et une persistance extraordinaire. Le vin a besoin d'encore deux ou trois ans avant d'atteindre son apogée.

LATE BOTTLED VINTAGE 1991
Comparé au 1990, la couleur est aussi intense, et le nez de prunes de Damas est similaire, mais il a un caractère légèrement cuit. Sucré et bien en chair, tanins très fermes et finale longue et élégante. Encore une fois, le vin a besoin de quelques années supplémentaires en bouteille avant d'atteindre sa pleine maturité.

VINTAGE 1994 Voici un gros calibre. Noyau très sombre avec un disque violet, pas aussi intense que d'autres dégustés en même temps. Nez plein de fruits et de poivre, avec soupçons de poivre vert, comme on en trouve parfois dans le cabernet sauvignon; des traces de menthe. Très savoureux avec des tanins fermes, mais pas trop agressifs. Une longue finale.

Quinta do Infantado – Vinhos do Produtor, Lda.

Rua Paulo da Gama, 550-8 E,
4150 Porto, Portugal

> **INFORMATION**
>
> **VISITES** *Oui.*
> *Tél. (351-2) 6100865.*
>
> **VINS RECOMMANDÉS**
> *Vintage 1985.*
>
> **APPRÉCIATION GÉNÉRALE** ★

La Quinta do Infantado, littéralement la «Quinta du Prince», a été établie en 1816. Le nom lui convient bien, parce qu'au début de son existence la quinta appartenait au prince Dom Pedro IV, le fils du roi João VI du Portugal, empereur du Brésil. À la fin du XIXe siècle, la quinta fut vendue à João Lopes Roseira. Malheureusement, il mourut peu de temps après l'avoir acquise, laissant dans le deuil sa femme, Dona Margarida, et trois fils. Dona Margarida est morte en 1984, et c'est son petit-fils João qui dirige actuellement la quinta.

Les raisins de la quinta ont longtemps été, et sont toujours à l'occasion, vendus à Taylor et Sandeman, mais depuis la fin des années 1970, avant que cela ne devienne chose courante, Infantado projetait d'embouteiller un vin du domaine. À l'origine les vins étaient vendus seulement sur le marché domestique, ce qui était légal, puisque les exportations directes étaient interdites. Avant longtemps le mouvement s'est étendu et Infantado est devenu l'un des premiers membres de l'AVEPOD, l'Association des vins de single quintas. L'AVEPOD est actuellement un organisme de promotion important au sein de l'industrie.

Environ la moitié du vignoble est composée de vieilles terrasses à murets, et le reste est cultivé en patamares. Contrairement à plusieurs autres quintas, Infantado utilise très peu d'herbicides. Éliminer les mauvaises herbes des talus de support dans les terrasses à patamares peut constituer un problème. Bien qu'elle ne soit pas totalement organique, la Quinta do Infantado fait des efforts particuliers pour protéger l'environnement.

Le vignoble est divisé en deux sections: Barreiro, qui est totalement organique et dont le raisin est utilisé pour la fabrication d'un vintage character, et Serra, qui est entièrement planté de Touriga Nacional, utilisé pour les vintage ports. Tous les vins d'Infantado, des rubies courants aux vintages et colheitas, sont embouteillés au domaine, ce qui justifie l'importante mention indiquant «embouteillé au domaine» qui paraît sur l'étiquette.

NOTES DE DÉGUSTATION

LBV 1991 Un LBV traditionnel, embouteillé après quatre ans en fût. Couleur ruby vive et intense, avec juste un soupçon de maturité sur le disque. Nez léger et délicat, un peu feuillu, mais évoquant les fruits rouges, sans excès d'alcool. Très sucré et légèrement cuit au palais, mais avec des acides équilibrés et une structure ferme.

VINTAGE 1985 Couleur de moyenne à intense avec un large disque rubis, grenat. Alcool manifeste au nez, ce qui est inhabituel pour ce vintage, avec un soupçon de clous de girofle et de prunes de Damas. Palais riche et plein avec des tanins fermes, mais des fruits développés qui rendent le vin idéal pour la consommation immédiate.

TOURIGA NACIONAL VINTAGE 1991 Le nez libère des saveurs de poivrons verts et de fruits noirs, actuellement plutôt discrètes. Le palais rappelle le cassis et les cerises noires, le sucre et l'acidité sont équilibrés, et les tanins sont fermes, mais mûrs. Un bon vin à moyen terme, mais actuellement plutôt unidimensionnel.

Quinta do Noval – Vinhos, S.A.

Avenida Diogo Leite, 256, Apartado 57
4401 Vila Nova de Gaia Codex, Portugal

On peut dire de Noval que c'est le producteur qui a fait entrer le mot «quinta» dans la langue anglaise. La Quinta do Noval, qui est la quinta la plus célèbre de l'industrie du porto, est aussi bien une quinta qu'un exportateur depuis que ses vins ont pris de l'importance, grâce à son légendaire vintage 1931.

La quinta, avec ses murs blanchis à la chaux et ses terrasses immaculées, occupe une position dominante au-dessus de la vallée de Pinhão. À partir de la route de Sabrosa à Pinhão, quand on regarde vers la colline au sommet plat de la Terra Feita de Taylor, le regard est attiré par Noval, par les sections de mur blanc dans le vignoble. Les terrasses entourées de murs sont proéminentes dans ce vignoble, parce que les portions de chaque côté des escaliers de pierre qui conduisent d'une terrasse à l'autre ont été blanchies à la chaux pour améliorer la visibilité. La quinta est tellement visible qu'elle est devenue un point de repère pour les visiteurs, même s'ils se rendent aux maisons avoisinantes. On mentionne souvent la maison pour donner des directions.

INFORMATION

VISITES *Noval a une petite salle de dégustation et une boutique à Vila Nova de Gaia.*
Tél.: (351-2) 302020. La quinta n'est pas ouverte aux visiteurs.

VINS RECOMMANDÉS
LB, Tawny 20 ans d'âge, Vintage Nacional 1963, Vintage Nacional 1994.

APPRÉCIATION GÉNÉRALE
★★★

L'histoire de la quinta remonte à 1715, maisa été reconnue pour la qualité de ses vins quand l'exportateur Rebello Valente entreprit de les vendre. Il acheta plus tard le vignoble. Après que la famille eut dépensé des sommes considérables à la replantation, le phylloxera détruisit les vignes, et la quinta dut être vendue. Elle fut acquise par António José da Silva, qui replanta grâce aux techniques de greffage et qui fut à l'origine de la construction précise et géométrique des murs de pierre qui sont si célèbres aujourd'hui.

La fille d'António épousa Luis de Vasconcellos Porto, qui devint employé de la firme. Ce fut lui qui inventa les terrasses larges qu'on peut encore voir à Noval et dans tout le Douro, dans le but de réduire les coûts, mais aussi de faciliter le mûrissement. Il avait remarqué que, sur les terrasses traditionnelles à crête aplanie, seule la rangée du devant était exposée au soleil, de sorte qu'il conçut des terrasses à angle pour mieux exposer les autres vignes.

Vasconcellos Porto se chargea de promouvoir la quinta à l'exportation, une tâche poursuivie par ses descendants, les van Zellers. Christiano van Zeller vendit la quinta à la branche d'investissement vinicole d'un groupe d'assurance français, AXA Millésimes, en 1993, et depuis c'est un Anglais, Christian Seely, qui en est le directeur général.

Il faut faire une distinction entre les vins étiquetés «Noval» et ceux appelés «Quinta do Noval». Qu'il en ait toujours été ainsi ou non, ces dernières années, seuls les vins originaires du vignoble portent la désignation de la quinta. Environ un tiers de la production de la société vient de celle-ci; le reste est acheté sous forme de raisins et transformé en vin sur les lieux. Environ la moitié du raisin est foulé par pieds d'hommes et, pour les deux derniers vintages, Noval a expérimenté la technologie du robot dans le lagar. Ce fouleur mécanique en acier inoxydable écrase les peaux de raisin avec un bélier hydraulique 24 heures par jour, sans jamais demander une cigarette ou un autre verre de brandy.

Pour innover encore, Noval a fermé son chai de Gaia, préférant faire mûrir tous ses vins dans un chai climatisé à la quinta. C'est moins cher à gérer, puisque les frais d'installation sont moindres, et il est plus facile d'exporter les vins de cet endroit, considérant la difficulté pour les exportateurs de manœuvrer les camions dans rues étroites de Gaia. Dans la vallée, les routes s'améliorent sans cesse.

Noval est un exportateur de taille moyenne: ses ventes excèdent le million de bouteilles par année, et elle produit toute la gamme des vins. Elle est particulièrement célèbre pour ses vintages et colheitas, surtout le Nacional, un vin de vintage fabriqué à partir de vignes non greffées situées dans la partie la plus ancienne du vignoble, qui n'a jamais été attaquée par le philloxera. Le nom vient des vignes qui sont plantées sur leurs propres racines, «dans la nation» telle qu'elle était, et non, comme certains l'ont suggéré, de la variété de raisins. En fait, le porto Nacional, loin d'être du pur Touriga Nacional, est fait d'un pourcentage anormalement élevé de Sousão. Sous le vieux régime, le Nacional ne fut jamais vendu officiellement, mais des petites quantités en étaient données aux marchands de vins s'ils commandaient suffisamment de vins de vintage Noval. Il devint bientôt un vin très prisé dans les ventes aux enchères, sans que le producteur en tire aucun bénéfice. Sous la nouvelle administration, les vintages seront à l'avenir vendus en très petites quantités dans l'industrie.

La plupart des vins suivants furent dégustés à Noval en octobre 1996, avec la permission de Christian Seely et Dirk Niepoort.

La Quinta do Noval, qui surplombe le Rio Pinhão.

Notes de dégustation

NOVAL LB Un ruby de très haute qualité, de couleur rubis intense, avec un nez puissant et fruité de fruits sombres et de prunes de Damas. Mi-sucré, avec une acidité rafraîchissante et des tanins très fermes. Bien en chair et frais, contrairement à la plupart des rubis des maisons portugaises mûris dans le Douro. Un vin excellent à prix abordable.

TAWNY 20 ANS Très brun en ce moment, avec une saveur de noix très pleine, dominée par l'amande et la pâte d'amande. Consistance moyenne, mais grande puissance et alcool mordant dans la bouche; longue finale.

VINTAGE NACIONAL 1994 Apparence et texture très semblables au vintage Noval, mais avec une strate additionnelle d'épices sucrées.

NOTES DE DÉGUSTATION

RUBY

NOVAL LB (voir page 204)

RUBY OLD CORONATION Pour un ruby courant, ce vin a une profondeur et une structure remarquables. Couleur intense. Nez très jeune et fruité. Moyennement charnu et concentration assez bonne.

VIEUX TAWNY

TAWNY 10 ANS Brun roussâtre d'intensité moyenne, nez léger de fleurs et de fruits, avec un soupçon de noix des plus vagues. Mi-sucré; saveur de moyenne à pleine, avec encore une fois cette fraîcheur qui perce. Un très bon exemple du genre.

TAWNY 20 ANS
(voir page 204)

TAWNY DE PLUS DE 40 ANS Tout à fait brun, il ne reste aucune trace de rouge. Nez «rancio» mûr, comme un très vieux cognac. Des soupçons de champignons sauvages, avec des fruits séchés épicés. Mi-sucré et corps moyen avec une bonne prise, mais une finale un peu courte.

COLHEITA

COLHEITA 1984 D'apparence semblable au 10 ans d'âge, avec lequel on le compare, mais plus léger et plus délicat. Caractère ferme de noix, saveur pleine et très bonne persistance.

COLHEITA 1982 Plus plein et plus riche que le 1984. Caractère très puissant de fruits et de noix, avec de la force et de la concentration. À l'occasion d'une dégustation, l'opinion fut partagée sur les qualités relatives des vins de 1982 et 1984. Le 1982 fut considéré plus puissant (mais Noval préféra la finesse et la délicatesse du 1984).

COLHEITA 1976 Nez plus marqué et hautement volatil (peut-être un peu d'acétone?). Palais encore assez fruité, mais de fruits séchés. Figues, noix et raisins séchés, avec une concentration massive et une persistance extraordinaire. Un nez quelque peu rebutant, mais un palais excellent.

COLHEITA 1971 Nez terreux et rustique avec un palais agressif encore assez sucré, une prise quelque peu tannique et un alcool perceptible. Bonne concentration, mais la maturité domine d'une façon qu'on ne retrouve pas dans le 1974.

COLHEITA 1937 Ni le 1968, ni le 1964 ne sont impressionnants, mais le 1937 est encore très bon. Couleur brun acajou intense. Très mûr, avec une richesse et une concentration de fruits séchés semblables à celles du sherry oloroso, sec et fin. Caractère d'amandes grillées, de caramel et de fruits, avec un palais soyeux et une longue persistance.

LBV

LBV 1990 Comme de nombreux autres, Noval prétend avoir créé le LBV. Ce qui est certain c'est que pendant longtemps elle s'est retirée de la course. Récemment, les LBV devenant de plus en plus populaires, elle a remis sa version en marché. D'intensité légère à moyenne, pas aussi profond que plusieurs autres, mais avec un palais plein, un fruité puissant et des tanins fermes. Ce vin varie d'une année à l'autre, selon les conditions atmosphériques, tandis que le LB est plus constant. Certaines années, le LB est préférable au LBV; pour 1990, c'est le contraire.

VINTAGE

VINTAGE 1994 Noyau noir avec disque étroit, fermé, mais avec des saveurs concentrées de prunes de Damas; plein, riche et tannique. Le vin va durer longtemps.

VINTAGE NACIONAL 1994
(voir page 204)

VINTAGE 1991 Un des plus intenses de 1991. Nez très fermé, qui ne révèle à peu près rien, bien qu'il ne soit pas alcoolisé. Palais massif et presque agressif, très intense, saveurs de prunes, de figues et de chocolat concentrées en sucre. Un très grand vin, et l'un des plus marquants du vintage.

VINTAGE NACIONAL 1970 Intensité moyenne seulement, riche et mûr, avec des tanins fermes et une bonne acidité, qui permettront au vin de se conserver pendant des années.

VINTAGE NACIONAL 1963 Le vin est encore très jeune. Tout juste rouge rubis, avec un nez massif de figues, des tanins énormes et une grande puissance. Il est encore très loin de son apogée. (Apparemment le Quinta do Noval du même vintage est déjà tout à fait mûr et ne se développera pas davantage.)

Quinta de la Rosa – Vinhos Porto, Lda.

Quinta de la Rosa
5085 Pinhão, Portugal

Quand on voyage de Régua à Pinhão, il est impossible de manquer la Quinta de la Rosa. Avec son impressionnante collection de bâtiments, son nom blasonné en un lettrage élégant sur le mur de la vinerie, la quinta est la plus visible de toutes les quintas de l'industrie du porto.

La quinta est devenue la Quinta de la Rosa au début du siècle, quand elle fut achetée pour Claire Feuerheerd, de la société de porto Feuerheerd, qui fait désormais partie de Barros, Almeida & Ca. Elle appartient maintenant à Sophia et Tim Bergqvist, des descendants des Feuerheerd, qui en ont conservé la propriété quand ils vendirent la marque au groupe Barros, Almeida durant la dépression des années 1930.

Depuis lors, le vin a été vendu à Croft et à Delaforce et, plus récemment, à Sandeman. Sandeman a utilisé la vinerie pour produire environ 600 pipes de vin d'autres vignobles. Le changement législatif qui a permis aux indépendants de vendre leur vin a coïncidé avec un changement chez Sandeman. La société a réduit sa production et n'avait plus besoin de recourir à des unités de production supplémentaires. C'est alors que les Bergqvist ont décidé de revenir sur le marché du porto et de vendre un vin de single quinta.

Des sommes considérables ont été investies récemment, pour replanter les vieilles terrasses à murets en patamares. D'importantes recherches furent consacrées à la mécanisation des vieilles terrasses pour réduire les coûts de la culture des vieilles vignes, qui produisent le meilleur vin. Les Bergqvist croient que la plantation traditionnelle aléatoire, qui consiste à mélanger les vignes dans les vignobles, contribue à la complexité du vin de porto.

Environ 200 pipes de porto sont produites chaque année, à partir d'un peu moins de 200 000 vignes. La quinta produit aussi un vin léger et une huile d'olive du domaine. Le vin est mûri à la quinta, ce qui explique la taille des bâtiments. À l'heure actuelle, la quinta ne produit que des portos rouges; les vintages et LBV sont les plus intéressants.

INFORMATION

VISITES *La Quinta de la Rosa est chaleureusement ouverte aux visiteurs. Elle offre non seulement les visites guidées, mais elle loue des chambres avec déjeuner, et elle offre des possibilités d'hébergement autonome. Tél. (351–54) 72254.*

VINS RECOMMANDÉS
LBV 1991, vintages.

APPRÉCIATION GÉNÉRALE
★★

NOTES DE DÉGUSTATION

FINEST RESERVE Bien que ce vin ne soit pas désagréable, il est loin d'être impressionnant. De couleur rubis, d'intensité moyenne, avec un nez plutôt piquant et poisseux. Mi-sucré et moyennement charnu, mais avec une finale qui soulève légèrement le cœur. Les vins avec indication de date sont bien meilleurs.

LATE BOTTLED VINTAGE 1991 De couleur rouge grenat très intense, le vin commence à montrer un peu de maturité sur le disque. Nez tout à fait mûr, soupçons de prunes, de pruneaux et de fleurs. Très plein et concentré en bouche, bien en chair avec des tanins assez fermes. Le vin se boit bien, mais quelques années de vieillissement ne lui nuiront pas.

VINTAGE 1994 Noir au cœur, avec le plus étroit disque rubis violet. Nez fermé, mais concentré de fruits sombres très mûrs et de chocolat nature. Bien en chair avec des fruits massifs. Tanins très fermes, presque agressifs qui dominent, mais qui s'atténueront avec l'âge pour donner un porto d'une richesse exceptionnelle.

Quinta do Sagrado Comércio de Vinhos, Lda.

Rua da Reboleira, 7-1°
4000 Porto, Portugal

La Quinta do Sagrado est adjacente à la Quinta da Foz, le vignoble vedette de la société de porto A.A. Cálem & Filho. Comme les deux quintas appartiennent à la même société, la Quinta do Sagrado est généralement considérée comme faisant partie de la Quinta da Foz, mais la société a récemment mis en marché une gamme limitée de vins sous l'étiquette Quinta do Sagrado.

Située en plein cœur du Cima Corgo, la Quinta do Sagrado occupe une position dominante sur une colline qui surplombe le Douro, juste à l'ouest de Pinhão, en aval de la Quinta da Foz. C'est une petite quinta, de 30 arpents seulement, dont seulement les trois quarts sont plantés en carrés uniquement d'espèces de raisins recommandées. Contrairement à ce qu'on voit chez sa voisine de taille plus considérable, toutes les vignes sont plantées sur des terrasses modernes en patamares. Par contraste, une grande partie de la Quinta da Foz est constituée d'un vieux vignoble supporté par des murets, que Cálem aimerait éventuellement convertir.

Les vins de la Quinta do Sagrado sont généralement de bonne qualité, sans être sensationnels, comme il convient aux vins de deuxième étiquette.

INFORMATION

VISITES *Non, mais voir l'entrée relative à A.A. Cálem & Filho, Lda. à la page 79.*

VINS RECOMMANDÉS *Vintage Character.*

APPRÉCIATION GÉNÉRALE ★

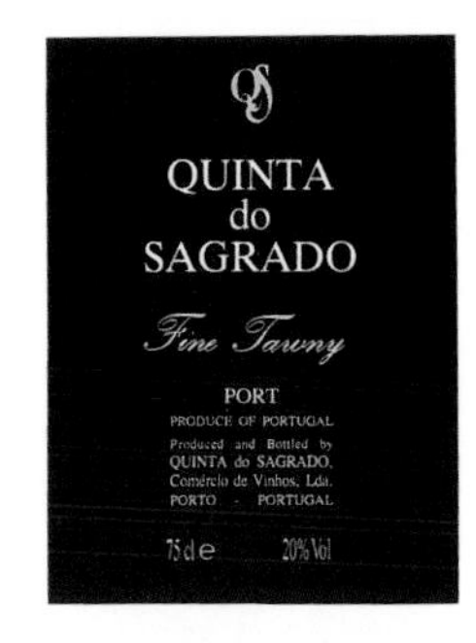

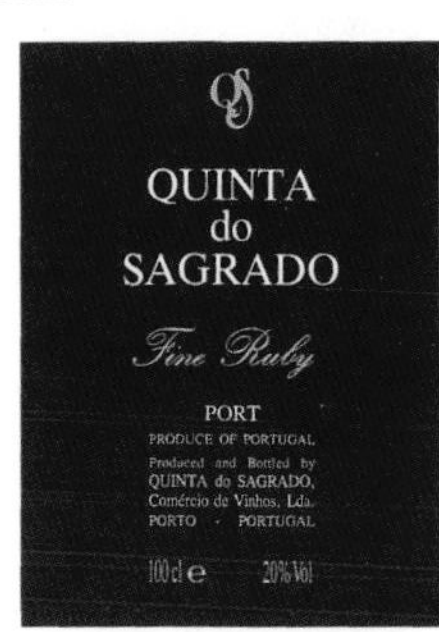

NOTES DE DÉGUSTATION

VINTAGE CHARACTER Rouge rubis intense avec un soupçon de maturité sur le disque. Nez plein et riche de fruits épicés et de confitures. Palais mi-sucré, légèrement mordant. Passablement bien en chair avec une bonne persistance pour son type. Un bon spécimen de vintage character.

10 ANS D'AGE Couleur brun noisette; intensité raisonnable. Nez modérément alcoolisé avec un soupçon de noix marinées. Palais mi-sucré et très propre dépourvu de la puissance de certains, sans avoir l'élégance de certains autres. Finale un peu courte. Agréable à boire, mais sans grand intérêt.

VINTAGE 1990 Intensité moyenne; rubis plutôt que violet. Nez plein et très ouvert, fruité et commençant à évoluer. Consistance moyenne au palais avec des tanins souples, mais perceptibles. Le vin se boit assez bien, mais il n'a pas la puissance pour durer longtemps. Un vin à boire dans les cinq à dix prochaines années.

Sociedade Vitivinicola da Quinta de Santa Eufêmia, Lda.

5100 Parada do Bispo, Portugal

La Quinta de Santa Eufêmia est située tout près de la ville de Régua, sur la rive sud du Douro. Cette quinta est l'un des plus nouveaux joueurs dans l'industrie du porto: celle-ci n'a en effet commencé à embouteiller et à exporter ses vins qu'en 1994. Son histoire, cependant, remonte à 100 ans avant cette date.

Établie par Bernardo Rodrigues de Carvalho en 1894, la quinta a passé son premier siècle à fournir des vins aux exportateurs à Vila Nova de Gaia. Avec les années le vignoble a été agrandi par l'achat de lots voisins, mais il occupe seulement 86 arpents, ce qui représente 100 fois la taille des vignobles moyens dans le Douro. La quinta est petite quand on la compare à plusieurs producteurs de single quintas. De ce vignoble environ 108 250 litres de vin sont produits, dont un peu plus du quart est du blanc. La taille de la quinta est suffisamment importante pour justifier l'installation d'équipement de vinification en sus des lagares, de sorte qu'environ 40 pour cent de la production est fabriquée par autovinification, et le reste est foulé par pieds d'hommes.

La famille a toujours conservé une petite quantité de vin pour sa consommation personnelle et celle de la quinta, et c'est ce qui a formé la base des vins commerciaux. Elle a donc pu mettre en marché quelques vins assez mûrs, entre autres un remarquable porto blanc qui a vieilli dans des barils pendant 25 ans.

La gamme de vins est petite, mais elle augmente. Les vins actuellement vendus, les tawnies 10 ans et 20 ans d'âge, de même que le tawny courant et le reserve (vintage character), seront bientôt rejoints par le ruby, le blanc sec et le colheita, qui devraient être mis en marché sous peu. Ces nouveaux types de vins favoriseront les activités d'exportation de la société, qui ont connu un succès remarquable. Plus de la moitié de la production est maintenant exportée: environ un cinquième vers les États-Unis, le reste vers les pays du Benelux et de l'Europe septentrionale.

Information

Visites *Eufêmia fait partie de la Rota do Vinho do Porto; elle offre des visites guidées et des dégustations, de même que l'hébergement et les rafraîchissements. Tél. (351–54) 331752/ (351–2) 9426306.*

Vins recommandés *Blanc Very Old Reserve.*

Appréciation générale ★

NOTES DE DÉGUSTATION

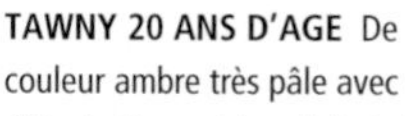

BLANC VERY OLD RESERVE Voici un vin remarquable. Peu de portos blancs sont intéressants; c'est le cas de celui-ci. D'une teinte dorée intense avec un nez léger, légèrement alcoolisé et âgé d'écorces confites et de marmelade citronnée. Sucré et bien en chair pour un blanc, acidité quelque peu citrique très rafraîchissante qui nettoie le palais.

TAWNY 20 ANS D'AGE De couleur ambre très pâle avec un nez délicat, bien qu'alcoolisé, de fruits séchés et de caramel. Sucré et moyennement charnu; palais plutôt dominé par l'alcool. Un style de tawny léger qui est rafraîchissant s'il est réfrigéré, mais il lui manque la concentration de certaines autres marques.

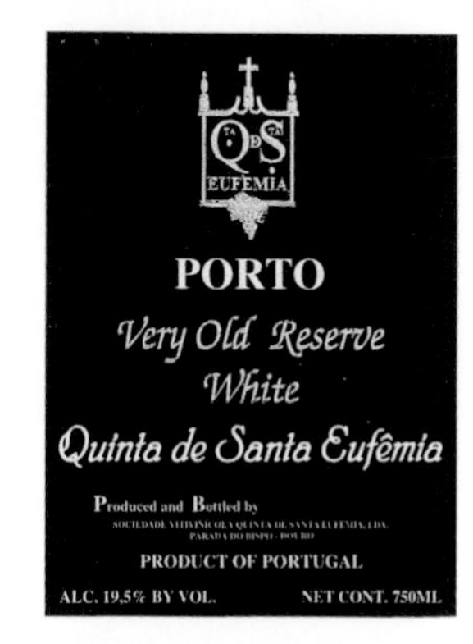

DES GIGOS ATTENDANT LES VENDANGES.

Quinta de Val da Figueira

**Rua do Ribeirinho, 472, Foz do Douro,
4150 Porto, Portugal**

La Quinta de Val da Figueira est située juste à l'ouest de Pinhão, après la Quinta do Porto de Ferreira. L'histoire de ce vignoble remonte au milieu du XVIIIe siècle. Bien que la quinta n'ait pas été mentionnée au moment de la confection du premier cadastre de la région du Douro, elle a certainement commencé à produire du porto peu de temps après.

> **INFORMATION**
>
> **VISITES** *Sur rendez-vous. Tél (351-54) 72159.*
>
> **VINS RECOMMANDÉS** *10 ans d'âge.*
>
> **APPRÉCIATION GÉNÉRALE** ★

L'exploit le plus important dont la quinta peut se vanter s'est produit en 1878, quand le propriétaire de l'époque, Joaquim Pinheiro de Azevedo Leita Pereira, a planté les premières vignes greffées sur des porte-greffes américains, ce qui les rendit résistantes au phylloxera. On peut voir une plaque commémorant cet événement dans la casa das lagares (la maison du foulage).

Comme il s'agit d'un producteur de taille plutôt petite, qui ne vinifie que les vins de la quinta, tout le vin est foulé par pieds d'hommes. Il est très peu avantageux financièrement d'acheter de l'équipement quand le volume est si petit, et d'ailleurs la plupart des producteurs croient encore que les pieds sont le meilleur outil pour extraire le jus de raisin.

La quinta appartient à Alfredo Cálem Holzer, qui est lié par mariage à la famille A.A. Cálem. Naturellement, le vin a été longtemps vendu à Cálem, mais depuis les modifications apportées en 1986 aux règlements concernant la vente de porto par les quintas, le vin de la Quinta de Val da Figueira est vendu comme vin de single quinta.

Val da Figueira est une petite quinta, dont seulement 47 arpents sont plantés de vignes. La production a augmenté jusqu'à 100 pipes par année, grâce à la replantation et à une agriculture soignée. Comme la société n'est sur le marché sous son propre nom que depuis une dizaine d'années, celle-ci n'offre actuellement que deux vins: un tawny 10 ans et un porto vintage. La Quinta de Val da Figueira a déclaré des vintages en 1987, 1989, 1991 et 1994, et ces vins sont tous en vente à des prix intéressants. Le tawny 10 ans et le vintage 1991 sont les seuls que nous ayons dégustés pour le présent livre.

NOTES DE DÉGUSTATION

10 ANS D'AGE De couleur rouge-orange pâle; très brillant. Nez léger et très mûr, alcoolisé, mais pas du tout cuit. Floral et minéral, légers soupçons de pétrole et de vanille. Mi-sucré avec une acidité équilibrée et peu de tanins. Peut-être un peu léger au palais, mais complexe et équilibré avec une longue finale.

VINTAGE 1991 Couleur rubis moyennement intense; pas aussi foncé ou violet que certains. Nez plein et ouvert de gâteau aux fruits et de prunes, jeune et frais. Mi-sucré avec des tanins modérés. Consistance moyenne avec alcool perceptible. Ce vin va évoluer, mais c'est un vin à boire à moyen terme, et non à conserver des décennies.

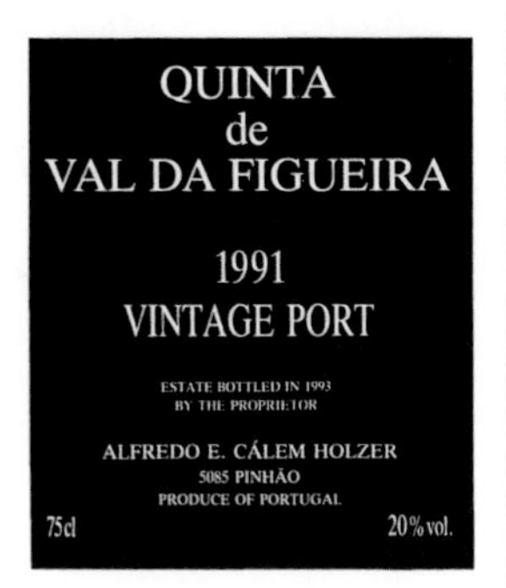

Quinta de Ventozello – Sociedade Agricola E Comercial, S.A.

Praceta Engº. António de Almeida, 70-9º
Sala 419, 4100 Porto, Portugal

La Quinta de Ventozello est située sur la rive sud du fleuve Douro, en amont de Pinhão et en face de la Quinta da Roêda, en plein cœur du Cima Corgo. Avec ses 1729 arpents, c'est un vaste domaine dont l'histoire est longue. On a en effet trouvé des mentions de la quinta dans des manuscrits de l'époque médiévale remontant à 1288.

Ses frontières actuelles ont été établies en 1826. À cette époque, elle appartenait au monastère royal de S. Petro das Aguias. Depuis 1958, elle appartient à une société appelée Edmundo Alves Ferreira, qui fait le commerce du porto sous le nom de la quinta.

INFORMATION

VISITES *Oui. Tél. (351–2) 6093691.*

VINS RECOMMANDÉS *10 ans d'âge.*

APPRÉCIATION GÉNÉRALE ★★

Quelques anciennes terrasses à murets de pierre existent encore, mais de larges portions de la quinta ont été replantées en patamares et en vinha ao alto, ce qui simplifie l'entretien des quelque 500 000 vignes qui y sont cultivées. La maison se trouve quelque peu en retrait du fleuve, dont elle est séparée par une oliveraie. Les terrasses à murets de pierre entourent le complexe immobilier, tandis qu'on voit en amont les nouveaux patamares qui ressemblent à une cicatrice dans la partie inférieure des collines. Au-dessus de la ligne du vignoble, on laisse les broussailles pousser librement.

Bien que les méthodes de culture ne soient pas totalement organiques, Ventozello évite les fertilisants chimiques, préférant les techniques naturelles. Tout le vin est fabriqué dans des lagares; aucune méthode mécanique n'est utilisée. Comme la quinta ne vend que le vin qui en provient, le chai est situé à la quinta, et donc les vins prennent la caractéristique distincte du «Douro bake». Ce caractère particulier n'est pas désagréable, mais les vins qui en sont dotés sont différents des vins équivalents de Vila Nova de Gaia.

La quinta favorise les visites touristiques et offre toutes sortes de services: des visites guidées, des possibilités d'hébergement, et même des terrains de tennis et une piscine, ce qui est tout à fait inusité dans cette partie du monde.

NOTES DE DÉGUSTATION

10 ANS D'AGE Ambre orangé pâle mais très vif, avec un nez de fumée intense et très alcoolisé; touches très nettes de caramel brûlé. Sucré avec un palais de fumée de bois intense, de même que quelques touches de figues séchées. Légèrement alcoolisé, mais bonnes saveur et concentration.

20 ANS D'AGE Couleur ambre roussâtre très pâle, seulement un peu plus brun que le 10 ans, avec un nez parfumé et un arôme de noix. Encore très alcoolisé. Mi-sucré et mi-charnu; saveur de caramel brûlé et finale longue, mais alcoolisée.

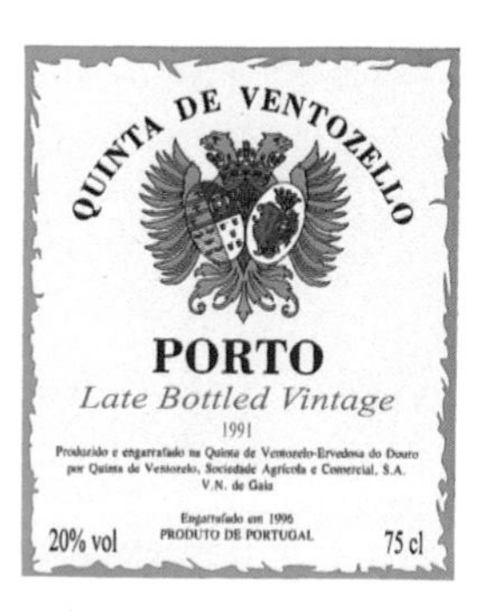

Sociedade Agricola da Quinta do Vesuvio

Trav. Barão de Forrester, Apartado 26
4401 Vila Nova de Gaia Codex, Portugal

Sur la rive sud du Douro, plus loin en amont de Canais et Vargellas en plein Douro Superior, s'étend l'un des plus merveilleux vignobles au monde, la Quinta do Vesuvio, qui couvre 988 arpents de terre de vignes de catégorie A. On dit que Vesuvio comprend sept collines et 30 vallées. C'est peut-être exagéré, mais cela donne une idée de sa taille.

À l'origine, Vesuvio était plantée de maïs. Les premiers ceps furent plantés par les Ferreira, qui acquirent la quinta en 1823. L'hospitalité de Dona Antónia à la quinta était légendaire, et ce fut après un déjeuner chez elle que le baron Forrester fut victime de l'accident qui lui a coûté la vie (voir Forrester & Ca., S.A., page 111). Durant le règne de Dona Ferreira, les vignobles étaient bien entretenus et soumis à certains travaux expérimentaux, mais le phylloxera devait avoir un effet dévastateur, et le rendement des vignes fut presque réduit à néant. En désespoir de cause, les Ferreira tentèrent alors d'élever des vers à soie.

À cause des lois successorales portugaises, en 1989 Vesuvio appartenait à 18 membres de la famille Ferreira. Ceux-ci décidèrent de vendre la quinta au groupe Symington, qui depuis a fait les investissements nécessaires pour redonner au vignoble sa gloire passée.

Se prévalant des nouveaux règlements adoptés en 1986, les Symington ont décidé d'introduire un nouveau concept dans l'industrie du porto: celui de la quinta unique qui produit seulement du porto vintage. La marque Quinta do Vesuvio ne commercialise que des vintages. Si le vin n'est pas suffisamment bon à cette fin, il est vendu à d'autres sociétés.

La propriété produit l'équivalent d'environ 23 000 caisses de vin. Tout le vin est fabriqué dans des lagares, mais des lagares un peu différents. Ils sont munis de tuyaux de refroidissement ou de réchauffement amovibles, grâce auxquels le vinificateur profite du meilleur des deux mondes: une bonne extraction par pieds d'hommes, de même qu'un contrôle de température permettant de varier le degré de fermentation selon les besoins.

INFORMATION

VISITES *Seulement avec une recommandation d'un négociant en vins.*

VINS RECOMMANDÉS
Vintages 1990, 1991, 1994.

APPRÉCIATION GÉNÉRALE
★★★

Notes de dégustation

VINTAGE 1994 Couleur d'intensité moyenne, avec un large disque rubis, mais un nez très fermé. Très jeune, caractère de levure résultant de la fermentation, avec des soupçons de chocolat noir et de gâteau aux fruits. Mi-sucré et de consistance moyenne avec des tanins et des acides fermes. Vin à consommer à moyen ou long terme.

VINTAGE 1989 Bien qu'il soit encore jeune et très peu mûr, ce vin est déjà séduisant. Les tanins sont souples, et le vin est de consistance moyenne à charnue et très fruité. Il se boit maintenant, mais il n'est pas encore à son meilleur.

Les tonneaux au chai de Vesuvio.

NOTES DE DÉGUSTATION

SINGLE QUINTA VINTAGE

VINTAGE 1994 (voir page 217)

VINTAGE 1992 Nez plutôt alcoolisé, plus que certains des autres, avec un caractère jeune de fruits rouges. Pas aussi intense ou complexe que d'autres 1992 ou d'autres vintages de cette quinta. Fruits frais quoiqu'un peu délicats au palais, avec des tanins fermes et un corps de moyen à charnu. Le palais révèle plus que ce que le nez laisse présager. Ce n'est pas un grand Vesuvio, mais il se boit bien pendant qu'on attend que les stocks de 1991 soient mûrs.

VINTAGE 1991 L'un des plus noirs et des plus intenses de tous les 1991. Le nez fermé révèle un caractère de prunes et de café. Palais mi-sucré à sucré, encore partiellement obscurci par un mur de tanins mûrs, qui permettront au vin de se conserver pendant très longtemps. Le Quinta do Vesuvio 1991 est l'un des meilleurs vins d'un bon vintage. Il ne sera prêt à boire que vers la fin de la première décennie du XXIe siècle.

VINTAGE 1990 Ce vin a toujours été massif. Opaque au moment de sa mise en marché, il a peu changé et est encore fermé — il est presque aussi inaccessible que la quinta elle-même. Fruits sombres et piquants, un peu de vanille et même de cannelle au nez. Palais sucré, plein mais frais, avec une structure tannique massive qui permettra au vin de se conserver; très charnu. Certains des autres vins du vintage 1990 ont un caractère cuit dont celui-ci est, fort heureusement, dépourvu, ce qui en fera un vin splendide à long terme.

VINTAGE 1989 (voir page 217)

LES TERRASSES ANCIENNES ET NOUVELLES À LA QUINTA DO VESUVIO.

Glossaire

Adega Vinerie où les raisins sont traités et transformés en vin. Le terme se rapporte particulièrement aux coopératives: Adegas Cooperativas.

Bagaçeira Alcool pur distillé à partir de peaux et de pédoncules de raisins, consommé traditionnellement par les fouleurs au milieu de la nuit.

Casa do Douro Avec l'IVP, c'est l'un des organismes de réglementation de l'industrie qui représente les intérêts des cultivateurs. Au moment de la rédaction du présent ouvrage, son avenir était incertain à cause de problèmes financiers.

Casco Terme portugais qui signifie «fût». Le terme est utilisé sur les étiquettes destinées au marché portugais; il indique les tawnies et colheitas mûris dans le bois.

Chai Entrepôt de maturation utilisé pour les vins de porto. La plupart des firmes entreposent leur vin à Vila Nova de Gaia, sur la rive sud du Douro, en face de Porto. Cependant, une ou deux ont transporté leurs entrepôts de maturation plus en amont dans la région des vignobles, et les vins de single quinta sont pour la plupart mûris à la quinta même.

Classification cadastrale Méthode d'évaluation des vignobles. Chaque vignoble de la région du Douro est classé selon une échelle de A à F. Le classement, ou classification cadastrale, tient compte d'un certain nombre de facteurs à la fois naturels (altitude, composition du sol, etc.) et d'origine humaine (l'âge des vignes). Les meilleurs vins viennent des catégories A et B; celles-ci sont donc les plus rentables pour le cultivateur. Plus la catégorie est élevée, plus la proportion de raisins dont on peut faire du porto est considérable.

Colheita Littéralement, mot portugais qui signifie «récolte», et, par conséquent, «vintage». Cependant, dans le cas du porto, colheita désigne un porto tawny avec une date de récolte, à ne pas confondre avec le porto vintage.

Cuves autovinifiantes Cuves à circulation mécanique qui utilisent la pression du gaz carbonique libéré par la fermentation pour faire circuler le moût en fermentation et par le fait même en extraire les pigments.

Douro Bake Terme parfois attribué aux vins mûris dans la chaleur de la vallée du Douro, plutôt que dans les chais de Vila Nova de Gaia. Ces vins peuvent développer un caractère «cuit», qui donne un goût de caramel.

Garrafeira Terme portugais utilisé pour les vins, indiquant un long mûrissement avant la mise en marché. Le procédé est plus important pour les vins non fortifiés, mais un ou deux producteurs fabriquent encore des portos garrafeira.

Gigo Panier traditionnel utilisé par les cueilleurs de raisins. Le panier, qui pèse entre 45 et 70 kilos quand il est plein, est porté à hauteur d'épaule du vignoble à la quinta, ou jusqu'à un camion en attente.

IVP Instituto do Vinho do Porto (Institut du vin de Porto), un des organismes de réglementation de l'industrie du porto. Il s'occupe des relations publiques, de l'évaluation et de la dégustation des vins, et de la délivrance du sceau de garantie, le Selo Garantia, apposé sur chaque bouteille.

LBV Late Bottled Vintage. Techniquement il s'agit d'un porto rouge intense, mûri en fût entre quatre et six ans.

Lagar Réservoir de granit ou, parfois, de ciment, où tous les meilleurs portos sont foulés par pieds d'hommes.

Moût Jus de raisin en fermentation destiné à devenir du vin.

Patamar Type moderne de terrasses de vignoble façonnées par bulldozer, comprenant des voies empruntées par des tracteurs et autre équipement pour permettre un certain degré de mécanisation au moment des vendanges.

Pipe Fût de maturation traditionnel pour le porto; également mesure du porto en vrac. Bien que la taille actuelle des pipes de maturation varie entre 550 et environ 650 litres, officiellement la taille est de 550 litres pour une pipe de production et de 533 litres (ou 712 bouteilles) pour une pipe destinée à la vente. Les vignerons parlent généralement du nombre de pipes de vins qu'ils obtiennent d'un vignoble, plutôt que d'hectolitres, comme dans la plupart des régions d'Europe.

Plantation en carrés Culture d'une variété unique de raisins dans une partie du vignoble, contrairement à la méthode historique de plantation mixte, où les vignes d'une même rangée sont de variétés différentes.

Porto de cépage Vin fabriqué à partir d'une seule variété de raisins, généralement utilisé dans un coupage, mais parfois vendu comme vin à part entière.

Porto de single Quinta Porto fait de raisins cultivés à la quinta indiquée sur l'étiquette. Les vintages de single quinta existent depuis un certain temps, mais on commence à voir sur le marché des rubies et des tawnies.

Quinta Ferme ou domaine vinicole La quinta peut ou non comporter une maison imposante. Il n'y a pas de distinction nette entre une quinta et un vignoble. Dans le Douro, les plus grands vignobles sont appelés quintas. En ce qui concerne le vin, le terme est à peu près équivalent au «château» français.

Remontage Dans la fabrication du vin rouge, processus par lequel le moût en fermentation est remonté du fond de la cuve pour arroser le chapeau de marc qui flotte sur le dessus, de manière à extraire le pigment et le tanin.

Ruby Jeune porto rouge, mûri pendant environ trois ans avant sa mise en marché.

Schiste Roche dure, mais friable, semblable à de l'ardoise, qui recouvre le substratum de granite dans la région du Douro.

Seco «Sec» Dans le cas d'un porto blanc sec, le terme signifie généralement que le vin est entre sec et mi-sec (off-dry).

Tartrates Cristaux inoffensifs susceptibles de se former dans le vin pendant le mûrissement. Ils sont généralement retirés des vins destinés à une consommation rapide, par refroidissement et filtration du vin avant l'embouteillage. Les portos vintage et LBV ne sont pas stabilisés de cette façon, parce qu'on s'attend à y trouver un dépôt.

Tawny Un porto vieilli dans le bois qui a perdu sa couleur rouge initiale pour devenir brun ou roussâtre (le mot anglais tawny désigne la couleur roussâtre). Il existe toute une gamme de tawnies, des tawnies courants aux tawnies fins avec indication d'âge.

Terrasse Le terrain dans la région du Douro est fait de collines abruptes, qui imposèrent le façonnement de terrasses dans les vignobles, c'est-à-dire que la terre a dû être travaillée pour que les vignes soient plantées dans des lots de terre plats ou en pente douce, supportés par des murets ou des talus. Les terrasses originales portaient le nom de socalcos et les plus modernes s'appellent des patamares.

Vila Nova de Gaia Banlieue de la ville de Porto, la deuxième ville importante au Portugal. C'est là que se trouvent les chais de la plupart des exportateurs de porto, dans un secteur aussi délimité que la région des vignobles elle-même.

Vinage Fait d'ajouter de l'alcool au moût en fermentation pour détruire les levures actives, dans le but d'améliorer le contenu en alcool et de conserver une quantité considérable de sucre résiduel.

Vinha ao alto Plantation de vignoble sans terrasses, les rangées de vignes étant perpendiculaires aux pentes des collines. Ce type de plantation est impraticable quand la pente est très abrupte, mais quand il est utilisé il permet un certain degré de mécanisation.

Adresses

ORGANISATIONS

Gabinete da Rota do Vinho do Porto
Rua dos Camilos, 90-5050 Peso da Regua
PORTUGAL
TÉL.: (351-54) 320145
FAX: (351-54) 320149

Instituto do Vinho do Porto
Rua Ferreira Borges, 4050 Porto
PORTUGAL
TÉL.: (351-2) 2071600
FAX: (351-2) 2080465

Região Turismo Douro Sul
Rua dos Bancos, 5100 Lamego
PORTUGAL
TÉL.: (351-54) 65770
FAX: (351-54) 64014

Port Wine Institute
1st Floor, 121 Mount Street
London W1Y 5HB, ENGLAND
TÉL.: (44-171) 4090494
FAX: (44-171) 4091018

Wine and Spirit Education Trust
Five Kings House, 1 Queen Street Place
London EC4R 1QS, ENGLAND
TÉL.: (44-171) 2363551
FAX: (44-171) 3298712

Wine Appreciation Guild
155 Connecticut Street
San Francisco, CA 94107, U.S.A.
TÉL.: (415) 866 3020

MAGAZINES

Decanter
Priory House, 8 Battersea Park Road
London SW8 4BG, ENGLAND
TÉL.: (44-171) 6278181
FAX: (44-171) 7388688

The Vine
26 Woodstock Road, London W4 1EQ
ENGLAND

Wine Magazine
652 Victoria Road, South Ruislip
Middlesex HA4 0SX, ENGLAND
TÉL.: (44-181) 8421010
FAX: (44-181) 8412557

Wine & Spirits
Winestate Publications, Inc.
818 Brannan Street
San Francisco, CA 94103, U.S.A.
TÉL.: (415) 255 7736
FAX: (415) 255 9659

Wine Enthusiast
Wine Enthusiast Companies
8 Saw Mill River Road
Hawthorne, NY 10532, U.S.A.
TÉL.: (914) 345 8463
FAX: (914) 345 3028

Wine Spectator
M. Shanken Communications, Inc.
387 Park Avenue South, 8th Floor
New York, NY 10016, U.S.A.
TÉL.: (212) 684 4224
FAX: (212) 481 1540

Bibliographie

Bradford, Sarah. *The Story of Port.* Londres: Christie's, 1983.

Caravalho, Manuel. *A Guide to the Douro and to Port Wine.* Porto: Edições Afrontamento, 1995.

Fonseca, A. Moreira et al. *Port Wine.* Porto: Instituto do Vinho do Porto, 1981.

Howkins, Ben. *Rich, Rare and Red.* Londres: Heinemann, 1982.

Hönsch, Helmut. *Caracterizaçao dos Factores Ecológicos e da Susceptibilidade de Erosao dos Novos Tipos de Implantaçao da Vinha na Regiao Demarcada do Douro.* Vila Real, non daté.

Johnson, Hugh. *World Atlas of Wine.* Londres: Mitchell Beazley, 1985.

Liddell, Alex and Price, Janet. *Port Wine Quintas.* Londres: Sotheby's, 1992.

Mayson, Richard. *An Analysis of the Effects and Implications of Varying Types of Cultivation on Port Viti/Viniculture.* Sheffield, 1983.

Mayson, Richard. *Portugal's Wines & Winemakers.* Londres: Ebury Press, 1992.

Oliveira, Manuel. *Run-Off and Soil Erosion in Vineyard Soil of Douro Region (Cima Corgo) Portugal.* Vila Real, 1995.

Robertson, George. *Port.* Londres: Faber & Faber, 1978.

Robinson, Jancis. *The Oxford Companion to Wine.* Oxford: Oxford University Press, 1994.

Symington, Paul. *Port Wine.* (Une publication de la société Symington utilisée à des fins de promotion.)

Vizetelly, Henry. *Facts about Port and Madeira.* Londres: Ward Lock, 1880.

Warner Allen, H. *The Wines of Portugal.* Londres: George Rainbird, 1963.

Index

A

Achat du porto, 48-49
Aida Coimbra Ayres de Mattos e Filhos, Lda. 64-66
Aligó, Adega Cooperativa de 187-188
Atayde, Quinta do, 15, 88

B

Barros, Almeida & Ca. Vinhos Lda. 23, 69-70, 99, 126, 128
Barros, Sociedade Agricola 67-68
Boa Vista, Quinta da, vintage 112, 113
Bomfim, Quinta do 15, 93, 144, 144, 165, 167, 170, 180
  vintage 148, 167
Bom Retiro, Quinta do 15, 96, 122, 147, 184
  20 ans d'âge 148
Borges e Irmão, Sociedade dos Vinhos 71-3, 114
Bucheiro, Quinta do 190
Burmester, J.W. & Ca., Lda. 74-78, 116

C

Cachão, Quinta do 133, 133
Classification cadastrale 17, 219
Cálem, A.A., & Filho, Lda. 21, 44, 79-83, 208
Canais, Quinta dos 86, 88, 89
Casa Amarela, Quinta da, 191-2, 191
Casa do Douro 151
Castelinho (Vinhos), Lda., Quinta do 193-195
Churchill Graham, Lda. 36, 84-86
Cockburn Smithes & Ca. S.A. 38, 43, 46, 87-91, 130, 189
Companhia Geral da Agricultura das Vinhas do Alto Douro 19-20, 150, 196
Côrte, Quinta da 15, 96, 98
  Vintage 97, 98
Côtto (Montez Champalimaud, Lda.), Quinta do 196-197
Crasto, Sociedade Agricola da Quinta do 198-199
Croft & Ca., Lda. 92-95, 179
Croft, John, Traité sur les vins du Portugal 92

D

Décantation 51-52
Dégustation du porto 54-58
  horizontale et verticale 62
Delaforce Sons & Ca. — Vinhos, Lda. 23, 96-98, 130
Dow 44, 119, 144, 165-167, 179

E

Eira Velha, Quinta da 15, 71, 130
Entreposage du porto 49-50
Ermavoira, Quinta da 11, 15, 15, 146-147, 189
Étiquetage 46-47

F

Factory House 23, 25-26, 26
Feist, H. & C.J., — Vinhos, S.A. 69, 99-100
Ferreira, A.A., S.A. 67, 101-105, 111
Fonseca Guimaraens — Vinhos S.A. 15, 33, 44, 106, 168, 174
Forrester & Ca., Lda. 111-113
Foz, Quinta da 15, 71, 79-80, 151
  Vintage 79, 82, 83

G

Garrett & Ca., Lda. 114-115
Gilberts & Ca., Lda. 116-118
Gould Campbell 119-120
Graham, W. & J., & Co. 23, 39, 84, 119, 121-125, 144, 165, 170, 179

H

Hutcheson, Feuerheerd & Associados — Vinhos S.A. 69, 126-127

I

Infantado, Quinto do, — Vinhos do Produtor, Lda. 200-201
Instituto do Vinho do Porto (IVP) 33, 38, 43, 80, 122, 174, 197, 219

K

Kopke, C.N., & Ca., Lda. 69, 99, 128-129

M

Maladies des vignes 20-1, 88, 102, 203, 212
Malvedos, Quinta dos 16, 121-122
Martinez Gassiot & Co., Ltd. 87, 96, 130-132
Maturation 34-35
Messias S.A., Sociedade Agricola e Comércial dos Vinhos 133-134

N

Niepoort (Vinhos) S.A. 46, 135-138, 183
Nova de Nossa Senhora do Cromo, Quinta 75, 75, 116
Noval, Quinta do 15, 28, 40, 135, 186
  Vinhos S.A. 202-205, 203

O

Osborne (Vinhos de Portugal) & Ca., Lda. 139-140

P

Panascal, Quinta do 15, 33, 106-107, 107, 108, 168
  Vintage 110
Passadouro, Quinta do 46, 135
  Vintage 138
Poças Junior, Manuel D., — Vinhos S.A. 141-146
Pombal, marquis de 18, 19, 64, 104
Porto, Quinta do 102, 102
Production 31-32

Q

Quarles Harris & Ca., Lda. 119, 144-145
Quartas, Quinta das 141, 142
Quintas 16, 40-42, 63, 108, 220
  (voir aussi les noms des quintas individuelles)

R

Ramos Pinto, Adriano (Vinhos) S.A. 11, 21, 27, 36, 96, 102,

122, 146-149, 189
Real Companhia Velha 23, 150-154
Récolte des raisins 28-30
Région du porto 10-15
Retiro Novo, Quinta do 184, 184
Roêda, Quinta da 15, 92-93, 151
 Vintage 94
Romariz — Vinhos S.A. 46, 154-155
Rosa, Quinta de la — Vinhos Porto, Lda. 126, 206-207
Route des vins de porto (Rota do Vinho do Porto) 33
Royal Oporto, voir Real Companhia Velha
Rozès, Limitada 156-157

S

Sagrado, Quinta do 79
 Comércio de Vinhos, Lda. 208-209
Sanedman & Ca., Lda. 23, 33, 43, 111, 158-162
Santa Eufêmia, Sociedade Vitivinicola da, Quinta de 210-211
Santa Magdalena, Quinta de 119, 170
Santo António, Quinta de 79, 107
São Luiz, Quinta de 69, 99, 126, 128
Servir le porto 52-54
Silva, C. da (Vinhos) S.A. 163-164
Silva & Cosens Lda. 119, 165-167, 179
Skeffington Vinhos, Lda. 168-169
Smith Woodhouse & Ca., Lda. 119, 170-172
Symington 23, 84, 119, 121, 144, 150, 165, 170, 179-180

T

Taylor, Fladgate & Yeatman — Vinhos S.A. 11, 39, 75, 80, 93, 106, 108, 168, 173-176
Tua, Quinta do 88, 88, 89, 121, 151
 Vintage 91

V

Val da Figueira, Quinta de 212-214
Vale dos Muros, Quinta de 168, 169
Valongo, Quinta de 67
Vargellas, Quinta de 11, 11, 40, 42, 88, 173-174
Vintage 175, 176
Vau, Quinta do 159, 160
 Vintage 162
Ventozello, Quinta de 214-215
Vesuvio, Sociedade Agricola da, Quinta do 216-218, 218
Vila Flor, Aadega Cooperativa de 189-190
Vila Nova de Gail (chais de) 33, 34-35, 34, 35, 38, 41, 71, 75, 80, 116, 125, 130, 139, 151, 154, 163, 164, 179, 184, 186, 195, 203, 219-220
Vilarinho, Quinta de 67
Vinoquel — Vinhos Oscar Quevedo, Lda. 177-178
Vintage, déclaration de 43-46
Vista Alegra, Quinta da 67

W

Warre & Ca., S.A. 119, 144, 179-182
Wiese & Krohn, Sucrs., Lda. 21, 183-185

Remerciements de l'auteur

Je tiens à remercier un grand nombre de personnes qui m'ont aidé dans la recherche relative au présent ouvrage. Plusieurs sont des employés de directions de marketing et de relations publiques et devront malheureusement demeurer anonymes. Il est cependant impossible de ne pas mentionner certains noms. Les personnes suivantes ont toutes participé à ma recherche générale sur le porto, ou à la recherche spécifiquement reliée à la rédaction du présent ouvrage: Dr. Bianchi de Aguiar, de l'IVP, Carlos de Almeida et George Sandeman, de Sandeman, Fernando Alves, de ADVID, Adrian Bridge, de Taylor Fladgate et Yeatman, Jeremy Bull, anciennement de A.A. Cálem et Filho, Dr. John Burnett, de Croft, Peter Cobb et Valco Maghlães, de Cockburn Smithes, Bruce Guimaraens, de Fonseca Guimaraens Limited, Dirk Niepoort, de Niepoort Ports, João Nicolau de Almeida et Jorge Rosas, de Ramos Pinto, et Christian Seely, de la Quinta do Noval.

Je remercie également les membres de ma famille pour leur compréhension devant l'invasion de bouteilles et le bouleversement de la routine domestique qui leur furent imposés. Je remercie Clare Hubbard, qui fut une intermédiaire efficace et dont la persistance et les efforts ont assuré la poursuite du projet. Je remercie enfin Gareth, John et les autres, qui ont généreusement participé aux dégustations.

Merci à Berry Bros. & Rudd, de Londres, pour nous avoir fourni l'entonnoir à décantation et les pinces à porto.

Références des illustrations

Forrester & Ca., S.A.: p. 2, 21(h), 30(b); Instituto do Vinho do Porto: p. 18, 20(h), 22(h), 60; Manoel D. Poças Junior — Vinhos S.A.: p. 30(h); Adriano Ramos Pinto (Vinhos) S.A.: p. 21(b); Sandeman & Ca., S.A.: p. 20(b), 24, 27; Sociedade Agricola da Quinta do Crasto: p. 29(b); Godfrey Spence: p. 7, 10(h), 14(b), 15, 26, 29(t), 31(t), 34, 49; Symington Port Shippers: p. 10(b), 16, 17, 48; Taylor, Fladgate & Yeatman — Vinhos S.A.: p. 11, 14(h), 31(b), 35, 42.